CYFRES Y CEWRI

1. DAFYDD IWAN
2. *AROGLAU GWAIR,* W.H. ROBERTS
3. ALUN WILLIAMS
4. *BYWYD CYMRO,* GWYNFOR EVANS
5. WIL SAM
6. *NEB,* R.S. THOMAS
7. *AR DRAWS AC AR HYD,* JOHN GWILYM JONES
8. *OS HOFFECH WYBOD,* DIC JONES
9. *CAE MARGED,* LYN EBENEZER
10. *O DDIFRI,* DAFYDD WIGLEY (Cyfrol 1)
    DAL ATI, DAFYDD WIGLEY (Cyfrol 2)
    MAEN I'R WAL, DAFYDD WIGLEY (Cyfrol 3)
11. *O GROTH Y DDAEAR,* GERAINT BOWEN
12. *ODDEUTU'R TÂN,* O.M. ROBERTS
13. *ANTURIAF YMLAEN,* R. GWYNN DAVIES
14. *GLAW AR ROSYN AWST,* ALAN LLWYD
15. *DIC TŶ CAPEL,* RICHARD JONES
16. *HOGYN O SLING,* JOHN OGWEN
17. *FI DAI SY' 'MA,* DAI JONES
18. *BAGLU 'MLAEN,* PAUL FLYNN
19. *JONSI,* EIFION JONES
20. *C'MON REFF,* GWYN PIERCE OWEN
21. *COFIO'N ÔL,* GRUFFUDD PARRY
22. *Y STORI TU ÔL I'R GÂN,* ARWEL JONES
23. *CNONYN AFLONYDD,* ANGHARAD TOMOS
24. *DWI'N DEUD DIM, DEUD YDW I...*
    STEWART WHYTE McEWAN JONES

CYFROL
3

CYFRES Y CEWRI 10

Maen i'r wal

DAFYDD
WIGLEY

Argraffiad Cyntaf — Tachwedd 2001

ISBN 0 86074 181 8

Cyhoeddwyd ac argraffwyd
gan Wasg Gwynedd, Caernarfon

I
Gwynfor a Rhiannon

Cynnwys

Rhagair

Ble'r oeddech chi nos Iau, 18 Medi 1997? Dyna noson y cyfrif mawr yn y refferendwm i sefydlu Cynulliad Cenedlaethol i Gymru, a fydd, maes o law, yn tyfu i fod yn senedd lawn i'n gwlad. Yn 1998 aeth y Mesur trwy Dŷ'r Cyffredin i drosglwyddo grym i'r Cynulliad. Yn 1999 cafodd Plaid Cymru 30% o'r bleidlais yn yr etholiad i'r Cynulliad gan ddod yr ail blaid fwyaf o fewn y corff newydd. O ganlyniad fe allai'r Blaid dyfu, erbyn 2003 neu 2007, i lywodraethu'n gwlad.

Bûm yn Llywydd Plaid Cymru rhwng 1991 – 2000. Yn y cyfnod hwnnw fe welwyd datblygiadau gwleidyddol aruthrol yng Nghymru, a chefais y fraint o arwain y Blaid ar adeg allweddol yn ein hanes. Mae'r gyfrol hon yn adrodd am y digwyddiadau hyn gan ychwanegu rhyw gymaint o'r perspectif personol a fu'n gefndir i'r gwaith.

Yn 2000, rhoddais y gorau i Lywyddiaeth y Blaid, ac yn 2001 ymddeolais o Dŷ'r Cyffredin ar ôl 27 mlynedd fel AS Arfon. Roedd yn ddiwedd cyfnod.

Dyma'r drydedd, a'r olaf, fe dybiaf, o'r cyfrolau yn ymwneud â'm bywyd a'm gwaith yn y byd gwleidyddol. Cyhoeddwyd *O Ddifri* yn 1992 ac mae'n sôn am y cyfnod hyd 1978. Flwyddyn yn ddiweddarach cyhoeddwyd *Dal At*i sy'n pontio'r blynyddoedd 1979 – 1993. Yn y gyfrol hon ceir yr hanes o 1994 hyd at 2001. Rhyngddynt, gobeithiaf y gwelir y cyfrolau hyn fel sylwebaeth werthfawr yn ogystal â ffynhonnell ffeithiol a hanesion o ddiddordeb am y cyfnod mwyaf difyr erioed yn natblygiad democratiaeth ein cenedl.

Fe geir hefyd yn y gyfrol hanes rhai digwyddiadau o gyfnodau blaenorol, nad oedd yn briodol i'w cynnwys yn y cyfrolau eraill. Er enghraifft, fe sonnir cryn dipyn mwy am y sgyrsiau a gefais o bryd i'w gilydd gyda John Major a Ron Davies. Fe welir yn y gyfrol hon rai cyfeiriadau at fy nyddiaduron. Nid yw'r rhain wedi eu cyhoeddi hyd yma, ac ni fyddai'n briodol ar hyn o bryd i wneud hynny. Efallai y cânt weld golau dydd rywbryd yn y dyfodol.

Rwyf yn ddiolchgar iawn i bawb a fu'n gefn i mi drwy gydol y cyfnod, ac yn arbennig felly i Elinor, Eluned a Hywel, ac i'm rhieni. Rwyf hefyd yn ddyledus i lu o gyfeillion o fewn Plaid Cymru, yn etholaeth Arfon ac yn genedlaethol. Gwerthfawrogaf hefyd gefnogaeth Cyngor Llyfrau Cymru a diolchaf i Wasg Gwynedd am gyhoeddi'r gyfrol.

Rwyf yn arbennig o ddyledus i'm hen gyfaill, o ddyddiau'r Coleg ym Manceinion, Ioan Roberts, am ymgymryd â'r gwaith o olygu a thwtio'r sgript, a fyddai fel arall yn llawer rhy hirwyntog – clwy cyffredin i wleidyddion, fe dybiaf! Hoffwn hefyd ddiolch i Arwyn Roberts, Ian Titherington, Chris Franks a John Wyn Jones am ddarparu cymaint o'r lluniau, i Nia Jeffreys, Mererid Lewis a Lowri Gwilym am help ymchwil ac i Gwenda Williams, Rhian Medi Roberts a Judith Jones am gynorthwyo gyda'r teipio. Gobeithiaf y bydd y gyfrol hon, ynghyd â'r cyfrolau blaenorol o ddiddordeb i genhedlaeth a fu fyw drwy ddyddiau difyr, ac yn helpu cenedlaethau'r dyfodol i ddeall yn well y datblygiadau hynod a ddigwyddodd yng Nghymru yn ein hoes ni.

DAFYDD WIGLEY

Y Nawdegau cynhyrfus

Y blynyddoedd 1997–2000 oedd un o'r cyfnodau gwleidyddol mwyaf cynhyrfus yn hanes Cymru. Os nad y mwyaf oll. Braint i mi oedd cael bod yn Llywydd Plaid Cymru o 1991 tan 2000. Cefais arwain y Blaid yn yr union adeg pan weddnewidiwyd ein hanes fel gwlad a'n rhagolygon fel cenedl.

Fel Aelod Seneddol Caernarfon (1974–2001) ac fel Aelod Caernarfon yn y Cynulliad Cenedlaethol newydd (1999 ymlaen) cefais gyfle i chwarae rhan yn y newidiadau aruthrol a ddaeth i'n gwlad.

Disgrifiais eisoes y cefndir a'r amgylchiadau a arweiniodd i mi ailymgymryd â Llywyddiaeth y Blaid.[1] Cyfeiriais bryd hynny at etholiadau 1992 pan enillodd Cynog Dafis sedd Ceredigion. Daeth Elfyn Llwyd atom i gymryd lle Dafydd Elis Thomas, wrth i Dafydd symud i Dŷ'r Arglwyddi. Ynghyd â Ieuan Wyn Jones a minnau roedd y pedwar ohonom yn creu'r tîm Seneddol mwyaf a fu gan Blaid Cymru.

Dyma'r adeg pan lwyddwyd i gael Deddf Iaith newydd (1993), cam sylweddol ymlaen er yn brin o'n gofynion a'n disgwyliadau. Roedd John Major, fy 'mhâr' Seneddol, yn Brif Weinidog, gyda mwyafrif bychan. Cafodd amser anodd gan elfennau gwrth-Ewropeaidd ei blaid ei hun. Roedd yr hollt yn wendid sylfaenol yn y Blaid Dorïaidd; un a barodd iddynt bydru yn y diffeithwch am flynyddoedd, heb obaith, hyd yn hyn, am waredigaeth.

I Gymru, roedd deunaw mlynedd y Toriaid yn gyfnod eithriadol o anodd. Cynrychiolai Margaret Thatcher fath o wleidyddiaeth oedd yn gwbl estron i'n cenedl ni. Os oedd un nodwedd arbennig i'n cenedligrwydd, ar wahân i'n hiaith, ein cred mewn gwerthoedd cymunedol oedd honno. Dywedwyd mai cymuned o gymunedau yw Cymru. Mae cymdeithas yn bwysig i ni fel pobl. Pan ddywedodd Mrs Thatcher nad oedd y fath beth â chymdeithas yn bod, amlygwyd yn berffaith y bwlch enfawr rhwng gwerthoedd ei phlaid a'i Llywodraeth hi a'n dyheadau ninnau. Hi yw'r unig wleidydd i mi ei chasáu o waelod fy nghalon.

Erbyn canol y nawdegau, roedd cysgod methiant Refferendwm 1979 ar Ddatganoli yn dechrau cilio. Bu i Neil Kinnock, a arweiniodd y gwrthwynebiad i greu Cynulliad Cenedlaethol yn y saithdegau, ildio arweinyddiaeth y Blaid Lafur ar ôl colli eilwaith yn 1992. Daeth John Smith yn arweinydd yr wrthblaid. Ni chafodd gyfle i arwain ei blaid mewn etholiad, oherwydd ei farwolaeth gynamserol yn 1994. Ond fe adawodd agenda i'r Blaid Lafur a oedd yn cynnwys ymrwymiad digamsyniol i ddatganoli ar gyfer yr Alban a Chymru. Soniodd am hyn fel ei '*unfinished business*'. Cyfeiriad oedd hyn at y ffaith iddo wasanaethu fel Gweinidog Datganoli yn y saithdegau. Deuthum i dderbyn ei fod yn credu'n wirioneddol mewn sefydlu Senedd i'r Alban, er gwaethaf rhai o'r castiau y bu'n rhaid iddo eu chwarae fel Gweinidog yn ystod y saithdegau.[2]

Roedd y pwnc wedi ailgydio yn y dychymyg gwleidyddol yn yr Alban. Cofier iddyn nhw bleidleisio dros ddatganoli yn 1979, gyda mwyafrif mwy na'r un a gafwyd yng Nghymru yn 1997. Gwrthodwyd iddynt eu Senedd oherwydd nad oeddynt wedi cyrraedd trothwy cwbl artiffisial a osodwyd gan Dŷ'r Cyffredin. Oherwydd hyn bu raid i'r Alban, fel Cymru, ddioddef deddfau asgell dde y Toriaid, er nad oedd gan y Toriaid fwyafrif yn y naill wlad na'r llall.

Tanlinellwyd diffyg hawl y Toriaid i lywodraethu Cymru wrth iddynt benodi pedwar Ysgrifennydd Gwladol i Gymru nad oedd ganddynt unrhyw gysylltiad â'n gwlad: Peter Walker (1987–90); David Hunt (1990–3); John Redwood (1993–5); a William Hague (1995–7). Gwnaed penderfyniadau o ddydd i ddydd ar faterion o bwys mawr i ni yng Nghymru gan bobl nad oeddynt fawr mwy na Llywodraethwyr Ymerodrol o'r oes o'r blaen. Y gwaethaf o'r rhain o ddigon, yng ngolwg pobl Cymru, oedd John Redwood. Roedd yntau fel petae'n ymfalchïo'i fod wedi tanwario ar y gyllideb Gymreig, gan anfon dros gan miliwn o bunnoedd yn ôl i'r Trysorlys yn Llundain. Ni thrafferthodd i gysgu mwy na dyrnaid o nosweithiau yng Nghymru tra bu yn ei swydd.

Fo hefyd oedd yn gyfrifol am Ddeddf Llywodraeth Leol 1994 a chwalodd ein hwyth cyngor sir a 37 cyngor dosbarth. Yn eu lle, yn groes i farn bron bob un o Aelodau Seneddol Cymru, cawsom glytwaith o 22 o gynghorau 'unedol' newydd. Doedd dim angen llawer o weledigaeth i sylweddoli fod yr unedau hyn yn rhy fach i fod yn strategol ac yn rhy fawr i fod yn lleol. Gwthiwyd y Ddeddf drwy'r Senedd yn 1994 trwy lwytho'r pwyllgor gydag Aelodau Seneddol Seisnig – fel y gwnaed flwyddyn ynghynt gyda Deddf yr Iaith Gymraeg.[3]

Yn ystod y cyfnod hwn bûm yn erfyn ar John Major i symud Redwood o'r Swyddfa Gymreig. Gwyddwn fod Major yn ei ystyried yn un o'r pedwar 'bastard' a achosai gymaint o drafferth iddo yn y Cabinet. Roeddwn yn adnabod Major yn dda oherwydd i'r ddau ohonom gael ein 'pario' rhwng 1985 a 1997.[4]

Cawsom sgwrs hynod gyfeillgar am y mater yn ei ystafell.[5] Gofynnodd Major imi'n agored pwy allai ei roi yn y swydd yn lle Redwood. Awgrymais innau Wyn Roberts; roedd yn Gymro ac yn deall ein gwlad. Os na fyddai hynny'n dderbyniol, awgrymais rywun fel Stephen Dorrell – o leiaf roedd hwnnw ar asgell chwith ei blaid, ac felly'n llai annerbyniol i Gymru. 'Oh!' meddai Major, 'A taller version of Peter Walker!'

Yna gofynnodd y Prif Weinidog, er fy syndod, beth allai ei wneud efo John Redwood pe bai'n ei symud o'r Swyddfa Gymreig. Fy ymateb cyntaf oedd iddo'i adael i bydru, ond o gofio bod yn well gan lawer Prif Weinidog gael ei elynion o fewn ei babell yn poeri allan, yn hytrach nag oddi allan yn poeri i mewn, gwnes awgrym iddo. Paham na ellid gwneud Redwood yn Ysgrifennydd Amddiffyn? Fo, wedyn, fyddai'n gorfod torri ar y gyllideb amddiffyn gan gynddeiriogi'r cadfridogion a hefyd asgell dde'r Blaid Doriaidd Seneddol – yr union bobl fyddai'n ochri'n naturiol efo Redwood. Cofiaf i John Major edrych arnaf, a gwên ar ei wyneb, gan ddweud dim. Erbyn iddi ddod yn amser ailwampio'r Cabinet yn ddiweddarach, roedd Redwood wedi 'cerdded', ar ôl iddo herio Major yn aflwyddiannus am arweinyddiaeth ei blaid. Penodwyd Portillo yn

Ysgrifennydd Amddiffyn. Allwn innau ddim llai na gwenu.

* * *

Y newid mawr arall yn ystod y cyfnod hwn, i helpu i roi datganoli yn ôl ar agenda wleidyddol Cymru, oedd y modd y symudodd nifer o bwerau o San Steffan i Ewrop. Pan gefais fy ethol i Dŷ'r Cyffredin yn 1974, dim ond newydd ymuno â'r 'Farchnad Gyffredin' yr oedd Prydain; ddaeth y refferendwm i gadarnhau'n haelodaeth ddim tan 1975. Bryd hynny, dim ond ychydig o bwerau oedd ym Mrwsel. Erbyn y nawdegau roedd toreth o feysydd yn dod o dan reolaeth y Gymuned. Roedd angen addasu i wynebu'r sefyllfa honno.

Dangosodd Iwerddon sut y gallai gwlad fach gydweithio â Brwsel i gael manteision economaidd sylweddol. Pan ddechreuais i ymhel â Phlaid Cymru un o gastiau'r gwrthwynebwyr oedd ein cyhuddo o fod 'eisiau gwneud plant bach Cymru fel plant bach Iwerddon, heb esgidiau am eu traed'. Daeth taw ar y meddylfryd hwnnw yng nghanol y nawdegau pan gododd incwm-y-pen Iwerddon yn uwch na Chymru. Cyn hir fe gododd Iwerddon yn uwch na lefel incwm-y-pen Prydain. Roedd hynny'n ysgytwad i'r sefydliad yn Llundain.

O weld gwlad fechan, fu gynt mor dlawd, yn ffynnu o fewn yr Ewrop newydd, daeth llawer yng Nghymru i ailystyried eu hagwedd tuag at y posibilrwydd y gallai Cymru hefyd, fel gwlad rydd, fod yn aelod llawn o'r Ewrop newydd. Gyda'r ffiniau rhwng gwledydd Ewrop yn prysur gwympo, doedd y syniad o gael Cymru â'i llywodraeth ei hun ddim yn gymaint o fwgan. Doedd y bygythiad hurt y byddai 'tollau ar y ffin rhwng Queensferry a Chaer' ddim yn gredadwy pan nad oedd tollau erbyn hyn ar y ffin rhwng Ffrainc a'r Almaen.

Fel yr eglurais eisoes bu'r cysylltiad Ewropeaidd yn rhan trwy'r blynyddoedd o'm gweledigaeth ar gyfer Cymru.[6] Dyna pam, yn 1994, y sefais dros y Blaid ar gyfer Senedd Ewrop. Cawn fwy am hynny yn y bennod nesaf. Yr hyn sy'n werth ei nodi yma yw'r rhan a chwaraeodd y newidiadau Ewropeaidd hyn yn y broses o greu meddylfryd newydd ymhlith pobl Cymru tuag at ein cenedligrwydd.

* * *

Y drydedd elfen a helpodd i newid y farn Gymreig oedd twf sylweddol yn nifer a dylanwad y cyrff enwebedig, fel Awdurdod Datblygu Cymru, Bwrdd Datblygu Cymru Wledig, Tai Cymru a llu o 'gwangos' eraill. Roedd teimlad cryf nad oedd y rhain yn atebol i bobl Cymru. Roedd yr unig 'oruchwyliaeth' drostynt yn nwylo Ysgrifenyddion Gwladol o'r tu allan i Gymru. Daeth pobl i weld yr angen am gael corff etholedig i Gymru fel modd o ddemocrateiddio'r haen honno o Lywodraeth.

Doedd newid yn y farn gyhoeddus tuag at ddatganoli ddim yn ddigon ynddo'i hun. Roedd angen ewyllys wleidyddol i ymateb i hynny. Ffactor allweddol yn y broses honno oedd dyfodiad gwaed newydd i arweinyddiaeth y Blaid Lafur Gymreig. Yn 1992 penodwyd Ron Davies yn Llefarydd yr Wrthblaid ar Faterion Cymreig. Y ddau arall yn ei dîm oedd Win Griffith a Rhodri Morgan. Roedd y tri yn ddatganolwyr brwd ac eisiau gweld haen o lywodraeth ddemocrataidd ar raddfa genedlaethol. Yn ddiweddarach, daeth Peter Hain a Jon Owen Jones yn rhan o dîm Ron Davies; dau arall oedd yn ddatganolwyr wrth reddf.

Nid peth newydd oedd cael ffrwd genedlaetholgar o fewn y Blaid Lafur yng Nghymru. Ond cyn hynny ardaloedd Cymraeg y Gogledd a'r Gorllewin oedd yn cynrychioli'r traddodiad hwnnw. Yn y chwedegau, pobl fel Cledwyn Hughes (Ynys Môn), Goronwy Roberts (Arfon), T. W. Jones (Meirionnydd), Elystan Morgan (Ceredigion), Megan Lloyd George (Caerfyrddin) a Jim Griffiths (Llanelli) oedd yn cario'r faner genedlaethol. Dylanwad Jim Griffiths o fewn y Blaid Lafur, ynghyd â'r bygythiad a welwyd o gyfeiriad twf Plaid Cymru yn niwedd y pumdegau[7] a sicrhaodd sefydlu'r Swyddfa Gymreig yn 1964.

Roedd bwlch amlwg rhwng pobl fel hyn ac aelodau'r Cymoedd yn rhengoedd Llafur ar y pryd – pobl fel Iori Thomas (Gorllewin Rhondda), Ness Edwards (Caerffili) a Leo Abse (Pont-y-pŵl). Aelod arall o'r brid oedd George Thomas, a gynrychiolai Orllewin Caerdydd ond â'i wreiddiau yn y Rhondda. Fe gafwyd rhai eithriadau. Roedd S. O. Davies (Merthyr) yn frwd dros Senedd i Gymru; ond wrth gwrs un o hen do Cymraeg naturiol y Cymoedd oedd S. O.

Yn ddiweddarach, yn y saithdegau, roedd yr un elfennau gwrth-genedlaethol yn bodoli yn y Cymoedd – Ioan Evans (Aberdâr); Fred Evans (Caerffili); ac wrth gwrs Neil Kinnock (Bedwellte). Yn y cyfnod hwn roedd John Morris, (Ysgrifennydd Cymru 1974–79) yn ffitio i'r mowld o Gymro Cymraeg â'i wreiddiau yng

Ngheredigion. Felly hefyd y seren ifanc yn Llywodraeth Harold Wilson, sef Denzil Davies (Llanelli), â'i wreiddiau yng nghefn gwlad Sir Gaerfyrddin.

Yr hyn a gynrychiolai Ron Davies oedd Plaid Lafur ddi-Gymraeg y Cymoedd. Doedd y rhan fwyaf o'i dîm ddim yn siarad Cymraeg. Un o gryfderau Ron Davies oedd ei ddealltwriaeth o beirianwaith y Blaid Lafur – dysgodd lawer o'i gyfnod fel arweinydd ifanc Llafur ar Gyngor Bedwas a Machen ac wrth sefyll etholiad yn 1988 ar gyfer swydd Prif Chwip Seneddol y Blaid Lafur. Roedd yn deall pwysigrwydd trefniadaeth wleidyddol a'r ffordd i gael ei blaid ei hun i dderbyn polisïau. O gefndir gwrth-ddatganoli y daeth Ron Davies; pleidleisiodd 'Na' yn 1979. Ond daeth i weld nad oedd unrhyw obaith i Gymru heb symud grym o Lundain Geidwadol i'n Cynulliad Cenedlaethol ein hunain. Cyfeiriaf fwy at ei gamp, ei gwymp a'i ddylanwad parhaol ym Mhennod 9.

* * *

Honna amryw yn y Blaid Lafur na fyddai datganoli wedi gallu digwydd yn y nawdegau oni bai fod Llywodraeth Lafur mewn grym. O ystyried agwedd gibddall a negyddol y Ceidwadwyr, mae hynny'n ddi-os yn gywir. Heb Lywodraeth fwyafrifol yn San Steffan oedd yn barod i wthio Mesur Datganoli drwy'r Senedd, fyddai dim modd cael deddf o'r fath ar y Llyfr Statud.

Ond mae'n wir hefyd fod presenoldeb a bygythiad Plaid Cymru yn lefain yn y blawd. Dyma fu'n gefndir i ddatblygiadau yn y chwedegau pan grewyd y Swyddfa Gymreig. Go brin y byddai Llafur wedi rhoi digon o flaenoriaeth i greu Cynulliad Cenedlaethol oni bai am y bygythiad o gyfeiriad y Blaid. Mae hefyd yn gywir, heb os, na fyddai'r holl broses wedi symud ymlaen yn ystod cyfnod 1966-1997 heb nerth yr SNP yn yr Alban. Yno fe orfodwyd y Blaid Lafur i fabwysiadu datganoli fel polisi, a bu'n rhaid i Lundain ymrwymo i weithredu. Roedd hyd yn oed Neil Kinnock cyn etholiad 1992 wedi gorfod derbyn hynny. O roi addewid i'r Alban, ni allai'r Blaid Lafur anwybyddu Cymru, os oedd mudiad cenedlaethol yn curo ar y drws.

Gellid diffinio'r cyfnod o 1966 i 1997 fel cyfnod dylanwad Gwynfor Evans. Ei fuddugoliaeth yn is-etholiad Caerfyrddin ddechreuodd y broses wleidyddol yng Nghymru ac yn yr Alban. Un sy'n cydnabod hynny yw Winnie Ewing. Mae'n priodoli ei buddugoliaeth enwog yn Hamilton yn 1967, pan ddaeth yn unig Aelod Seneddol yr SNP, yn rhannol i ddylanwad is-etholiad Caerfyrddin y flwyddyn cynt. Gwych o beth oedd iddi gael byw i wasanaethu fel Aelod o Senedd yr Alban, a chadeirio sesiwn gyntaf y Senedd yng Nghaeredin gyda'r geiriau agoriadol cofiadwy: *'The Scottish Parliament, which adjourned on 25 March 1707, is hereby reconvened'.* Gwych hefyd fod Gwynfor wedi cael byw i weld rhan o ffrwyth ei waith mawr yntau yn cael ei wireddu, er mai fo fyddai'r cyntaf i ddweud fod pellter eto i fynd cyn cyflawni ei weledigaeth.

Roedd y nawdegau hefyd yn gyfnod newydd o safbwynt diwydiannol yng Nghymru. Fe welwyd trai yr hen ddiwydiannau; hon oedd y ddegawd gyntaf pan oedd glo yn perthyn i'r gorffennol. Safiad olaf y glowyr oedd y streic fawr yn erbyn Thatcher, a phopeth a gynrychiolai, yn ôl yn 1984. Mae tranc y diwydiant glo yng

Nghymru wedi digwydd yn arswydus o sydyn gyda chwalfa a danseiliodd gymunedau cyfan. Mae'n werth nodi'r ffigurau. Yn 1948 roedd 115,000 yn gyflogedig yn y diwydiant glo yng Nghymru. Erbyn 1967 roedd i lawr i 60,000. Erbyn 1990 prin dair mil oedd yn gweithio yn y diwydiant ac erbyn heddiw mae'n llai na mil – cwymp syfrdanol. Yn y diwydiant dur roedd 88,400 yn gyflogedig yn 1964. Erbyn 1993 yr oedd i lawr i 18,500, cwymp aruthrol arall, ac mae'n dal i ddisgyn.

Cafodd trai'r diwydiannau sylfaenol hyn effaith bell-gyrhaeddol ar economi ac ar seicoleg wleidyddol Cymru. Gyda diflaniad diwydiannau oedd yn cyfrannu'n helaeth at yr economi fe welwyd incwm-y-pen (GDP) Cymru yn disgyn ymhellach ar ôl y cyfartaledd Prydeinig – i lawr o 88% yn 1972 i 78% yn 1999. Roedd ardaloedd cyfan oedd wedi mwynhau safon byw cymharol uchel ers yr ail ryfel byd yn cael eu chwalu gan ddiweithdra a diboblogi. Dros nos fe ddiflannodd yr holl reswm dros fodolaeth amryw o gymunedau. Ochr yn ochr â hyn roedd amddiffynnwr y gweithwyr – eu hundebau llafur – hefyd yn edwino yn eu grym a'u dylanwad. Pan oedd pawb yn gweithio yn yr un pwll glo, neu'r un felin ddur neu'r un chwarel lechi, roedd nerth anhygoel yn tarddu o'r frawdoliaeth a geid yn y gwaith. Gwelais yn Arfon sut y symudodd y pendil gwleidyddol o Lafur tuag at Blaid Cymru yn yr hen ardaloedd llechi, yn syth ar ôl i'r chwareli gau.[8]

Mae'n rhy gynnar i asesu'n llawn yr effaith a gafodd cwymp y diwydiannau trymion ar wleidyddiaeth Cymru. Ond ni allaf lai na theimlo fod hon yn un elfen yn y newidiadau a ddigwyddodd yn ystod y nawdegau gan arwain at y trobwynt mawr yn ein hanes fel gwlad yn

1997, pan bleidleiswyd mewn refferendwm i sefydlu Cynulliad Cenedlaethol. Yn 1999 fe welwyd newid syfrdanol arall pan gynyddodd cefnogaeth Plaid Cymru o 10% i 30%, a'i gwneud yn brif wrthblaid i Lafur o fewn y Cynulliad newydd.

Dyma felly'r cyfnod a gofnodir yn y gyfrol hon. Dyma, fe dybiaf, benllanw fy nghyfraniad innau i wleidyddiaeth Cymru. Os felly, gobeithiaf i mi allu cyfrannu ychydig mewn cyfnod allweddol, i hybu'r broses o gael Senedd i Gymru, proses fu ar y gweill ers canol y bedwaredd ganrif ar bymtheg. Nid yw'r Cynulliad yn Senedd yng ngwir ystyr y gair. Nid oes ganddo'r grym i ddeddfu fel sydd gan Senedd yr Alban. Ond mae'n bodoli, ac nid oes yr un blaid oddi mewn iddo'n dadlau bellach am ei fodolaeth. Mae'n bod oherwydd i Tony Blair, fel John Major o'i flaen, orfod cydnabod mai pobl yr Alban, pobl Gogledd Iwerddon, a phobl Cymru sydd â'r hawl i benderfynu ar ddyfodol cyfansoddiadol ein gwledydd. Mae cydnabyddiaeth bellach, ar gyfer y gwledydd Celtaidd, bod sofraniaeth yn codi o blith y bobl. Bu'n rhaid i Dŷ'r Cyffredin weithredu ar yr egwyddor honno, hyd yn oed os parhant i honni mai o'r Frenhines, drwy'r Senedd, y deillia sofraniaeth Prydain.

Mae egwyddor wedi ei derbyn. Does dim troi'n ôl. Er bod pwerau'r Cynulliad yn chwerthinllyd o wan a bod cymaint o waith eto i'w wneud, o ran adeiladwaith ymreolaeth fe gafwyd y maen pwysicaf i'r wal.

[1] *O Ddifri*, Gwasg Gwynedd, 1992 am yr hanes hyd at 1979; a *Dal Ati*, Gwasg Gwynedd, 1993 am yr hanes o 1979 tan 1993. Ceir hanes ailymgymryd â'r Llywyddiaeth yn *Dal Ati* pennod 17.

[2] *Dal Ati*, Pennod 2, t. 37.
[3] *Dal Ati*, Pennod 18, 'Mesur Iaith newydd'.
[4] *Dal Ati*, Pennod 16, 'Pario â'r Prif Weinidog'.
[5] Ceir disgrifiad manwl o'r cyfarfod hwn yn fy nyddiadur ar gyfer 8 Mawrth, 1994.
[6] *O Ddifri*, Pennod 16, 'Cymru ac Ewrop'.
[7] Nodiadau ynglŷn â bygythiad Plaid Cymru a gyflwynwyd i'r Llywodraeth mewn memorandwm cyfrinachol a ryddhawyd yn 2000, ffeil BD25/19 yn y Public Record Office yn Kew.
[8] Caewyd Chwarel Dinorwig yn 1969; enillodd Plaid Cymru sedd Arfon yn 1974. Gweler hefyd *O Ddifri*, t. 204.

Pennod 2

Ewrop, eto!

Mae dyfodol Cymru ynghlwm wrth ddyfodol ein cyfandir. O fewn realiti gwleidyddol y ganrif newydd, does dim ystyr i hunanlywodraeth Gymreig os nad yw mewn cyd-destun Ewropeaidd. Heb hunanlywodraeth, does gennym ddim dolen gyswllt uniongyrchol â sefydliadau gwleidyddol ac economaidd Ewrop sy'n effeithio cymaint ar ein bywydau. I ni yng Nghymru, saif hunanlywodraeth Gymreig ac unoliaeth Ewrop fel rhan annatod o'r un gân.

Trwy'r nawdegau, bu Ewrop yn ffactor na allai unrhyw blaid ei hanwybyddu. Mae'n parhau felly. Dyma'r pwnc a arweiniodd at gwymp y Torïaid yn 1997 ac eto eu methiant i wneud unrhyw argraff yn Etholiad Cyffredinol 2001. Bu hefyd yn elfen bwysig yn yr Etholiad diweddar ar gyfer eu harweinydd newydd. Amser a ddengys a all Iain Duncan Smith gyfannu ei blaid, yn arbennig os ceir refferendwm yn fuan ar fabwysiadu'r Ewro fel arian Prydain.

Ar ôl etholiad 1992 ceisiodd y Blaid Lafur guddio'r rhwygiadau oddi mewn iddi hithau, trwy ymosod ar y Torïaid yng nghyd-destun Cytundeb Maastricht. Roedd Llafur, wrth gwrs, yn iawn i feirniadu'r Torïaid am beidio ag arwyddo'r Bennod Gymdeithasol. Eto, ychydig iawn o les gweladwy a ddaeth i weithwyr Cymru ar ôl i Lywodraeth Tony Blair ei arwyddo, fel y profodd gweithwyr dur Corus a gweithwyr ffatri Dynamex, Caernarfon.

Bu Llafur yn euog o geisio manteisio'n gwbl ddiegwyddor pan ddaeth Cytundeb Maastricht gerbron y Senedd. Bu iddynt geisio denu cefnogaeth y Toriaid gwrth-Ewropeaidd, adain dde, mewn pleidleisiau yn Nhŷ'r Cyffredin. Roedd ymddygiad y Blaid Lafur yn y cyfnod hwn yn gwbl sinicaidd. Disgrifiais eisoes y modd y bu i'r Blaid ennill pecyn sylweddol i Gymru oddi wrth Lywodraeth John Major, gan gynnwys grantiau 'Interreg' i Orllewin Cymru, tair sedd i Gymru ar Bwyllgor Rhanbarthau Ewrop, a Fforwm Genedlaethol i drafod anghenion Cymru yng nghyd-destun Ewrop.[1]

Yn rhannol yn unig y gwireddwyd yr addewidion a wnaed inni bryd hynny. Cawsom gryn fantais o'r statws Interreg, sydd yn parhau hyd heddiw. Daeth miliynau o bunnoedd i orllewin Cymru o gronfeydd Ewrop. Yn yr elfen hon, bu bargeinio Aelodau Seneddol Plaid Cymru o werth uniongyrchol a sylweddol i'n gwlad.

Bu llais Cymru hefyd yn effeithiol ar Bwyllgor Rhanbarthau Ewrop gyda'r Cynghorydd Eurig Wyn, cynrychiolydd Plaid Cymru ar y pwyllgor, a'i eilydd y Cynghorydd Jill Evans, yn manteisio ar bob cyfle i gael dadl y gwledydd bychain ar agenda Ewrop, a gwell dealltwriaeth o'r broses Ewropeaidd yng Nghymru. Cyd-ddigwyddiad oedd i'r ddau, yn 1999, gael eu hethol i Senedd Ewrop, gwobr deg iddynt am eu gwaith ar Bwyllgor y Rhanbarthau.

Yr oedd y Blaid Lafur yn gandryll ein bod wedi gallu bargeinio efo'r Toriaid i gael tair sedd i Gymru ar Bwyllgor Rhanbarthau Ewrop. Dim ond dwy sedd oedd Llafur am roddi i Gymru allan o'r 24 sedd i Brydain. Felly prin ei fod yn syndod fod Llywodraeth Lafur wedi cwtogi nifer seddi Cymru o dair i ddwy sedd pan ailwampiwyd y pwyllgor yn 1999. Bellach dim ond dau eilydd sydd gan y Blaid ar y pwyllgor gyda Llafur yn cadw'r ddwy sedd lawn iddyn nhw'u hunain. Dyna dystiolaeth o faint y gellir ymddiried yn y Blaid Lafur yn Llundain i warchod buddiannau Cymru.

Ond ni ellir ymddiried yn y Toriaid chwaith. Mae'n wir iddynt sefydlu'r Fforwm Genedlaethol y buom yn erfyn amdani, ond ddwywaith yn unig y cyfarfu honno cyn cael ei chwalu pan ddaeth Llafur i rym yn 1997. Doedd John Redwood, yr Ysgrifennydd Gwladol ar y pryd, ddim yn barod o gwbl i feithrin corff cenedlaethol o'r fath i warchod buddiannau Cymru yn Ewrop.

Gyda dyfodiad John Redwood yn Ysgrifennydd Cymru bu dirywiad sylweddol yn y cysylltiad rhwng Cymru ac Ewrop. Chwalwyd llawer o'r gwaith da a wnaed gan y 'Taffia Cymreig' ym Mrwsel – Aneurin Rees Hughes, Hywel Ceri Jones a Gwyn Morgan – oherwydd amharodrwydd y Swyddfa Gymreig o dan Redwood i roi unrhyw flaenoriaeth i faterion Ewropeaidd. Pan ddaeth Llafur i rym, roedd rhaid ailgodi'r pontydd hynny. Roedd ein cysylltiadau wedi dirywio cymaint nes y bu bron i ni golli'r cwch efo arian Amcan Un rai blynyddoedd yn ddiweddarach. Mwy am hyn yn y man.

I mi roedd Ewrop yn allwedd i Gymru – yn economaidd ac yn gyfansoddiadol. Roedd yn warth gweld sut yr oeddem, erbyn 1994, yn colli cyfle ar ôl cyfle i fanteisio ar y Gymuned Ewropeaidd, tra'r oedd Iwerddon ar ei hennill yn sylweddol. Roeddem fel plaid wedi dadlau ers blynyddoedd y dylai Cymru elwa llawer mwy allan o gronfeydd strwythurol Ewrop. Wedi'r cyfan, roedd rhai o ardaloedd tlotaf Ewrop yng Nghymru. Gwrthododd y Toriaid gyflwyno map rhanbarthol newydd a fyddai wedi gallu cael statws Amcan Un i Gymru yn ôl yn nechrau'r nawdegau.

Dyna un o'r rhesymau pam y penderfynais roi fy enw gerbron fel ymgeisydd y Blaid ar gyfer sedd Gogledd Cymru yn Etholiad Senedd Ewrop yn 1994. Yr ail reswm oedd i atgoffa'r Blaid a Chymru ein bod yn gweld ein dadl dros Senedd i Gymru o fewn fframwaith Ewrop. Yn drydydd, o fod yn sefyll ar gyfer Senedd Ewrop, a gadael San Steffan, byddwn yn datgan fod Senedd Ewrop yn bwysicach i ni na Llundain. Roedd yr Etholiad yn gyfle i geisio creu momentwm a sylw gwleidyddol i'r Blaid, a sefydlu'n hunain fel yr ail blaid yng Nghymru, ar ôl Llafur.

Felly, fel pe na bai gennyf ddigon ar fy mhlât yn barod, dyma fentro i feysydd newydd ac arwain ymgyrch y Blaid yn yr Etholiad i Senedd Ewrop. Pan roddais fy enw gerbron yn 1993 pedair sedd oedd gan Gymru yn y Senedd Ewropeaidd.

Roedd sedd y Gogledd yn cynnwys y cyfan o Wynedd a Chlwyd, ynghyd â Maldwyn. Ond ychydig fisoedd cyn yr etholiad fe gyflwynwyd pumed sedd i Gymru. O ganlyniad fe newidiwyd ffiniau sedd y Gogledd gan dynnu Meironnydd Nant Conwy a Maldwyn allan.

Roedd hyn yn ergyd i'm gobeithion. Yn 1989, yn yr etholiadau blaenorol ar gyfer Senedd Ewrop, roedd Dafydd Elis Thomas wedi dod yn drydydd da iawn, gyda 64,120 pleidlais pan gipiodd Joe Wilson y sedd i Lafur. Roedd Dafydd, yn ôl pob sôn, wedi ennill Maldwyn yn ogystal â Meirionnydd bryd hynny. Tybiais y gallwn o leiaf ddal y tir hwnnw ym Maldwyn – ac efallai wella arno oherwydd fy nghysylltiadau teuluol â'r sedd. Credwn fod Maldwyn a Meirion, rhyngddyn nhw, yn werth deng mil o bleidleisiau i mi, mewn cymhariaeth â Llafur. O golli'r ddwy ardal honno byddai'n dipyn anos cau'r agendor ac ennill y sedd.

Un nod arbennig gennyf, wrth ymladd sedd y Gogledd, oedd ennill tir newydd i'r Blaid yng Nghlwyd. Ystyriwn fod Clwyd yn ardal hynod bwysig i Blaid Cymru, oherwydd bod cymaint o fewnlifiad Seisnig yno. Roedd yn allweddol bwysig i'r Blaid ddangos ein bod yn berthnasol i'r cymunedau hynny, fel yr oedd yn bwysig i gael y trigolion i feddwl eu bod yn rhan o Gymru, nid rhyw drefedigaeth Seisnig sy'n rhan o diriogaeth naturiol Manceinion. Tipyn o dasg! Roeddwn yn hynod ffodus o gael trefnydd tan gamp, un â chanddo'r cefndir a'r profiad delfrydol ar gyfer yr her oedd o'n blaenau. Roedd David Bradley a'i deulu wedi dod i fyw i gyffiniau Rhuthun yn 1987. Fel un oedd wedi ei eni yng Nghilgwri, wedi byw yn Blackpool ac wedi gweithio am gyfnod ar staff clwb rygbi'r gynghrair Wigan roedd David bron yn brototeip o'r boblogaeth newydd oedd wedi dod i fyw yng Nghlwyd. Roedd hefyd yn greadur gwleidyddol, yn gyn-aelod o'r Blaid Lafur ac wedi cydlynu eu hymgyrch lwyddiannus yn Leeds Central yn etholiad cyffredinol 1983.

Pan ddaeth David Bradley i fyw i Gymru, peth naturiol iddo'i wneud fyddai ymuno â'r Blaid Lafur yn Nyffryn Clwyd. Aeth i un o'u cyfarfodydd, ac roedd hynny, yn ei eiriau ei hun, yn ddigon. Gwelodd ei gyfle i ymuno â'r Blaid pan sefydlwyd cangen i'r di-Gymraeg yn Nyffryn Clwyd. Penderfynodd ef a'i wraig Jacky fod y Blaid yn fwy perthnasol i'w cynefin newydd, ac yn adlewyrchu eu gwerthoedd gwleidyddol yn well.

Roedd David Bradley wedi meistroli'r grefft wleidyddol o fewn y Blaid Lafur, ac roedd ganddo well crebwyll na neb a welais ynglŷn â sut i ddefnyddio'r wasg leol. Gydag Elfed Roberts yn drefnydd yn y Gogledd Orllewin a David Bradley yn y Gogledd Ddwyrain, roedd gennyf dîm trefniadol hynod. Yn gadfridog ar y cyfan roedd Gareth Williams, fy nghynrychiolydd yn Arfon yn ystod etholiadau 1987 a 1992.

Roedd yr ymgyrch, ar lawer ystyr, yn un od. Wrth ymgyrchu yn Arfon byddwn yn ceisio ymweld â phob un o'r 92 o fân bentrefi, pentrefi a threfi o fewn yr etholaeth. Yn ystod yr etholiadau cynnar yn arbennig, byddwn yn cynnal rhesi o gyfarfodydd cyhoeddus. Byddwn yn ceisio canfasio strydoedd yn y cymunedau mwy – gweithio trwy stadau efo sgwad o chwech neu saith o gefnogwyr. Doedd hyn ddim yn bosib mewn etholaeth mor fawr â Gogledd Cymru. Felly roedd fy ymgyrch yn canolbwyntio ar geisio cyfarfod pobl oedd yn 'arwain barn' o fewn eu cymunedau, ynghyd â chael sylw sylweddol yn y cyfryngau lleol.

Dyna lle'r oedd David Bradley'n rhagori. Roedd ganddo berthynas glòs â bron pob un o'r papurau lleol, wedi ei meithrin trwy eu bwydo â straeon dros gyfnod o amser. Byddai'n ffonio golygyddion am sgwrs yn rheolaidd – eu llongyfarch am ambell stori, awgrymu un arall. Byddai ganddo bob amser gamera yn ei boced, a phryd bynnag y byddai mewn 'digwyddiad' perthnasol i'r ymgyrch, byddai'n tynnu lluniau – efallai ryw ddwsin ohonynt. Yna byddai'n difetha gweddill y ffilm, yn gyrru ar fyrder at y prosesydd sydyn agosaf – fel arfer ym Mae Colwyn, Rhyl neu Wrecsam – a chael y lluniau yn ôl o fewn awr. Byddai wedyn yn gyrru heibio'r papurau lleol gyda'r stori a'r llun yn ei law – hynny o fewn rhyw ddwyawr i'r digwyddiad.

Roedd hefyd wedi meithrin perthynas efo'r gorsafoedd radio lleol – Coast FM a Marcher Sound, a bu'r ddau ohonom ym mhencadlys Granada ym Manceinion ddwywaith neu dair, yn ceisio cael mwy o sylw i'n hymgyrch. Mewn rhannau mawr o Glwyd roedd cymaint ag 80% o'r bobl yn gwylio Granada ac nid HTV. Dyna faint o her oedd hi i gael yr agenda Gymreig gerbron yr etholwyr.

Cefais help hefyd gan ddwsinau o aelodau o Arfon a Môn a ddaeth draw i Glwyd i ganfasio. Ar un adeg roedd cymaint â 50 o ganfaswyr o'r gorllewin yno gyda'i gilydd. Rhoddai hyn hyder newydd i aelodau'r Blaid yng Nghlwyd – llawer ohonyn nhw wedi arfer gorfod gweithio yn y diffeithwch. Cefais gefnogaeth aruthrol gan bobl fel Arwel Roberts, Tegwyn Williams, Glynys Pratt, Cefyn Williams a'r Parch D. S. Wynne, cyfeillion oedd yn fodlon troi allan i weithio ym mhob tywydd. I lawer o'r rhain, hwn oedd yr etholiad Seneddol cyntaf erioed yn eu hardal lle'r oeddent yn gweld bod gan y Blaid siawns i ennill.

Bu rhai anawsterau, wrth gwrs. Un oedd ceisio delio â'r cyhuddiad na fyddwn yn parhau fel AS Arfon pe bawn i'n ennill yr etholiad. Dywedais y byddwn yn gwneud y ddwy swydd tan yr Etholiad Cyffredinol canlynol – fel yr oedd pobl fel Ann Clwyd ac Allan

Rogers (Llafur) wedi gwneud yn y gorffennol. Ond doedd hyn ddim yn tycio gyda phawb. Yn Sir Fôn roedd Llafur yn rhybuddio pobl na fydden nhw'n cael gwasanaeth AS Ewropeaidd amser llawn; y cyhuddiad yn Arfon oedd na fyddwn i wedyn yn Aelod amser llawn yn San Steffan. Does dim dwywaith fod hyn wedi gwneud niwed i'm proffeil yn Arfon. Cefais wybod wedi'r etholiad fod amryw o gefnogwyr selog yn Arfon wedi gwrthod pleidleisio oherwydd nad oedden nhw eisiau fy ngholli fel AS yn Llundain.

Un o'r profiadau difyr oedd canfasio stad cyngor Plas Madoc yn Acrefair ger Wrecsam. Doedd neb i'w weld yn ymwybodol o fodolaeth Senedd Ewrop, na bod etholiad yn digwydd, nac wedi clywed am Blaid Cymru! Roedd pethau'n haws ym mart Croesoswallt, er ein bod ni dros y ffin yn Lloegr. Yno roedd llawer o ffermwyr de Clwyd yn prynu a gwerthu. Roedd cryn dynnu coes bod Plaid Cymru'n dymuno symud Clawdd Offa er mwyn cynnwys Croesoswallt yng Nghymru! Cefais yr argraff bod mwy o Gymry yng Nghroesoswallt nag yn y trefi yng Nghlwyd. Ond roedd gennyf ateb i'r Saeson dŵad yno a fyddai'n edliw '*I don't speak Welsh*' neu '*I've come here from England*' fel rheswm i beidio cefnogi'r Blaid. Dywedais wrth y rheini fy mod innau wedi fy ngeni yn Derby ac wedi mynychu Prifysgol Manceinion. Roedd hynny'n aml yn creu syndod ac yn peri iddynt gynhesu rhywfaint tuag ataf!

Cefais y profiad hefyd o geisio arwain ymgyrch dros Gymru gyfan tra'n treulio'r rhan fwyaf o'm hamser yn y Gogledd. Am y tro cyntaf mewn ugain mlynedd roeddwn yn ymladd i ennill tir, yn hytrach na'i amddiffyn. Ers

1974 roeddwn wedi ymladd yn Arfon bob tro i gadw'r sedd – ac mae pwyslais cryn dipyn yn wahanol rhwng ymladd i gadw ac ymladd i ennill. Mwynheais y profiad yn fawr.

Ar noson y pleidleisio dewisais fynd i Gonwy i weld blychau'r etholaeth honno'n cael eu hagor. Edrychwn ar Gonwy fel ardal allweddol lle'r oedd angen imi ennill yn dda os oeddwn am ennill sedd y Gogledd. Roeddwn i'n ennill ym Môn yn ogystal ag Arfon. Ond roedd angen ennill mewn pump o'r wyth sedd Seneddol (tair yng Ngwynedd a phump yng Nghlwyd). O weld y blychau'n agor, roedd yn amlwg fy mod wedi sgubo Bangor a Dyffryn Ogwen gyda rhyw 70% o'r bleidlais. Roeddwn wedi gwneud yn bur dda yn Llanfairfechan, Penmaenmawr a Chonwy gyda dros draean o'r bleidlais. Ond pan agorwyd bocsus Llandudno roeddwn ymhell ar ei hôl hi. Roeddwn wedi disgwyl i'r Tori fod â mwyafrif mewn ardal draddodiadol geidwadol fel Llandudno, a Llafur, o bosib, yn ail. Os oeddwn am ennill y sedd byddai'n rhaid i'r bleidlais rannu'n weddol gyfartal rhwng y Toriaid a Llafur dros y Gogledd. Pan welais flychau Llandudno, gyda Llafur ymhell ar y blaen i'r Tori, roeddwn yn gwybod na allwn fod yn ennill dros y Gogledd gyfan, er fy mod wedi ennill etholaeth Conwy.

Pan ddaeth y canlyniad ar y nos Sul, dyna'n union oedd y sefyllfa. Manylion y canlyniad oedd:

Joe Wilson *(Llafur)*	88,081	40.8%
Dafydd Wigley *(Plaid Cymru)*	72,849	33.8%
Glyn Môn Hughes *(Tori)*	33,450	15.5%
Ruth Parry *(Dem. Rhydd.)*	14,828	6.9%

Cafodd tri ymgeisydd arall tua 3% o'r bleidlais rhyngddynt. Roeddwn i'n cydymdeimlo efo Ruth Parry, ymgeisydd y Democratiaid Rhyddfrydol. Roedd hi a'i chwaer Helen yn hen ffrindiau i ni, ond roedd wedi gorfod ymladd etholiad heb fawr o beirianwaith. Credaf i mi ddenu llawer o bleidleisiau Rhyddfrydol yn etholaeth Conwy a Gorllewin Clwyd.

Ymddangosai ein bod wedi ennill pedair etholaeth yn y Gogledd, sef Arfon, Ynys Môn, Conwy a Gorllewin Clwyd. Roeddwn wedi colli yn y pedair arall – Wrecsam, Alun Dyfrdwy, Delyn a De Clwyd. Y gwir oedd fod poblogaeth y rhai a gollais yn fwy o gryn dipyn na'r rhai a enillais; a'm bod wedi colli'n waeth yn erbyn Llafur yn yr ardaloedd hynny. Er gwaethaf hyn, credaf i ni ennill rhyw 20,000 o bleidleisiau newydd yng Nghlwyd, gan gynnwys cefnogaeth llawer o Saeson dŵad am y tro cyntaf.

* * *

Cafodd Marc Philips ganlyniad hynod o dda yng Nghanolbarth a Gorllewin Cymru. Cafodd 25% o'r bleidlais gan ddod yn ail i Eluned Morgan (Llafur) a gafodd 40%. Gwnaed ymdrech lew gan Owain Llywelyn (Canol De Cymru), Colin Mann (Dwyrain De Cymru) a Cath Adams (Gorllewin De Cymru). Ond oherwydd y proffeil uchel a roddwyd ar y cyfryngau Cymreig i'm hymgyrch i yn y Gogledd, gyda sôn am y polareiddio rhwng Llafur a minnau, roedd yr amgylchiadau'n anodd iawn i'n hymgeiswyr eraill. Etholwyd Glenys Kinnock yn Aelod Seneddol Ewrop yn Nwyrain y De gyda mwyafrif ysgubol – oedd yn cynnwys, fe deimlwn, elfen o gydymdeimlad wedi methiant ei gŵr Neil i arwain Llafur i fuddugoliaeth yn 1992. Cadwodd y ddau ymgeisydd Llafur arall, Wayne David a David Morris, eu seddau. Felly Llafur oedd yn dal pob un o'r pum sedd yng Nghymru. Drwy'r wlad, nifer y pleidleisiau oedd:

Llafur	530,749	55.9%
Plaid Cymru	162,478	17.1%
Ceidwadwyr	138,323	14.6%
Rhydd. Dem.	82,480	8.7%
Gwyrddion	19,413	2.0%

Roedd y Blaid wedi llwyddo i ddod yn ail mewn Etholiad Seneddol am y tro cyntaf, o ran pleidleisiau. I'r graddau hynny roedd y canlyniad yn foddhaol iawn. I mi'n bersonol roedd yn gryn rhyddhad nad oeddwn wedi ennill. Sylweddolais yn ystod yr ymgyrch y byddai'n anodd iawn gwneud gwaith AS yn Llundain a gwaith ASE ym Mrwsel am fod yr etholaethau mor wahanol i'w gilydd. Byddai hefyd wedi bod yn anodd arwain y Blaid fel Llywydd i Etholiad Cyffredinol 1997 heb fod yn ymgeisydd fy hun. Rhaid arwain o'r blaen. Dyna geisiais ei wneud gydag Etholiad Ewrop 1994. Er na enillon ni ddim seddi, credaf i ni gynyddu hygrededd y Blaid yn sylweddol.

[1] *Dal Ati*, Pennod 19.

Ymgyrchu fel Llywydd

Yn sgîl etholiadau Ewrop, roedd gwaith i'w wneud. Yn gyntaf, roedd rhaid adennill ymddiriedaeth etholwyr Arfon a'u darbwyllo nad oeddwn wedi cefnu arnynt. Golygai hyn, yn ystod Medi a Hydref, gynnal 24 o gymorthfeydd yn yr etholaeth, ymweld â chwe changen o'r Blaid yn Arfon a phump o gyfarfodydd gyda Chynghorau lleol.

Yn ogystal â pherswadio Arfon nad oeddwn yn ddyn diarth roedd dyletswydd, fel Llywydd y Blaid, i gadw'r ddysgl yn wastad yng ngweddill Cymru. Roedd rhaid i'm cefnogwyr yn y Gogledd wybod nad oeddwn yn cefnu arnyn nhw drannoeth yr etholiad. Yn ychwanegol at hyn oll roedd rhaid sicrhau cyfeiriad y Blaid yn genedlaethol wedi etholiad Ewrop.

Byddai etholiad cyffredinol ymhen tair blynedd ond cyn hynny roedd etholiadau'r Cynghorau Unedol newydd i'w cynnal yn 1995, a fyddai'n gyfle euraid i ni. Roedd angen gweithio ar ddatblygu polisi, a sefydlais Gabinet Polisi'r Blaid i'r diben hwnnw. Fel bob amser yn sgil etholiad roedd dyledion i'w clirio. I helpu'r gwaith hwnnw sefydlwyd Clwb y Llywydd. Dyma gymdeithas o ryw 200 o aelodau hael y Blaid, rhai y gallem droi atynt mewn argyfwng ariannol. Pan sefydlais y clwb roedd ambell aelod yn fy nghyhuddo o fod yn elitaidd. Ond chwarae teg, os yw pobl yn tyrchu'n ddwfn i'w pocedi yn gyson ac yn hael, mae angen i ni gydnabod eu cyfraniad. Byddai'n ddrwg arnom heb gyfraniad y cyfeillion hyn.

Yn ystod ail hanner 1994 mynychais ugain o gyfarfodydd lleol ac 17 o gyfarfodydd cenedlaethol y Blaid gan gynnwys Pwyllgorau Gwaith, Cyngor Cenedlaethol, Ysgol Haf, Cabinet Polisi a Gweithgor Cyllid.

Dechreuodd 1995 ar yr un donfedd – ond gyda phwrpas penodol. Gwyddem fod is-etholiad Seneddol i ddod yn Islwyn gan fod Neil Kinnock wedi ei benodi'n Gomisiynydd Ewropeaidd ym Mrwsel. Dyma sedd yn y Cymoedd lle'r oedd yn rhaid i Blaid Cymru wneud argraff, neu byddem wedi colli holl fomentwm yr etholiadau i Senedd Ewrop. Roedd yn rhaid dod yn ail credadwy, yn wahanol i'r is-etholiad diwethaf yng Ngwent, pan gawsom ein curo gan y *Raving Monster Loony Party* (is-etholiad Mynwy ar 16 Mai 1991). Roedd Islwyn yn ardal fwy addawol i ni, gyda llawer yn gyffredin ag etholaeth gyfagos Caerffili, y bu'r Blaid o fewn trwch blewyn i'w hennill mewn is-etholiad yn 1968.

Roedd gennym ymgeisydd penigamp – Jocelyn Davies o Drecelyn. Bu'n gynghorydd ar Gyngor Islwyn am gyfnod, ac roedd ei gwreiddiau'n ddwfn yn ei bro. Roedd wedi bod yn ymgyrchu'n galed ar faterion addysg arbennig, maes a oedd yn agos at fy nghalon.

Fy nghof mwyaf am yr is-etholiad ydi'r tywydd melltigedig. Y diwrnod pleidleisio oedd 16 Chwefror – amser erchyll o'r flwyddyn i gynnal is-etholiad. Cofiaf fod yn wlyb diferol yn ceisio cadw gwên ar fy wyneb ar stryd fawr y Coed Duon gyda '*Dai the Dragon*', ein mascot etholiadol, yn edrych yn ddigon truenus. Er gwaetha'r hin, roedd yn amlwg fod cynhesrwydd tuag atom ymhlith yr etholwyr, a bod Jocelyn yn gallu cyffwrdd â nhw mewn modd arbennig. Roedd ennill y sedd yn ormod i'w ddisgwyl. Roedd rhyw gymaint o deyrngarwch i Neil Kinnock yn parhau, a chydymdeimlad iddo ar ôl colli etholiad 1992. Ar raddfa Brydeinig, roedd y llanw'n dechrau troi oddi wrth y Toriaid at Lafur, gyda Tony Blair yn arweinydd ifanc poblogaidd.

Canlyniad yr Is-etholiad oedd:

Don Touhig *(Llafur)*	16,030	(69.2%)
Jocelyn Davies *(Plaid Cymru)*	2,933	(12.7%)
J. Bushell *(Dem. Rhydd.)*	2,448	(10.6%)
R. Buckland *(Tori)*	913	(3.9%)

Roedd nifer o ymgeisyddion eraill a gafodd 4% o'r bleidlais rhyngddyn nhw. Roeddem wedi treblu'n cyfran o'r bleidlais gyda gogwydd o 7% o Lafur i Blaid Cymru. Fe lwyddwyd i guro, nid yn unig y '*Loony*' ond hefyd y Democratiaid Rhyddfrydol a'r Toriaid, a dod yn ail i Lafur, fel yn Etholiadau Ewrop.

Daeth tri pheth yn amlwg i mi yn yr is-etholiad. Yn gyntaf ni allem ddisgwyl symud i mewn i gynnal is-etholiad mewn gwagle – roedd angen trefniadaeth barhaol yn y maes, nid rhywbeth i'w ddarganfod ychydig wythnosau cyn etholiad. Yn ail roedd gennym botensial mewn seddau fel Islwyn – roedd yno deimlad cynnes tuag at y Blaid, fel ym Merthyr yn y saithdegau. Bu raid i ni ddisgwyl tan etholiadau'r Cynulliad yn 1999 i wireddu'r gyffelybiaeth. Yn drydydd, roedd angen i'r Blaid gael systemau cyllid llawer mwy cadarn, a gweithio o fewn terfynau'r arian yr oeddem yn gallu ei godi.

Yn ystod yr ymgyrch fe luniais bapur ar ddiweithdra, i'w gyflwyno i'r wasg a'r cyhoedd. Gelwais y ddogfen yn

'Can mil o atebion – *A hundred thousand answers*'. Cyfeiriad oedd hyn at y ffaith fod can mil o bobl yng Nghymru bryd hynny allan o waith. Roedd pob un o'r rhain angen ateb i'w broblem – sef gwaith addas, ar gyflog teg, o fewn cyrraedd i'w cartref.

Yn fy nadansoddiad dangosais sut y gallai'r wladwriaeth greu cyflogaeth i bobl ddi-waith, trwy eu cael i ymgymryd â llu o swyddogaethau oedd eu hangen. Roedd y rheini'n cynnwys gwella'r amgylchedd, mwy o drafnidiaeth gyhoeddus, cyrsiau codi sgiliau a chyfundrefn i gynnal a helpu pobl sydd am fentro sefydlu busnesau eu hunain. Cafodd y ddogfen dderbyniad ffafriol gan y wasg, er nad oes tystiolaeth iddi gael argraff ar ganlyniad yr is-etholiad. Ond roedd yn rhan o'r broses o ddatblygu argymhellion polisi manwl, perthnasol i'r nawdegau ac i'r ganrif i ddod, fel yr oedd ein Cynllun Economaidd[1] chwarter canrif yn gynharach. Heddiw, fel yn y chwedegau, rwyf yn gwbl argyhoeddiedig fod rhaid i ni fel plaid ddangos i bobl Cymru ein bod yn gwneud ein gwaith cartref, fod ein hargymhellion yn berthnasol i'w pryderon, wedi eu costio ac yn rhai y mae'n bosib eu gweithredu. Mae'n cymryd amser i greu hygrededd o'r math hwn. Fy nheimlad oedd bod yn rhaid i'n polisïau iechyd, ynni, addysg, tai ac ati i gyd fod mor fanwl a thrylwyr â'r Cynllun Economaidd. Dyma oeddwn i'n obeithio fyddai'n deillio o waith ein Cabinet Polisi.

* * *

Roedd etholiadau ar gyfer y Cynghorau Unedol newydd ar y gweill ym Mai 1995. Er gwaethaf fy mhrotestiadau i

John Major, ac er i fwyafrif helaeth Aelodau Seneddol Cymru bleidleisio yn erbyn y mesur, fe orfodwyd y cynghorau ar Gymru. Roedd yn rhaid i ninnau fel plaid baratoi i ymladd yn y 22 awdurdod newydd. Ar ôl sefydlu'n hunain fel ail blaid Cymru yn etholiadau Ewrop, a dod yn ail yn Islwyn, roedd yn hanfodol eto i ni gynnal y momentwm. Doedd ennill seddau ddim yn ddigon; rhaid dangos ein bod yn gallu meddu grym i lywodraethu, fel y gwanaethom yn Nhaf-Elái rhwng 1992 a 1995, yr unig awdurdod yng Nghymru o dan arweinyddiaeth Plaid Cymru. Roedd Janet Davies wedi cyflawni gwyrthiau i gynnal clymblaid i lywodraethu yno. Y gamp fyddai cynnal a gwella ar hynny yn y cynghorau newydd.

Penderfynais nad oedd yn bosib i mi fel Llywydd y Blaid ymddangos ym mhobman i gefnogi ymgeisyddion lleol. Gwell felly fyddai i mi wneud cymaint ag a fedrwn ar y cyfryngau, a chanolbwyntio ar fy ngwaith personol yn Etholaeth Arfon. Roedd dau reswm am hynny. Yn gyntaf, roedd angen adennill hygrededd yn Arfon ar ôl sefyll ar gyfer Senedd Ewrop. Yn ail, roedd gennym siawns wirioneddol i gymryd rheolaeth ar y Cyngor Gwynedd newydd, rhywbeth nad oedd yn debygol yn unrhyw ardal arall, yn anffodus. Bûm yn helpu mewn ardaloedd eraill, gan gynnwys Ceredigion, Sir Gaerfyrddin a Rhondda Cynon Taf. Ond Gwynedd oedd fy nharged, a bûm yn canfasio mewn 17 o wardiau yn fy etholaeth.

Roedd y canlyniadau'n cyfiawnhau fy strategaeth. Roeddwn yn stiwdio'r BBC ym Mangor yn oriau mân y bore pan ddaeth y newydd fod y Blaid wedi ennill rheolaeth ar Gyngor Gwynedd. Y canlyniadau yno oedd:

Plaid Cymru	45 sedd
Annibynnol	26 sedd
Llafur	9 sedd
Dem. Rhydd.	3 sedd

Ymhlith ein buddugwyr roedd Dafydd Iwan a gipiodd sedd Bontnewydd gyda mwyafrif o 18 pleidlais. Etholwyd 21 o ymgeisyddion y Blaid ar gyfer Cyngor Gwynedd yn ddiwrthwynebiad.

Etholwyd Alun Ffred Jones yn Arweinydd, a'r diweddar Dafydd Orwig yn Gadeirydd cyntaf yr awdurdod. Yr oedd yn drychineb na chafodd Dafydd Orwig fyw i weld llwyddiant Plaid Cymru yn ddiweddarach yn y ddegawd. Roedd ei gyfraniad i'r Blaid, i Wynedd ac i Gymru yn anferthol. Dylanwadodd arnaf innau i glosio at Blaid Cymru yn ôl yn 1959 fel yr eglurais o'r blaen.[2] Cefais gyfle i ddweud hyn wrtho, wyneb yn wyneb, ychydig fisoedd cyn ei farw. Siaradais yn ei angladd yn Nhachwedd, 1996.

Dros Gymru gyfan, roedd y Blaid wedi llamu ymlaen. Cyfanswm seddi'r pleidiau ar ôl etholiad 1995 oedd:

Llafur	731
Plaid Cymru	113
Dem. Rhydd.	78
Ceidwadwyr	42
Eraill	310

Yn Rhondda Cynon Taf enillodd Plaid Cymru 14 sedd – sylfaen ar gyfer ymosodiadau pellach yn y dyfodol.

Roedd Llafur yn rheoli 14 awdurdod, yr annibynwyr bedwar, Plaid Cymru un, ac roedd tri awdurdod heb reolaeth unrhyw grŵp. Doedd y Toriaid na'r Democratiaid Rhyddfrydol ddim yn rheoli'r un awdurdod yng Nghymru.

Roeddem felly wedi cadarnhau ein safle, unwaith eto, fel yr ail blaid trwy Gymru gyfan.

* * *

Yn 1995 cefais gyfle i dreulio tair wythnos yn yr Unol Daleithiau. Llwyddais i gynnwys 40 o weithgareddau, gan gynnwys annerch wyth o gymdeithasau Cymreig a siarad mewn hanner dwsin o brifysgolion, Harvard yn eu plith. Traddodais y *Kennedy Memorial Lecture* yn yr *American University* yn Washington. Cyfarfûm â nifer o ddiwydianwyr yno hefyd; roeddwn wedi argraffu taflen i fynd gyda mi yn brolio Cymru fel lleoliad ar gyfer sefydlu ffatrioedd. Does wybod pa lwyddiant ddaw o ymweliadau o'r fath, ond mae'n rheidrwydd ar bob un ohonom sy'n cael cyfle, i genhadu dros Gymru. Weithiau teimlaf nad yw pob Aelod Seneddol o Gymru'n manteisio'n llawn ar eu cyfleoedd.

Deuthum i adnabod rhai o hoelion wyth Plaid Cymru yng Ngogledd America – pobl fel Robert Roser (Washington) oedd wedi dysgu Cymraeg yn rhugl er na fu erioed yng Ngymru, ac nad oedd ganddo gysylltiad Cymreig o gwbl hyd y gwyddai ar y pryd. Er mwyn perffeithio'i acen bu'n gwylio fideos Cymraeg. Ei hoff raglen oedd *C'mon Midffîld*, ond doedd o ddim yn siarad fel Wali Tomos!

Mae Bob yn greadur anarferol iawn. Bu'n uchel

swyddog yn Lluoedd Arfog America, ac yn gyfrifol ar un cyfnod am ofalu am y 'llinell boeth' rhwng Washington a Moscow. Flynyddoedd ar ôl i ni gyfarfod fe ganfu Bob fod ganddo berthynas pell o'r enw Benbow a hanai o Sir Drefaldwyn ac a ymgartrefodd yn yr Unol Daleithiau yn y ddeunawfed ganrif. Fel mae'n digwydd mae gennyf innau hefyd berthynas o'r enw Benbow o Sir Drefaldwyn. Rhyfedd o fyd!

Cyfafûm hefyd â Barbara Martin (New Orleans), cyn-wraig y telynor Robin James Jones. Mae hithau, nad oes ganddi unrhyw waed Cymreig, wedi dysgu'r iaith yn rhugl. Fe weithiodd yn hynod galed i gynnal achos y Blaid yng Ngogledd America ac i gael sylw i Gymru ac i ddadleuon Plaid Cymru.

Un o'r bobl mwyaf lliwgar imi eu cyfarfod yno oedd Rees Lloyd, California. Dyma andros o gymeriad! Bargyfreithiwr yw Rees, a fu trwy'r coleg ar ôl bod yn gweithio fel gyrrwr lori. Fe nodwyd ei allu gan yr arweinydd undeb Llafur enwog Cesar Chavez, a sefydlodd undeb gweithwyr fferm ac fe sicrhaodd y byddai Rees yn cael gweithio dros yr undeb. Mae Rees Lloyd yn gymeriad sy'n hoffi herio awdurdod o bob math, yn arbennig herio'r cyfoethogion er lles y tlawd. Mae'n radical iawn ei wleidyddiaeth (yn ystyr Americanaidd y gair) a phe bai wedi gweithredu yn oes McCarthy, mae'n bur sicr y byddai wedi cael ei hun mewn cell. Dyma'r dyn a heriodd yr Arlywydd Clinton yn 1995 am ddefnyddio'r gair '*Welshing*'. Rees hefyd a arweiniodd ymgyrch i gael taleithiau a siroedd yn America i gydnabod Dydd Gŵyl Ddewi, trwy godi'r Ddraig Goch ar adeiladau cyhoeddus ar 1 Mawrth.

Llwyddais i gael nifer o bobl i ymuno â'r Blaid yn sgîl yr ymweliad. Nid codi arian oedd y bwriad, ond codi proffeil y Blaid a rhoi sylw i'r ddadl gyfansoddiadol yng Nghymru. Fel sy'n digwydd yn aml, fe dderbyniais rai mân roddion ariannol i'r Blaid yn ystod y daith. Dyma, mae'n debyg, oedd tarddiad yr hanes a gyhoeddwyd mewn termau llachar iawn gan y *Welsh Mirror* flynyddoedd wedyn. *'Dafydd's dirty dollars!'* oedd y pennawd bras ar draws y dudalen flaen, dros lun ohonof yn gwisgo het gowboi. Oes, mae angen croen fel eliffant i fod yn wleidydd!

[1] 'An Economic plan for Wales', Phil Williams a Dafydd Wigley, 1970.
[2] *O Ddifri*, t. 26.

Agweddau o'r Senedd

Un o'r brwydrau Seneddol mawr yn ystod Senedd 1992–97 oedd yr un i gael deddf i warchod hawliau sifil pobl anabl. Roeddwn erbyn hyn yn is-gadeirydd y Grŵp Seneddol Oll-bleidiol Anabledd. Jack Ashley, sydd bellach yn Nhŷ'r Arglwyddi, oedd y Cadeirydd.

I mi roedd y frwydr dros hawliau sifil pobl anabl yn rhan o ddadl gyffredinol dros hawliau sifil. Dadl oedd hon yn cwmpasu hawliau gweithwyr, hawliau lleiafrifoedd ethnig, hawliau menywod, a hawliau siaradwyr Cymraeg. Roedd yn destun boddhad mawr i mi ymhen blynyddoedd fod egwyddorion rhyngwladol ar hawliau dynol wedi cael eu hymgorffori yng ngweithrediad y Cynulliad Cenedlaethol. Cymru oedd y wlad gyntaf i gyflawni hyn, a hynny chwe mis yn gynharach na San Steffan.

Oherwydd i mi chwarae rhan ganolog yn y brwydrau i gael Deddfau Pobl Anabl 1981 a 1986 i'r llyfr statud, cefais fy nhynnu i mewn fel cyd-hyrwyddwr sawl ymdrech i gael Mesur Hawliau pobl anabl trwy'r Senedd, gan gynnwys y *Civil Rights (Disabled Persons) Bill* a gyflwynwyd gan Roger Berry AS ym Mawrth 1994.[1] Roeddem o hyd yn wynebu gwrthwynebiad y Llywodraeth Geidwadol, oedd yn gryn siom i mi o gofio i John Major, rai blynyddoedd cyn hynny, fod yn Is-weinidog â chyfrifoldeb dros faterion anabledd. Credwn yr adeg honno fod ganddo gydymdeimlad diffuant â'r agenda anabledd. Yn sicr, roedd ei Weinidog Anabledd ar y pryd, Nick Scott AS, yn awyddus i weld symud ymlaen gyda deddfwriaeth o'r fath, ond methodd â pherswadio'r Cabinet. Daeth ei sefyllfa'n amhosib pan lambastiwyd ef yn gyhoeddus gan ei ferch ei hun, Victoria Scott, a fu'n gweithio am rai blynyddoedd fel ymchwilydd i ni yn y Grŵp Anabledd.

Oherwydd gwrthwynebiad y Llywodraeth i Fesur Roger Berry (cafodd ei 'siarad allan' gan Olga Maitland AS, Ceidwadol, Sutton & Cheam) trefnais i gael sgwrs breifat gyda John Major ar y mater. Dim ond y ddau ohonom oedd yn ei ystafell yn Nhŷ'r Cyffredin.[2] Dywedodd y byddai'n fodlon i'r Mesur fynd ymlaen, ond y byddai'n rhaid tocio'r oblygiadau ariannol. Roedd yn amlwg fod gwrthwynebiad yn dod o'r Trysorlys. Dro arall bûm yn gweld Major fel rhan o ddirprwyaeth o'r Grŵp Aml-bleidiol. Pwysodd Jack Ashley'n drwm iawn arno, gyda chefnogaeth frwd nifer ohonom, gan gynnwys Aelodau Ceidwadol megis John Hannam. Credaf i'r cyfarfod hwnnw symud pethau ymlaen.

Fe symudwyd Nick Scott druan o'i swydd, a daeth AS lled anghyfarwydd yn Weinidog Anabledd yn ei le. Ei enw oedd William Hague. Daeth yn amlwg yn fuan bod Hague wedi ei siarsio gan y Prif Weinidog i ddarganfod ffordd ymlaen ar gyfer Deddf Hawliau Pobl Anabl. O ganlyniad, fe roddwyd ail-ddarlleniad i'r *Disability Discrimination Bill* ar 24 Ionawr 1995. Cyrhaeddodd y Llyfr Statud yn Nhachwedd 1995.

Dyma'r ddeddf sy'n sail i'r Comisiwn sydd bellach yn bodoli i warchod hawliau pobl anabl. Roedd yn bleser mawr gennyf fod yn y Cynulliad yn 1999 pan sefydlwyd adran genedlaethol Gymreig i'r Comisiwn yng Nghaerdydd.

* * *

O sôn am Jack Ashley, mae'n werth nodi un profiad cofiadwy a gefais yn ôl yn 1993. Fel sy'n hysbys, fe gollodd Jack Ashley ei glyw yn llwyr ar ôl iddo gael ei ethol yn AS yn 1966, o ganlyniad i fân driniaeth a gafodd ar ei glustiau. Roedd yn wyrth ei fod wedi gallu parhau yn Aelod Seneddol, heb sôn am gymryd rhan flaenllaw yng ngwaith y Grŵp Anabledd, lle bu'n gadeirydd ac ymgyrchydd heb ei ail. Bûm yn cydweithio ag ef ar lu o faterion anabledd dros y blynyddoedd. Bu Jack yn garedig iawn wrthyf ac yn hael hefyd mewn sylwadau a wnaeth yn ei fywgraffiad am fy nghyfraniad i'r lobi anabledd.[3]

P'run bynnag, ym Medi 1993 digwyddwn fod yn Llundain, er bod y Senedd ynghau, yn mwynhau fy hun yn dilyn Pencampwriaeth Gwyddbwyll y Byd rhwng Nigel Short o Brydain a phencampwr y byd, Garry Kasparov (Rwsia). Bûm yn chwarae cryn dipyn o wyddbwyll pan oeddwn yn ifanc, gan gynnwys cystadlu ym mhencampwriaethau cenedlaethol ieuenctid Cymru. Bum yn troi allan o bryd i'w gilydd dros dîm Tŷ'r Cyffredin pan oedd cyfrifoldebau eraill yn caniatáu. Drwg gwyddbwyll yw ei fod yn cymryd cymaint o amser. Ond mae'n gêm hynod ac yn datblygu sgiliau dadansoddiadol, strategol a thactegol yn ogystal â'r gallu i edrych ymlaen, weithiau i blyffio, i fod yn amyneddgar, ac yna chwarae'n gwbl ddidrugaredd pan mae gennych fantais. Dywed rhai ei fod yn hyfforddiant perffaith ar gyfer gwleidyddiaeth!

Yn ystod y blynyddoedd diwethaf cefais gryn fwynhad wrth chwarae gwyddbwyll yn erbyn cyfrifiadur. Mae hyn yn caniatáu i chi chwarae pan fynnwch, ac i adael gêm ar ei hanner. Creais 'system' i guro'r cyfrifiadur, a chafodd ei chyhoeddi yn y *Times* gyda chymeradwyaeth gan ohebydd gwyddbwyll y papur, Raymond Keene. Cyhoeddodd y gêm yn llawn a'i disgrifio fel '*an accomplished win*'.[4]

Ar ddiwedd y chwarae rhwng Short a Kasparov, cynhaliwyd cinio bach ac roeddwn yn digwydd eistedd gyda Jim Callaghan y cyn-Brif Weinidog. Fel cyd-Aelodau o Gymru roeddem yn bur gyfeillgar, ac yn aml yn rhannu paned o goffi wrth y bwrdd Cymreig yn Ystafell De Tŷ'r Cyffredin. Y noson honno digwyddodd sôn wrthyf, o wybod am fy nghyfeillgarwch â Jack Ashley, '*Have you heard the news about Jack – he's had some treatment on his ears and he's regained some hearing*'. Ni allwn gredu fy nghlustiau. Fe adewais y bwrdd a rhuthro am ffôn a chael siarad yn uniongyrchol â Jack. Ychydig o glyw oedd wedi ei adfer, ond roedd yn gallu clywed rhyw gymaint ar ôl chwarter canrif o fyddardod. Dywedodd wrthyf y noson honno mai'r dileit mwyaf oedd iddo glywed lleisiau ei wyrion am y tro cyntaf. Dychwelais i'r bwrdd, fy llygaid yn llawn dagrau.

* * *

Bu un digwyddiad anffodus iawn yn ystod y cyfnod hwn a roddodd i mi amgyffred uniongyrchol o anabledd. Ar nos Fercher 19 Hydref 1994 roedd Mesur Cyfiawnder

Troseddol a Threfn Cyhoeddus gerbron Tŷ'r Cyffredin ac roedd cannoedd o bobl o'r mudiadau hawliau sifil yn gwrthdystio yn sgwâr y Senedd oddi allan. Fe alwyd pleidlais ar y Mesur toc wedi naw o'r gloch a bu raid i Ieuan Wyn Jones a minnau, oedd yn gweithio yn ein swyddfa y tu allan i brif adeilad y Senedd, wthio'n ffordd drwy'r dorf i geisio pleidleisio. Roedd Ted Rowlands AS (Merthyr) hefyd gyda ni.

Wrth i ni agosáu at brif giatiau'r Senedd, rhwystrwyd ni rhag cael mynediad gan yr heddlu arbennig a alwyd i mewn i reoli'r dorf. Fel arfer mae heddlu'r Senedd yno, swyddogion sy'n adnabod pob Aelod ac yn eithriadol o dda wrth ymwneud â'r cyhoedd. Ond brîd arall oedd yr heddlu y noson honno – rhai digon tebyg, fe dybiaf, i'r rhai a wynebai'r glowyr ddeng mlynedd ynghynt.

Wrth i mi droi i ddweud wrth Ted Rowlands fod yn rhaid i ni ddangos ein *passes* Seneddol i gael heibio'r heddlu, cefais andros o hergwd gan heddwas a'm gwthiodd o'r ffordd gyda'i darian derfysg, digon i'm taflu i'r ddaear. Disgynnais yn chwithig, gan landio ar waelod fy nghefn a thorri asgwrn y *coccyx*. Fe'm cludwyd i'r ysbyty mewn ambiwlans. Bûm yno am rai oriau yn cael profion. O fewn awr i'r digwyddiad, roedd yr heddlu wedi cyhoeddi datganiad fy mod wedi 'baglu' ac yn pellhau eu hunain oddi wrth unrhyw gyfrifoldeb.

Bûm mewn gwayw ac yn methu eistedd yn iawn am wythnosau lawer. Rhwystrodd hyn i mi gymryd rhan yng ngwaith y Senedd, gan fod eistedd ar y meinciau mor anghyfforddus. Roedd hefyd yn fy rhwystro rhag gyrru car am fisoedd wedyn. Pan es ar ymweliad â'r Unol Daleithiau yn Hydref 1995 bu raid i mi gael chwistrelliad *epidural* yn Ysbyty Gwynedd i atal y boen tra byddwn yn hedfan. Roedd yn brofiad eithaf doniol aros yng nghanol rhes o ferched beichiog oedd i gael yr un chwistrelliad, a hwythau'n edrych yn bur amheus arnaf!

Ceisiais ddwyn achos yn erbyn yr heddlu, ond doedd fawr o ddiben; gallasai'r costau fod yn filoedd o bunnoedd a dim sicrwydd y byddwn yn ennill. Chefais i fawr o help, chwaith, gan awdurdodau Tŷ'r Cyffredin, na gan y Swyddfa Gartref. Roeddwn yn siomedig eu bod yn trin digwyddiad o'r fath mor ysgafn. Doedd ganddyn nhw ddim awydd o gwbl i ddisgyblu'r plismon a fu'n gyfrifol. Roedd yn achos clasurol o sefydliadau'n cadw at eu rhengoedd i warchod ei gilydd. Ar 15 Chwefror 1996 cefais gyfarfod o'r diwedd gyda phennaeth Heddlu'r Met, Sir Paul Condon. Cafodd glywed am yr holl helynt, ond wn i ddim a wnaeth unrhyw beth o ganlyniad. Os oeddwn i, fel Aelod Seneddol, yn cael cyn lleied o wrandawiad gan yr awdurdodau, pa obaith sydd yna i'r dinesydd diniwed sy'n cael cam gan yr Heddlu?

Bu gennyf broblem gyda'r cefn am sawl blwyddyn wedyn. Rwy'n dal i gael trafferth os ceisiaf eistedd yn hir ar y math o seddi plastig a geir mewn cymaint o neuaddau, sydd â chefn crwn yn taro ar y *coccyx*. Yr help mwyaf a gefais i ymdopi â'r cyflwr oedd gwersi Techneg Alexander. Ffurf o ddysgu ymlacio yw hwn, a ddatblygwyd gan gerddor o Tasmania. Mae'n helpu i gael y corff i weithredu'n ddi-straen ac yn 'ysgafnach'. Bûm yn ffodus iawn fod athrawes Techneg Alexander, Frances Lockstone, yn byw gerllaw, ym Mhontllyfni. Bu hi o help mawr imi. Deuthum i werthfawrogi'r dulliau amgen o iacháu'r corff. Byddaf yn dal i ddefnyddio Techneg Alexander o bryd i'w gilydd, yn arbennig os byddaf yn gweithio dan straen ac angen cael gwell cydbwysedd yn y corff.

* * *

Soniais o'r blaen am fy nghysylltiad â John Major, fel ei bâr Seneddol.[5] Parhaodd y trefniant hwnnw tan etholiad 1997, pan gollodd y Toriaid rym. Mae'r drefn pario yn bodoli rhwng Aelod o blaid y Llywodraeth ac Aelod ar y gwrthfeinciau. Mae'n rhyfedd meddwl fodd bynnag i'r drefn pario rhwng John Major a minnau barhau dros ddeuddeng mlynedd, chwech ohonyn nhw yn y cyfnod pan oedd yntau'n Brif Weinidog.

Bu'n garedig wrthyf yn bersonol a gyda'r teulu. Ar 19 Rhagfyr, 1990, gwta dair wythnos ar ôl iddo ddod yn Brif Weinidog, aeth Elinor, Eluned, Hywel a minnau i ymweld â 10 Downing Street. Roeddem wedi gwneud y trefniadau ychydig wythnosau ynghynt, tra'r oedd yn dal i fyw yn Rhif 11, fel Canghellor y Trysorlys. Roeddwn wedi cymryd yn ganiataol fod y gwahoddiad yn cael ei ddileu yn sgîl ei ddyrchafiad. Dim o'r fath beth. Dywedodd y byddai'n gwneud pob ymdrech i'n cyfarfod yn Rhif 10 ar yr amser penodedig. Y bore hwnnw aethom yno ar gyfer hanner dydd, gan ddisgwyl neges funud olaf yn esgusodi'r Prif Weinidog ac yn trefnu i un o'i staff ein hebrwng o gwmpas yr adeilad. Pan ofynnodd ei gynorthwy-ydd i ni ddisgwyl mewn ystafell wrth y drws oherwydd ei fod yn hwyr, rhybuddiais y plant i beidio bod yn siomedig os na fyddai'n cyrraedd o gwbl. Chwarter awr yn ddiweddarach daeth John Major drwy'r drws, yn llawn ymddiheuriadau, ac aeth ymlaen i'n tywys o amgylch yr adeilad am drichwarter awr. Dangosodd rai o'r mementos oedd ganddo, fel bat criced, yn ei fflat bychan ar lawr uchaf yr adeilad.

Trafododd ei agenda wleidyddol yn bur agored. Dywedodd mai ei uchelgais fawr oedd gwella'r gyfundrefn addysg, a chodi'r parch tuag at athrawon. Fe ymhelaethodd ar hyn ychydig wythnosau'n ddiweddarach pan fu'n annerch y Torïaid ifanc. Amser a ddengys i ba raddau, os o gwbl, y llwyddodd i godi statws athrawon o fewn ein cymdeithas. Ond mae'n ddifyr fod Major a Blair, fel ei gilydd, wedi gosod addysg fel eu prif flaenoriaeth wleidyddol.

Buom hefyd i mewn yn yr ystafell Gabinet, a gofynnodd i'r plant eistedd i lawr wrth fwrdd y Cabinet.

Eisteddodd John Major yn ei sedd arferol gan ddweud wrth Eluned, oedd yn 16 oed, mai hi oedd yr Ysgrifennydd Tramor, a hysbysu Hywel, oedd yn 14, mai fo oedd Canghellor y Trysorlys. '*Right then, Foreign Minister,*' meddai, '*How should we be dealing with the Yugoslav crisis?*'

'*Chancellor, what is your advice about the ERM?*' Roedd y plant wrth eu boddau, a minnau'n gwerthfawrogi ei fod mor groesawgar. A oedd yn defnyddio'i amser yn ddoeth ai peidio, wn i ddim! Ond roeddem yn ymwybodol iawn fod person dynol bellach yn Rhif 10, coblyn o iachâd ar ôl cyfnod hesb Thatcher. Roedd rhywbeth anhygoel ynglŷn â sefyllfa lle'r oedd o'n ffrind i mi a'r teulu, er nad yn gyfaill gwleidyddol.

Cefais hefyd nifer o wahoddiadau i giniawau a derbyniadau yn Rhif 10, ac fe gafodd Elinor a minnau fynd am ginio i Chequers ddwywaith. Yn naturiol roedd ein safbwyntiau gwleidyddol yn wahanol iawn ar amryw o faterion y dydd, ond doedd hynny ddim yn ein rhwystro rhag cael sgwrs, hyd yn oed os mai cytuno i anghytuno fyddai diwedd y gân.

Cofiaf un sgwrs arbennig yn 1994, ynglŷn â chael senedd etholedig i Gymru. Mae'r nodyn a ysgrifennais yn fy nyddiadur ar y pryd yn adlewyrchu'r sgwrs:

Dywedodd (Major) i'm syndod llwyr, nad oedd ganddo'n bersonol unrhyw wrthwynebiad (i Senedd) ond fod anhawster gyda'i blaid ei hun. Ychwanegodd ei fod yn aml y dyddiau hyn ar donfedd wahanol i'w blaid. Gwnes innau'r gyffelybiaeth efo Lloyd George, ac yr oedd yn hoffi hynny! Dywedodd y gallai, o bosibl, greu Senedd i Gymru yr un pryd ag i Ogledd Iwerddon – ond fod problem oherwydd yr Alban. Ni allai ***ystyried*** *unrhyw bolisi a fyddai'n arwain at fodolaeth* ***filwrol*** *gwahanol i'r Alban. Byddai'n tanseilio hygrededd Prydain rownd y byd. Difyr.*[6]

Ie, difyr iawn! Roedd hyn yn cydredeg â sibrydion oedd ar led dair blynedd ynghynt, wedi i Wyn Roberts, oedd yn Weinidog yn y Swyddfa Gymreig, awgrymu Cyngor Etholedig i Gymru. Adwaith ffyrnig Torïaid yr Alban a rwystrodd i hyn ddatblygu.[7]

Pe bai'r Torïaid wedi cyflwyno mesur o hunan-lywodraeth ffederal i Gymru, yr Alban a Gogledd Iwerddon, gyda phwerau cyffelyb i'r tair gwlad, ond gydag amddiffyn yn parhau'n fater ffederal, Prydeinig, fe allem fod wedi cael Senedd lawer mwy pwerus na'r Cynulliad a gawsom. Yn sicr, roedd rhai ymhlith y Torïaid yn deall yr angen iddynt ymateb yn gadarnhaol i'r galw yn yr Alban ac yng Nghymru am fwy o ymreolaeth. Ond lleiafrif oedden nhw o fewn eu plaid, fel yn wir yr oedd John Major ei hun.

Er mai trwy'r drefn 'pario' yr oeddwn wedi dod i adnabod John Major, y system honno hefyd oedd achos yr unig anghytuno personol o bwys a fu rhyngddon ni. Erbyn 1996 roedd mewn cyfyng gyngor. Roedd ei fwyafrif Seneddol wedi edwino wrth i'w blaid golli rhes o is-etholiadau. Roedd rhai Aelodau Ceidwadol wedi croesi'r llawr, tri ohonyn nhw'n gyfeillion i mi yn y Grŵp Anabledd sef Emma Nicholson a Peter Thurnham, a ymunodd â'r Democratiaid Rhyddfrydol, ac Alan Howarth, a ymunodd â Llafur gan ddod yn Aelod Seneddol Gorllewin Casnewydd yn 1997. Felly, erbyn 1996 prin fod gan y Ceidwadwyr fwyafrif o gwbl, ac ar ben hynny doedd Major ddim hyd yn oed yn gallu dibynnu ar bob aelod o'i Gabinet i gefnogi'r Llywodraeth. Rhaid fod bywyd yn swyddfa'r Chwipiaid yn ymylu ar fod yn amhosib. Yn y sefyllfa honno mae'n ymddangos iddyn nhw fod yn euog o dwyll difrifol. Y cyhuddiad oedd eu bod wedi pario Aelodau Torïaidd gydag Aelodau Llafur a Democratiaid Rhyddfrydol ar yr un pryd.

Mae hyn yn torri pob rheol. Roedden nhw mewn gwirionedd yn diddymu dwy bleidlais o feinciau'r gwrthbleidiau, am bob Tori a oedd yn ymatal. Ysgrifennais nodyn chwyrn iawn at Major ar y pryd – ac am yr unig dro yn ein perthynas, ni chefais ateb. Mae'n anodd gennyf gredu fod Major ei hun wedi cymeradwyo twyll o'r fath. Ond yn amlwg, roedd rhywun yn euog ac ni chawsant eu cosbi.

* * *

Draenen yn ystlys y Prif Weinidog yn ystod y cyfnod hwn oedd Ysgrifennydd Gwladol Cymru, John Redwood. Erbyn Gorffennaf 1995 roedd John Major wedi hen flino ar y tanseilio parhaol a fu'n digwydd ers dwy flynedd. Yn gynharach yn y flwyddyn dywedodd wrthyf sut yr oedd ei elynion o fewn y Cabinet wrthi'n brysur yn 'trefnu newyddion drwg' i'w danseilio. Roedd wedi cael gwybod am hyn drwy'r 'lluoedd diogelwch' – hanes sut yr oedd aelodau o'i Gabinet yn bwydo'r wasg efo straeon a fyddai'n niweidio'i Lywodraeth. Dywedodd wrthyf nad oedd am adael i'r fath dacteg ei yrru o'i swydd.[8] Felly doedd hi'n ddim syndod i mi pan gollodd John Major ei amynedd yn llwyr gyda'i wrthwynebwyr. Er syndod i'r byd, fe ymddiswyddodd fel Arweinydd y Toriaid, gan osod her i'w wrthwynebwyr, '*Put up or shut up*'.

Yr un a dderbyniodd yr her oedd John Redwood. Bu etholiad ar gyfer Arweinyddiaeth y Toriaid ar 4 Gorffennaf 1995. Y canlyniad oedd: Major 218, Redwood 89. Roeddwn i'n eithriadol o falch, am dri rheswm. Roedd yr adain dde wedi cael cweir; roeddwn yn dal i bario gyda'r Prif Weinidog; ac yn bwysicaf, efallai, roedd Redwood wedi gorfod ymddiswyddo fel Ysgrifennydd Cymru. Haleliwia!

* * *

Olynydd John Redwood oedd y cyfaill yr oeddwn wedi dod i'w adnabod fel Gweinidog Anabledd, William Hague. Roedd wedi llwyddo lle y methodd ei ragflaenydd Nick Scott, sef llywio deddf Hawliau Sifil

Pobl Anabl i'r llyfr statud. Bûm yng nghanol y trafodaethau a'r dadlau ynglŷn â'r Mesur hwnnw ac roeddwn wedi dod i barchu Hague, hyd yn oed pan na allwn gytuno ag ef.

Cofiaf yn dda y tro cyntaf imi ei gyfarfod yn ei swydd newydd yn y Swyddfa Gymreig. Peth rhyfedd oedd gweld dieithryn fel hyn, gyda'i acen Swydd Efrog gref, yn gofalu am ein gwlad. Fy mrawddeg gyntaf wrtho oedd: '*I'm the party leader in Wales you have least to worry about – I'm the only one who doesn't want to steal your job*!'

Bu William Hague yn Ysgrifennydd Gwladol o 1995 hyd yr etholiad cyffredinol ym Mai 1997. Dyma'r cyfnod pan ddaeth yn gyfeillgar gyda Ffion, a oedd wrth gwrs, yn gweithio yn y Swyddfa Gymreig. Roeddwn yn adnabod Ffion a'i chwaer Manon, oedd hefyd yn Llundain, ac yn hen ffrindiau â'u rhieni, Meira ac Emyr Jenkins, Cyfarwyddwr Cyngor Celfyddydau Cymru ar y pryd. Cofiaf yn dda wythnos dyweddïad William Hague a Ffion. Roedd Elinor a minnau yn y seremoni BAFTA yng Nghaerdydd ar nos Sul, 2 Mawrth 1997 a chawsom sgwrs â'r ddwy chwaer. Dywedodd Ffion wrthyf fod ganddi newyddion – ei bod ar fin gadael y Swyddfa Gymreig. 'Pam?' gofynnais iddi. 'Alla i ddim dweud', meddai, yn ddirgelwch i gyd, 'ond daw'r newyddion allan cyn diwedd yr wythnos'! Beth goblyn oedd yr hanes dirgel hwn a fyddai'n cael ei ddatgelu o fewn ychydig ddyddiau? Rhoddais wahoddiad i'r ddwy chwaer ymuno â mi am ginio yn Nhŷ'r Cyffredin yr wythnos ganlynol, gan obeithio y byddwn wedyn yn cael rhyw oleuni ar y datblygiadau cudd hyn, a beth allai fod yn ei olygu o safbwynt gwaith y Swyddfa Gymreig.

Yn ystod y deng niwrnod rhwng ein cyfarfod yng Nghaerdydd a'r cinio, daeth y cyfan yn hysbys. Roedd Ffion yn gadael oherwydd ei bod yn dyweddïo â'r bos! Chwarae teg iddyn nhw. Gwahoddais William hefyd i ginio i ddathlu, ond roedd trefniadau gwaith yn ei rwystro. Felly bu i Manon, Ffion a minnau ymgynnull ddydd Iau, 13 Mawrth 1997 – a chwerthin llawer am 'ddirgelwch' yr wythnos.

Yn fy nhyb i, bu cysylltiad Ffion â William Hague o arwyddocâd cyfansoddiadol i Gymru nad yw hyd yma wedi cael unrhyw gydnabyddiaeth. Mae'n debyg nad oedden nhw'n sylweddoli hynny eu hunain ar y pryd. O adnabod teulu Emyr Jenkins, mae'n anodd credu na fydden nhw'n gefnogol i ddatganoli, ac i sefydlu'r Cynulliad Cenedlaethol. Yn wir, bu Manon, chwaer Ffion, yn gweithio yn y Cynulliad yn ystod deunaw mis cyntaf ei fodolaeth, gyda brwdfrydedd ac arddeliad. Roedd yn un o'r tîm a drefnodd y seremoni agoriadol. Yn y cyfnod yn arwain at y refferendwm byddai'n ddifyr iawn gwybod sut drafodaeth oedd yna am ddatganoli rhwng Ffion a'i darpar ŵr, pan oedd y Toriaid yn cefnogi pleidlais 'Na'.

Roedd William Hague ar y pryd â'i lygad ar arweinyddiaeth ei blaid, ond roedd yn dal yn Llefarydd yr Wrthblaid ar Gymru yn y cyfnod pan aeth y Mesur i gynnal y refferendwm drwy'r Senedd. Daeth yn arweinydd ei blaid ar 19 Mehefin 1997, cwta dri mis cyn y refferendwm. Ond prin iawn y gwelwyd William Hague yng Nghymru yn ystod yr ymgyrch, rhywbeth a barodd siom i rai ymgyrchwyr 'Na'. Pe bai Hague wedi bwrw i mewn, o ddifri, i'r ymgyrch 'Na', ac wedi sicrhau cyllid digonol i'r ymgyrch honno, mae'n fwy na thebyg y byddai wedi dylanwadu ar fwy na 7,000 o bleidleiswyr. Rhyfedd o beth – ond mae'n bosib fod dyweddïad William a Ffion wedi cyfrannu at sicrhau'r Cynulliad Cenedlaethol! Os felly, mae gan Hague yr hawl i frolio ei fod yn gweld ymhellach na rhai o fewn ei blaid ei hun ar y pryd. Wedi'r cyfan fe fethodd y Toriaid ag ennill yr un sedd yng Nghymru ar gyfer San Steffan, yn etholiad 1997 ac etholiad 2001. Mae ganddyn nhw, fodd bynnag, naw aelod yn y Cynulliad Cenedlaethol. Heb y Cynulliad prin y byddai'r blaid Geidwadol yng Nghymru mewn bod. Mewn un ystyr gall Ffion honni iddi achub y Cynulliad a'r Ceidwadwyr Cymreig gyda'i charwriaeth!

[1] *Dal Ati*, Pennod 10. Hyrwyddais 17 mesur o'r fath rhwng 1981 a 1995 yn ôl Bert Massey, pennaeth Comisiwn Hawliau Anabledd.
[2] Mae hyn yn seiliedig ar nodiadau manwl o'm dyddiadur ar gyfer 8 Mawrth 1994.
[3] *Acts of Defiance*, Jack Ashley, 1992, tt. 315–16.
[4] *Times*, 13 Mehefin 1995.
[5] *Dal Ati*, pennod 16 'Pario â'r Prif Weinidog'.
[6] Nodyn dyddiadur 8 Mawrth 1994.
[7] *Dal Ati*, Pennod 19, t. 419.
[8] Dyddiadur 8 Mawrth 1994.

Paratoi am gyfnod newydd

Yn sgîl marwolaeth drist John Smith yn 1994 daeth Tony Blair yn arweinydd y Blaid Lafur. Roeddwn yn ei adnabod o'r diwrnod cyntaf y daeth i'r Senedd, gan fod ei swyddfa heb fod ymhell o'm swyddfa innau. Byddwn o bryd i'w gilydd yn sgwrsio â'r Aelod newydd brwd ond ifanc iawn.

Ar ôl iddo gael cyfle i ymsefydlu fel arweinydd yr Wrthblaid teimlais y dylwn geisio dylanwadu arno o safbwynt manylion ei raglen ddatganoli a fyddai'n cael ei chyflwyno i'r etholwyr yn yr etholiad cyffredinol, pryd bynnag y deuai. Bûm yn ei weld yn ei swyddfa yn y Senedd ar 19 Rhagfyr 1995. Roeddwn eisiau deall yn well beth oedd ei agwedd at ddatganoli. Roedd hyn cyn iddo gefnogi cael refferendwm ar y pwnc.

Roeddwn yn ymwybodol iawn mai'r Alban oedd wedi gyrru'r agenda ymlaen. Roedd y Blaid Lafur wedi cael anhawster, yn etholiad 1992, i ymdopi â'r pwnc. Yn yr Alban roedd yr awydd am Senedd wedi cryfhau'n sylweddol, a bu'n rhaid i Neil Kinnock ymrwymo i'r egwyddor o Senedd i'r Alban – ac yn wir, Cynulliad i Gymru. Ond yr oedd y Toriaid, dan arweinyddiaeth John Major, wedi llwyddo i ddefnyddio'r perygl o chwalu'r Deyrnas Gyfunol fel arf yn erbyn y Blaid Lafur yn yr etholiad.

Wedi hyn, pan ddaeth John Smith yn arweinydd y Blaid Lafur, roedd wedi ymrwymo i ddatganoli, ac wedi cyfeirio at y pwnc fel '*unfinished business*' o'r saithdegau.

Roedd yn bwysig i Gymru beidio cael ei dal yn ôl os oedd Llafur ar y naill law yn gweld y rheidrwydd i ateb galwadau'r Alban, ac ar y llaw arall yn ceisio bodloni Lloegr ynglŷn â'r broses trwy ymrwymo i ddatganoli rhanbarthol yno. Roedd perygl gwirioneddol y byddai Cymru'n cael ei gweld ar yr un lefel â rhanbarthau Lloegr.

Pan gyfarfûm â Tony Blair, awgrymais iddo, os oedd yn gorfod cynnwys rhanbarthau Lloegr yn y broses o gwbl, y dylai ystyried model Sbaen o ddatganoli. Yno mae gan y 'rhanbarthau cenedlaethol' megis Catalonia a Gwlad y Basg gryn dipyn mwy o rym na'r rhanbarthau eraill. O'r 17 rhanbarth, mae gan bedair o'r rhai 'cenedlaethol' fodel uchelgeisiol o ddatganoli, a'r 13 arall fodel mwy cyfyngedig. Mae'n bosib, trwy refferendwm, i ranbarth ddewis symud i fyny neu i lawr rhwng y ddau fodel.

Awgrymais i Tony Blair y gellid llunio deddf oddefol, a fyddai'n caniatáu modelau gwahanol o ddatganoli i Gymru ac i ranbarthau Seisnig, fel Llundain. Disgrifiais fodel a allai gynnwys gwahanol bwerau (deddfu llawn, deddfu eilaidd, datganoli gweithredol a datganoli gweinyddol) a hefyd amrywiaeth o hawliau cyllidol. Datganoli *a la carte* fyddai hyn. Byddai'n bosib i ranbarthau Seisnig, ac yn wir i Gymru, yr Alban a Gogledd Iwerddon, ddewis pa mor bell yr oeddynt eisiau mynd o fewn y gyfundrefn. Roedd yn amlwg fod gan Blair ddiddordeb yn hyn, ond hyd y gwelwn, doedd o ddim wedi meddwl nac ymchwilio fawr ddim yn y maes. Dywedais wrtho nad oeddwn yn credu bod angen refferendwm, gan y byddai etholiad cyffredinol yn ddigon i benderfynu ar y mater. Os oedd rhanbarthau Lloegr i'w cynnwys yn y cynlluniau fe allai refferendwm achosi anhrefn llwyr gyda rhai rhanbarthau o blaid datganoli a rhai yn erbyn.

Rhoddais ar ddeall i Tony Blair mai sefydlu Senedd bwerus i Gymru oedd yr eitem bwysicaf ar agenda Plaid Cymru. Pe bai Llywodraeth Lafur yn cyflawni hynny, meddwn, ni allwn ragweld unrhyw amgylchiadau lle byddai Aelodau Seneddol Plaid Cymru yn pleidleisio yn erbyn Llafur mewn pleidlais o hyder. Ar y pryd doedd gan Blair ddim syniad a fyddai'n ennill yr etholiad nesaf, na beth fyddai ei fwyafrif. Gallai hanner dwsin o bleidleisiau Plaid Cymru wneud byd o wahaniaeth iddo.

* * *

Yn ystod y cyfnod hwn roedd yn amlwg fod angen dyfnhau'n polisi ninnau fel plaid mewn nifer o feysydd. Roedd hynny'n hanfodol os oeddem am fod yn wrthblaid gredadwy i Lafur, a chyn hir yn llywodraethu Cymru. Roedd angen creu peirianwaith mwy effeithiol i drafod a datblygu polisi, a gwneud gwell defnydd o'r talentau o fewn y Blaid. Roedd gennym hefyd gorff cynyddol o gynghorwyr, oedd yn gorfod ysgwyddo cyfrifoldeb llywodraethu, megis yn Nhaf-Elái, a'n gobaith oedd y byddai hyn yn cynyddu ar ôl etholiadau'r Cynghorau Unedol.

Roeddwn yn awyddus i sicrhau nad ar lefel seneddol yn unig y byddem yn trafod a datblygu polisi. Dylai'n cynghorwyr fod yn rhan o'r broses, gyda dull effeithiol i gydlynu'r gwaith, ei gyflwyno i gael cefnogaeth aelodau'r

Blaid trwy'r Cyngor Cenedlaethol, a'i fabwysiadu fel polisi cydnabyddedig yn ein Cynhadledd Flynyddol.

I'r pwrpas hwnnw argymhellais greu 'Cabinet' ffurfiol i'r Blaid gydag unigolion yn gyfrifol am ddatblygu polisïau yn eu meysydd. Cyfarfu Cabinet Plaid Cymru am y tro cyntaf ddydd Sadwrn, 19 Chwefror 1994. Rhoddwyd sylw mawr i'r datblygiad yn y *Western Mail* a'r *Daily Post*. Mae'n ddifyr cymharu'r penodiadau gyda Chabinet yr Wrthblaid a ffurfiais yn y Cynulliad rai blynyddoedd yn ddiweddarach.

CABINET PLAID CYMRU

Cynog Dafis AS	Addysg
Alun Davies	Materion cyfansoddiadol
Y Cyng. Janet Davies	Llywodraeth Leol.
Y Cyng. Jill Evans	Ewrop
Y Cyng. Pauline Jarman	Tai
Helen Mary Jones	Gwasanaethau a Nawdd Cymdeithasol
Ieuan Wyn Jones AS	Amaethyddiaeth (a Chwip Seneddol).
Dr Dai Lloyd	Iechyd
Elfyn Llwyd AS	Swyddfa Gartref a'r gyfraith
Y Cyng. Owain Llywelyn	Diwydiant a masnach
Marc Philips	Cyflogaeth a hyfforddiant
Adam Price	Cyllid a threthiant
Helen Prosser	Iaith a diwylliant
Yr Arglwydd Dafydd Elis Thomas	Tramor ac amddiffyn
Rhodri Glyn Thomas	Busnesau bach a materion gwledig
Yr Athro Phil Williams	Amgylchedd ac ynni.

Roeddwn i fy hun yn Gadeirydd y Cabinet ond heb bortffolio penodol.

Difyr nodi fod 10 o'r 17 Aelod wedi cael eu hethol yn ddiweddarach i'r Cynulliad; fod Jill Evans yn Aelod o Senedd Ewrop; Pauline Jarman yn Arweinydd Grŵp Plaid Cymru sy'n llywodraethu ar Gyngor Rhondda Cynon Taf; ac wrth gwrs daeth Adam Price yn Aelod Seneddol Dwyrain Caerfyrddin a Dinefwr yn Etholiad 2001. Go dda!

Nodais yn fy nyddiadur ar y pryd:

Y nod wrth sefydlu'r Cabinet yw creu polisi mwy credadwy ac adeiladol, a fydd yn arwain at well trafodaeth yn y Cyngor Cenedlaethol a'r Gynhadledd; ac at gyhoeddi papurau trafod a seminarau ar gyfer aelodau'r blaid. Y nod, o fewn dwy flynedd, yw llunio blueprint ar gyfer hunan-lywodraeth.[1]

Fe wnaed gwaith da am gyfnod gan y Cabinet, gyda rhai aelodau'n cyfrannu'n ardderchog, ond rhai'n methu â chynhyrchu gwaith angenrheidiol. Yr agosaf a gafwyd i '*blueprint*' oedd cyfres o ddarlithoedd ar bolisi'r Blaid, yn seiliedig ar waith y Cabinet, a gyflwynais yn ystod cyfnod yn arwain at etholiadau'r Cynulliad yn 1999. Cyhoeddwyd y darlithiau hyn ar y pryd.

* * *

Roedd Cynhadledd Plaid Cymru yn 1995 yng Nghwm Cynon. Yn fy araith fel Llywydd manteisiais ar y cyfle i osod allan yr agenda fel y gwelwn bethau ar gyfer y dyfodol. Roeddwn wedi cyhoeddi llyfryn ar bolisi cyfansoddiadol y Blaid[2] a dyma oedd y cyfle i esbonio fel yr oedd ymreolaeth yn allweddol bwysig i'r Cymoedd. Yn y cyd-destun hwn roedd yn bwysig dangos yn eglur ein hymroddiad fel plaid i bolisïau blaengar ac i gyfiawnder cymdeithasol. Derbyniais nifer o lythyrau yn sgîl yr araith, yn arbennig gan bobl o'r tu allan i'r Blaid, yn y Cymoedd. Roedd yn brofiad newydd i mi weld ein bod yn dechrau cyffwrdd â chalon wleidyddol ardal oedd yn allweddol i ni fel plaid ei hennill.

Credais byth oddi ar fy nghyfnod yn gwleidydda ym Merthyr rhwng 1971 a 1974 y gallai'r Blaid gyffwrdd nerf wleidyddol y Cymoedd. Credaf i mi wneud hynny yn yr araith; daethum drwy hyn i sylweddoli mor bwysig oedd defnyddio'r areithiau fel Llywydd, o'r Gynhadledd, i gyrraedd allan at bobl y tu hwnt i'r Blaid. Dyma'r unig adeg yn y flwyddyn pan fydd sicrwydd y cawn deledu byw am gyfnod sylweddol o amser. Dros y pum mlynedd canlynol, defnyddiais yr araith i'r dibenion hyn, gan fanteisio ar dechnegau newydd 'auto-cue' i'm galluogi i weithio o sgript a rhoi'r argraff fy mod yn siarad heb nodiadau. Bu amryw o hen aelodau'r Blaid yn rhyfeddu fy mod yn gallu siarad am drichwarter awr heb bapur ar fy nghyfyl!

* * *

Os oedd treigl amser yn fy ngwneud yn wleidyddol aeddfetach, roedd hefyd yn gadael traul ar fy nghorff. Daethum yn ymwybodol iawn fod fy llygaid yn dirywio. Doedd fy mreichiau ddim yn ddigon hir i ddal llyfr mewn ffocws yn y gwely! Yn bwysicach, allwn i ddim darllen fy nodiadau wrth areithio, heb sôn am ddarllen 'auto-cue' mewn cynhadledd neu ddarllediad gwleidyddol. Bu'n rhaid cael sbectol.

Roedd yn gas gen i wisgo sbectol i unrhyw bwrpas heblaw darllen llyfrau. Wrth wisgo un trwy'r amser o ddydd i ddydd teimlwn fod rhwystr corfforol wedi ei osod rhyngof fi a'r byd. Yn waeth na dim, allwn i ddim edrych yn effeithiol i lygaid pobl. Mae hynny'n un o dechnegau sylfaenol y gwleidydd. Bu'n grefft anhepgor wrth ganfasio neu hyd yn oed grwydro'r strydoedd o fewn fy etholaeth. Wrth gerdded ar hyd Stryd Llyn, Caernarfon, byddaf yn ceisio edrych i fyw llygaid pobl sy'n mynd heibio. Os ydynt yn dangos unrhyw gydnabyddiaeth, dywedaf 'Helô' neu 'Bore da'. Os nad oes ymateb, nid wyf ddim dicach. O leiaf mae'n creu cysylltiad; yn aml bydd pobl yn stopio i gael sgwrs. Ond roedd y sbectol yn tanseilio'r holl broses. Roedd fel pe bawn yn methu creu'r cysylltiad llygadol. Ac wrth areithio yn y Senedd cawn fy hun yn tynnu'r sbectol a'i hailosod bob deg eiliad, wrth droi fy llygaid o'r nodiadau i edrych ar weddill y Siambr. Flynyddoedd yn ddiweddarach gwelais Tony Blair yn stryffaglu efo'r un broblem – a chydymdeimlwn yn llwyr!

O'r diwedd, wedi cael llond bol ar yr holl fusnes, yn arbennig yn ystod ymgyrch Etholiad Ewrop, es i holi am '*contact lenses*'. Nid anghofiaf fyth y profiad o'u cael am y tro cyntaf ar ddydd Llun, 11 Gorffennaf 1994. Dyna oedd diwrnod cyntaf gweddill fy mywyd! Wrth gerdded i lawr Stryd Llyn, o siop Michael Barnett Pepper yr optegydd, gallwn edrych eto i lygaid fy etholwyr – heb unrhyw rwystr gweladwy rhyngddyn nhw a fi. Bendith ar y sawl a ddyfeisiodd y lens blastig ysgafn sy'n aros yn y llygaid am wythnos ar y tro. Wn i ddim ai dyma'r math a gafodd Tony Blair yn ddiweddarach, ond roedd yntau, erbyn Etholiad 2001, wedi canfod ateb i'w rwystredigaeth.

* * *

O Fedi 1996 ymlaen doedd y Senedd yn fawr mwy na llwyfan ar gyfer ymgyrch etholiad cyffredinol. Roedd yr amser yn dirwyn i ben i lywodraeth John Major. Gan eu bod gymaint ar ôl Llafur yn y polau piniwn, doedd Major ddim am alw etholiad tan yr eiliad olaf un. Fe allai rhywbeth annisgwyl ddigwydd, i wella'i obeithion. Cofier sut yr oedd Rhyfel y Falklands wedi achub Thatcher.

Do, fe gafwyd pethau annisgwyl, ond doedd yr un ohonyn nhw o help i'r Llywodraeth. Bu sawl sgandal yn ymwneud ag aelodau'r Blaid Geidwadol. Ac yna daeth oblygiadau aflwydd BSE a CJD yn fwyfwy amlwg. Roedd argyfwng BSE wedi dwysáu, a rhaglen deledu drawiadol gan gwmni Granada wedi dangos y peryglon oddi wrth aflendid cig. Erbyn gwanwyn 1996 bu'n rhaid i'r Gweinidog Iechyd, Stephen Dorrell, wneud datganiad difrifol iawn i'r Senedd, yn cydnabod y peryglon a ddeilliai o BSE, a'r posibilrwydd fod oblygiadau i iechyd pobl yn codi o hyn. Fel Aelod yn cynrychioli sedd wledig, gwyddwn yn iawn fod oblygiadau difrifol i'r sector amaethyddol. Ac fel llywydd Hufenfa De Arfon, ffatri laeth a chaws gydweithredol sy'n cyflogi tua 150 yn fy etholaeth, roeddwn mewn cysylltiad agos â ffermwyr gwartheg godro ac yn deall sut yr oedd BSE yn eu taro'n eithriadol o galed.

Ond fe wyddwn hefyd am effeithiau CJD ar bobl, gan fod merch ifanc o'r Bontnewydd, Alison Williams, wedi dioddef o fath newydd o CJD. Roedd ei thad, John Williams, yn byw o fewn chwarter milltir i'm cartref. Ymwelais ag Alison yn Ysbyty Bryn Seiont, Caernarfon, yn ystod cyfnod Nadolig 1995. Roedd yn drist eithriadol ei golwg, ac roedd modd deall, o'i gweld, sut yr oedd rhai'n cymharu'r cyflwr efo BSE. Bu farw ar 17 Chwefror 1996.

Cefais innau'r cyfle i fynd i Gaeredin ym Mehefin 1996 i gyfarfod â'r arbenigwyr yn y Western Hospital, oedd yn ymchwilio i'r cysylltiad rhwng BSE a nvCJD. Cefais weld dadansoddiadau o ymennydd buchod gyda'r cyflwr, a hefyd ymennydd pobl oedd wedi marw o nvCJD. Pwy a ŵyr a welais ran o ymennydd Alison druan? Roedd yn brofiad anodd. Deuthum i'r casgliad, ar sail y wyddoniaeth a ddisgrifiwyd i mi, fod perygl gwirioneddol fod cysylltiad rhwng nvCJD mewn pobl a BSE mewn anifeiliaid. Roedd yn anodd gorfod derbyn hyn, a dweud hynny wrth ffermwyr yn fy etholaeth a oedd yn erfyn am glywed nad oedd unrhyw bosibilrwydd o gysylltiad. Ar adegau mae'n rhaid i Aelod Seneddol gyfleu neges sy'n annerbyniol i etholwyr; dyna ran o'i gyfrifoldeb.

O dderbyn fod cysylltiad rhwng y ddau afiechyd, doedd hynny ddim o reidrwydd yn golygu derbyn yr esboniad mwyaf poblogaidd pam fod y cysylltiad yn bodoli. Y gred gonfensiynol oedd un yn seiliedig ar y ddamcaniaeth '*prion*'. Cefais gyfle, trwy waith Rhodri Glyn Thomas fel ein darpar ymgeisydd yn Sir Gaerfyrddin, i glywed am ddamcaniaeth wahanol.

Roedd cyfaill o'r enw Paddy Rooney o Lanymddyfri wedi tynnu sylw at ddamcaniaeth oedd yn cael ei hawgrymu gan wyddonydd yn Llundain, yr Athro Ebringer. Yn ddiweddarach, ar ôl yr etholiad, trefnais gyfarfod yn Nhŷ'r Cyffredin i'r Athro gyflwyno'i dystiolaeth. O ganlyniad i hyn, fe wnaed cais aml-bleidiol, i Frank Dobson AS (oedd erbyn hynny'n Weinidog Iechyd y Llywodraeth Lafur) noddi ymchwil yr Athro Ebringer. Cytunodd yntau, ac mae'r ymchwil yn parhau. Amser a ddengys a yw damcaniaeth Ebringer yn gywir. Os felly fe allai fod yn berthnasol i nifer o gyflyrau eraill sy'n achosi anabledd.

Un o'r Mesurau Seneddol a achosodd gryn ddadlau ar y pryd oedd y Mesur Gynnau. Roedd yn cyflwyno trefn newydd i reoli gynnau, yng nghysgod trychineb Dunblane. Doedd gen i ddim amheuaeth yn y byd am fy safbwynt ar y mater. Credaf fod rhaid cadw gynnau o dan reolaeth dynn iawn a gresynaf at y math o ddiwylliant gynnau sy'n bodoli yn America. Ond ni ellid cymryd safbwynt ar y fath bwnc heb gynddeiriogi rhai – gan gynnwys aelodau o'm plaid fy hun. Collais gefnogaeth un aelod selog o'r Blaid yn Arfon oherwydd fy safbwynt ar y Mesur. Roedd hyn yn fy nhristáu'n fawr – ond ddim yn newid fy marn ynglŷn â gynnau.

Yr her i mi, ac i'r tîm Seneddol, oedd cadw'r Blaid yn llygad y cyhoedd mewn modd adeiladol, heb gael ein gwasgu allan wrth i'r ymrafael rhwng Tori a Llafur ddwysáu. Golygai hyn chwilio am bob cyfle i godi cwestiynau ar lawr y Tŷ, gosod cynigion Seneddol, cyflwyno drafft fesurau a cheisio am ddadleuon byr ar ohiriad y Tŷ. Golygai hefyd gadw cysylltiad parhaol gyda'r wasg a'r cyfryngau. Mae'r cyfeillion yn lobi'r wasg yn Nhŷ'r Cyffredin yn broffesiynol dros ben. Maent yn ofalus i beidio â chario stori a glywant gan un Aelod, i aelod o blaid arall. Er hynny mae'n bosib dysgu llawer wrth gadw cysylltiad agos gyda nhw, ynglŷn â bwriadau'r pleidiau eraill. Ac yn arbennig, mae'n bosib gwybod pa '*spin*' sy'n cael ei roi ar bethau gan wahanol aelodau – gan gynnwys aelodau o'ch plaid eich hun! Erbyn i'r etholiad ddod, roeddem wedi hen laru ar ddisgwyl. Ym Mawrth 1997 roedd hyd yn oed y *Daily Telegraph* yn defnyddio penawdau fel '*We can't win with Major say Tory MPs*'.[3] Doeddwn i ddim y credu y gallent ennill gydag unrhyw arweinydd arall, gan ei bod yn hen bryd i ddeunaw mlynedd o lywodraeth asgell dde ddirwyn i ben.

[1] Dyddiadur 19 Chwefror 1994.
[2] *Cymru Rydd mewn Ewrop Unedig,* cyhoeddwyd gan Wasg Dwyfor, Medi 1995.
[3] *Daily Telegraph,* 16 Mawrth 1997.

Etholiad 1997

Yn ystod Rhagfyr 1996 fe gawsom ergyd fel Plaid. Ond doedd hynny'n ddim o'i chymharu â'r ergyd bersonol a gafodd ein Prif Weithredwr, Karl Davies. Roedd yn ei swydd ers tua thair blynedd, ac yn edrych ymlaen yn eiddgar at yr etholiad cyffredinol. Yna, ychydig cyn y Nadolig cafodd ei anafu'n ddrwg pan drawyd ef gan gar. Bu yn yr ysbyty am wythnosau a chymrodd fisoedd i ddod dros effaith y ddamwain. Roedd yn ffodus i fod yn fyw, ac roeddem oll yn ddiolchgar am hynny.

Felly yn Ionawr bu'n rhaid i ni aildrefnu'n strwythur gweithredol ar gyfer yr etholiad cyffredinol oedd i'w alw o fewn pedwar mis. Bryd hynny yr oedd Dafydd Williams, cyn-Ysgrifennydd Cyffredinol y Blaid, yn gweithio i ni fel Cydlynydd Seneddol. Eironi mawr oedd i ni orfod troi'n ôl at Dafydd o gofio iddo gael ei symud o'r Pencadlys pan ddaeth Karl yno i sefydlu trefn newydd. Roedd teyrngarwch Dafydd Williams i'r Blaid yn llwyr ac fe wnaeth ei orau, ynghyd â thîm bychan yn cynnwys Esyllt Morgan, Siôn Ffrancon a Nigel Bevan, i gynnal yr ymgyrch etholiad.

Roeddem yn ymwybodol iawn fod rhaid i ni frwydro i osgoi cael ein gwasgu allan yn y frwydr rhwng y Toriaid a Llafur. Ar ôl deunaw mlynedd o lywodraeth y Ceidwadwyr, 11 o'r rheini gyda Margaret Thatcher wrth y llyw, roedd pobl Cymru wedi cael hen lond bol. Erbyn 1997 roedd ffawd John Major ar i lawr, ei gabinet a'i blaid yn rhanedig ynglŷn ag Ewrop a chyfres o sgandalau wedi sigo'u hysbryd. Y perygl fyddai i ni gael ein gwthio i'r ymylon, fel sy'n gallu digwydd mewn etholiad Prydeinig, wrth i bobl weld y prif ddewis fel un rhwng y pleidiau a all ffurfio llywodraeth yn San Steffan. Y gamp i ni yw argyhoeddi pobl fod yn rhaid cael llais annibynnol i Gymru yn Nhŷ'r Cyffredin, pwy bynnag sy'n ffurfio llywodraeth. Roedd pob rheswm dros fod eisiau cael gwared â'r Toriaid. Ond doedd rhoi Llafur Newydd i mewn ddim yn ddigon. Roedd rhaid cael nerth yn Llundain i'w hatgoffa o broblemau Cymru, ac i ofalu eu bod yn cadw at eu haddewidion i'n gwlad.

Ein nod wrth fynd i mewn i Etholiad 1997 oedd cadw'r pedair sedd oedd gennym ac ennill Dwyrain Caerfyrddin a Dinefwr. Sylweddolem nad oedd fawr o obaith ennill seddi eraill. Fy mwriad felly oedd sianelu'n hegni i gynnal ein cefnogaeth, ceisio cael rhyw gynnydd yn yr ardaloedd diwydiannol, a sicrhau unrhyw adnoddau ychwanegol ar gyfer Caerfyrddin. Gobeithiem drwy hyn ddod yn ail blaid o ran seddi drwy Gymru gyfan.

Cefais gyfle i helpu'n uniongyrchol yng Nghaerfyrddin a Dinefwr yn y cyfnod yn arwain at yr ymgyrch, gan gynnwys cynorthwyo Rhodri Glyn Thomas i berswadio'i etholaeth i agor swyddfa barhaol yn Rhydaman. Mae agor swyddfa yn ernes o fwriad plaid i wasanaethu ardal drwy'r adeg, ac nid i ymddangos yn ystod ymgyrch etholiad yn unig. Mae'n ddatblygiad seicolegol pwysig mewn unrhyw etholaeth.

Roedd yn rhaid i ni gadw llygad ar un ystyriaeth arall – yr angen i gadw Ynys Môn. Roedd Ieuan Wyn Jones wedi cael canlyniad tynn iawn yn 1992, a'i fwyafrif wedi gostwng o 4,298 yn 1987 i 1,106. Roedd yntau wedi llawn sylweddoli'r pwysigrwydd o droi pob carreg i gadw'r sedd, ac fe ddewisodd, yn gwbl gywir, ganolbwyntio'i egnïon rhwng 1995 a 1997 ar weithio yn yr etholaeth yn hytrach na chymryd cyfrifoldebau ar raddfa genedlaethol o fewn y Blaid.

Cynhaliwyd Cynhadledd Wanwyn gan Blaid Cymru yn Aberystwyth ar 22 Chwefror. Rhoddodd hyn gyfle inni lansio'n rhaglen ar gyfer yr etholiad, a hefyd rhoi sylw i'n tîm o ymgeisyddion. O hynny i ddiwedd Mawrth bûm mewn cyfarfodydd etholaethol yn Abertawe, Cwm Cynon, Llandudno, Maesteg, Merthyr a'r Wyddgrug yn ogystal â'm hetholaeth fy hun. Cymrais bedwar diwrnod o wyliau yn Iwerddon dros y Pasg, ddiwedd Mawrth, gan wybod y byddem yn symud ar ein hunion wedyn i'r frwydr etholiadol go iawn. Galwyd yr Etholiad Cyffredinol ar gyfer 1 Mai 1997 – union bum mlynedd ar ôl i John Major ennill yr etholiad blaenorol, yn annisgwyl iawn, yn 1992.

Roedd cysgod y Refferendwm ar Ddatganoli hefyd dros y cyfnod hwn, ac roedd rhaid ystyried hynny wrth gyflwyno'n polisïau i'r cyhoedd. Fel yr egluraf yn nes ymlaen, roedd yn hynod bwysig i ni wahaniaethu rhwng ein hamcanion cyfansoddiadol ni a pholisi Llafur ar gyfer Cynulliad Etholedig. Yn 1979 roeddem wedi disgyn i'r trap o gael ein huniaethu â'r Cynulliad gwan oedd gan Lafur dan sylw. Bryd hynny cafwyd sefyllfa anhygoel lle'r oedd Plaid Cymru'n amddiffyn polisi Llywodraeth Lafur, a phobl fel Neil Kinnock yn ymosod arno. Y tro yma roedd rhaid gorfodi Llafur i amddiffyn eu Cynulliad a'u cynlluniau eu hunain. Felly yn Ionawr

1997 roedd Phil Williams a minnau wedi lansio ymgyrch i Gymru gael hunanlywodraeth gyflawn yn Ewrop, gan ddefnyddio Iwerddon fel esiampl o lwyddiant. Roedd y Gwyddelod wedi dangos sut y gallai gwlad fechan sy'n aelod cyflawn o'r Gymuned Ewropeaidd weithio gyda'r graen yn Ewrop a chael cynnydd economaidd sylweddol.[1] Tua'r un pryd manteisiais ar y cyfle i lansio yn y Senedd y llyfryn a ysgrifennais o dan y teitl 'Dewis Teg i Gymru'.[2] Roedd y cyhoeddiad wedi ei lunio er mwyn creu'r gwrthgyferbyniad rhwng ein hargymhellion ni a rhai Llafur.

Roeddwn yn ymwybodol fod yr adnoddau cyllidol ar gyfer yr ymgyrch yn gyfyngedig iawn. Gwyddem y cynhelid y Refferendwm ar Ddatganoli yn weddol fuan pe etholid Llywodraeth Lafur. Byddai'n bwysig i ni chwarae'n rhan yn y frwydr honno, er nad oeddem wedi datgan ein hagwedd tuag at y Cynulliad oedd gan Lafur dan sylw. Doedd hi ddim yn ymddangos y gallem, oddi allan i'r pum sedd darged, wneud llawer mwy o farc trwy wario mwy o arian. Roedd yr etholaethau targed yn ddigon cryf yn lleol i dalu am eu hymgyrchoedd eu hunain. Cyfanswm gwariant y Blaid yn genedlaethol yn ystod Etholiad Cyffredinol 1997 oedd tua £40,000. Roeddwn yn bur fodlon ar hyn. Dyw rheolaeth ariannol ddim wedi bod bob amser yn un o gryfderau'r Blaid, ac yn ystod fy nghyfnod fel Llywydd bu'n rhaid i mi frwydro sawl gwaith i sicrhau ein bod yn cadw gwariant o fewn terfynau.

Treuliais draean o'r ymgyrch yn teithio Cymru i gefnogi'n hymgeisyddion ac ymwelais â'r rhan fwyaf o'r etholaethau. Treuliais draean arall yn ceisio creu delwedd ar y cyfryngau a fyddai'n cynyddu hygrededd y Blaid ymhlith pobl Cymru, hyd yn oed os nad oeddynt am droi i bleidleisio inni y tro hwn. Manteisiais ar bob cyfle ar y cyfryngau i gyfeirio at y materion hynny oedd bwysicaf i Ddwyrain Caerfyrddin ac i Ynys Môn. Felly dim ond traean o'r amser oedd gennyf ar ôl ar gyfer fy ymgyrch fy hun yn etholaeth Arfon. Roedd hynny'n fenter, ond yn un na allwn ei hosgoi. Dyma'r pris y mae'n rhaid i bob arweinydd ei dalu ac mae felly'n hanfodol bwysig fod trefn dda o fewn yr etholaeth. Roeddwn yn hynod ddyledus i'm cynrychiolydd newydd, Merfyn Jones-Evans, am drefnu ymgyrch yn Arfon pan oeddwn innau'n absennol am ran sylweddol o'r amser. Cyfreithiwr yw Merfyn, a'i gartref yng Ngarndolbenmaen a'i swyddfa yng Nghaernarfon. Roedd wedi cymryd drosodd gan Gareth Williams, a fu'n gynrychiolydd ardderchog i mi yn etholiadau 1987 a 1992, cyn iddo orfod rhoi'r gorau iddi oherwydd ei waith. Bu'n gyfnod hynod anodd i Merfyn, gan fod salwch wedi taro'i deulu ychydig ddyddiau cyn galw'r etholiad; bu ei ymroddiad i'r achos, dan y fath amgylchiadau, yn ysbrydoliaeth i ni i gyd.

Roeddwn wrth gwrs yn gorfod treulio peth amser oddi allan i Gymru, gydag ymweliadau â Llundain, i ddibenion y cyfryngau, a'r Alban. Un achlysur cofiadwy oedd ymweliad â Glasgow i wneud rhaglen *Question Time* ar y cyd gydag Alex Salmond AS, Arweinydd yr SNP. Roedd cynulleidfa o bob plaid yno, gyda charfanau o Gymru yn ogystal â'r mwyafrif o'r Alban. Roedd Alex Salmond a minnau yn hen gyfarwydd â dadleuon ein gilydd, ac yn deall ein cryfderau a'n gwendidau, fel y gallem chwarae *doubles* yn weddol rhwydd. Byddai Alex yn torri ar draws pe bai'n gweld fy mod am fynd i drafferth, a minnau'n ymyrryd os teimlwn y gallai hynny fod o help iddo fo. Fe weithiodd hyn yn dda. Roedd yn llawer haws i mi ymddangos gerbron cynulleidfa o'r fath nag oedd hi i Alex, gan fod y mwyafrif oedd yno yn cynrychioli pleidiau eraill yr Alban, ac yn benderfynol o ymosod ar yr SNP. I fod yn deg, roedd cynrychiolwyr y pleidiau eraill oedd yno o Gymru yn dal yn ôl i ryw raddau rhag mynd am fy ngwaed i. Efallai bod elfen o 'chwarae dros Gymru' yn codi pan oedden ni i gyd mewn gwlad arall! P'run bynnag bu ymateb ffafriol iawn i'r rhaglen yng Nghymru.

Dyma un achlysur y cofiaf i mi ddefnyddio 'Techneg Alexander' i adfywio fy hun. Roeddwn wedi bod mor wirion â chanfasio trwy'r bore yn Etholaeth Conwy a Gorllewin Clwyd; wedi gyrru ar ras i Crewe i ddal trên i Glasgow, a chyrraedd y stiwdio yn weladwy welw a blinedig. Cefais hyd i ystafell newid fechan wag yn yr adeilad, a gorweddais ar lawr am yr ugain munud angenrheidiol, gan daflu fy meddwl allan o'm corff ac ymlacio'n llwyr. Pan ddychwelais at griw'r rhaglen i gael fy ngholuro ni allai Alex Salmond ddeall y gweddnewidiad. Roedd yn taeru fy mod ar gyffuriau! Dim ffiars o berig. Ni ddefnyddiais y rheini erioed. Y cyffur gorau yw cael y corff a'r meddwl i weithio'n effeithiol ac mewn harmoni. Dyma mae Techneg Alexander yn fy ngalluogi i'w wneud, a bu o help imi sawl gwaith yn ystod yr ymgyrch pan oeddwn fwyaf o dan straen.

Yn ystod yr ymgyrch yn yr Alban daeth agwedd

negyddol Tony Blair tuag at ddatganoli yn amlwg trwy un datganiad difeddwl a wnaeth – os difeddwl hefyd. Mae'n bosib ei fod yn fwriadol yn gwneud sylwadau a fyddai'n cynddeiriogi'r Alban, er mwyn plesio'i gynulleidfa yn Lloegr. Dywedodd: '*Sovereignty rests with me as an English MP and that's the way it will stay*'.[3] Roedd hyn yn osodiad hurt bost, o gofio traddodiad gwleidyddol yr Alban a welai sofraniaeth yn deillio o'r bobl. Yn wir roedd pawb ond un o Aelodau Seneddol yr Alban wedi cefnogi'r egwyddor yn ystod cyfnod yr etholiad trwy arwyddo'r hyn a elwir yn '*Claim of right*' – sy'n seiliedig ar sofraniaeth y bobl. Aeth Blair o'i ffordd hefyd i ddisgrifio pwerau Senedd yr Alban i amrywio treth incwm hyd at dair ceiniog yn y bunt, fel y math o bwer a oedd gan Gyngor Plwyf. Dyma eto enghraifft o agwedd ansensitif tuag at ei blaid ei hun yn yr Alban – a'i agwedd ddirmygus tuag at ddatganoli.

* * *

Yn Etholaeth Arfon roedd pum ymgeisydd yn sefyll gyda'r Blaid Refferendwm yn ychwanegol at y pedair prif blaid. Roedd grŵp gwrth-erthylu wedi bygwth sefyll, oherwydd i mi gefnogi ymchwil embryo ac ymladd i rwystro Mesur Enoch Powell rhag cyrraedd y llyfr statud ychydig flynyddoedd ynghynt.[4] Ond ni wireddwyd y bygythiad.

Dychwelais i Arfon ar gyfer y diwrnod olaf. Roeddem erbyn hynny'n ymwybodol fod llanw sylweddol i gyfeiriad Llafur dros Brydain, ac roedd ganddynt ymgeisydd cryf yn Arfon, sef Eifion Williams. Roedd yn ŵr ifanc golygus gyda delwedd newydd ac yn ddeniadol i lawer o'r etholwyr. Bu Llafur yn ddigon doeth i ganolbwyntio'u hymgyrch ar dref Caernarfon a'r ardaloedd llechi o amgylch. Roedden nhw'n rhoi mwy o flaenoriaeth i geisio ennill y sedd drws nesaf, Conwy, lle'r oedd Betty Williams yn sefyll. Manteisiodd y Blaid Lafur ar y ffaith mai Plaid Cymru oedd wedi llywodraethu Cyngor Gwynedd ers 1995. Roedden nhw felly'n tynnu sylw at bob problem yn yr ardal, gan eu priodoli naill ai i'r Toriaid yn Llundain neu i Blaid Cymru ar Gyngor Gwynedd. Buont hefyd yn ymosod arnaf am 'gefnu' ar yr etholaeth wrth ymladd Etholiad Ewrop yn 1994, ac am fy absenoldeb o'r etholaeth yn ystod cyfnod yr etholiad. Does dim dwywaith fod hyn wedi cael argraff yn nhref Caernarfon, lle'r oedd anfodlonrwydd dilys gyda chyflwr y dref, ac roedd hynny'n brifo. Serch hynny roedd ein canlyniadau canfasio'n darogan canlyniad digon boddhaol.

Nid anghofiaf fyth y profiad o fynd i mewn i'r cyfri yng Nghaernarfon noson yr etholiad. Y blychau cyntaf i'w hagor oedd y rhai o ddwy ward stadau mawr tref Caernarfon. Fel arfer, byddem wedi disgwyl cael tua hanner y bleidlais yno, gyda Llafur yn cael rhan sylweddol o'r gweddill. Y tro hwn, wrth imi ddod i mewn i'r neuadd, dywedodd Merfyn wrthyf yn ddistaw nad oedd pethau'n edrych yn dda o gwbl. Es yn syth i arolygu'r blychau fel yr oedd y papurau'n cael eu cadarnhau cyn dechrau'r cyfri go iawn. Dyma'r unig gyfle sydd gan y pleidiau i weld sut y bu eu perfformiad o ardal i ardal; erbyn y cyfri llawn fydd y papurau ddim yn hawdd eu priodoli i'r wardiau. Y gêm yw ceisio gweld ugain papur pleidleisio, a gweld faint o'r ugain sydd i ni.

Byddwn wedi disgwyl rhwng wyth a deuddeg yn y ddwy ward yma yng Nghaernarfon.

Wrth i mi gyfri yn fy meddwl, roedd yn amlwg mai dim ond dau neu dri allan o ugain a oedd yn dod imi. Roedd y mwyafrif helaeth o'r gweddill yn mynd i Lafur, ac aeth ias oer i lawr fy nghefn. A oeddwn ar fin colli'r sedd? A oeddwn wedi cymryd gormod yn ganiataol?

Wrth i weddill y blychau ddod i mewn, daeth y llanw'n ôl i'n cyfeiriad ni, ond roeddwn wedi cael ysgytwad. Dyma'r tro cyntaf mewn 23 mlynedd i mi lithro'n ôl. Ond wrth gwrs, dyma'r tro cyntaf hefyd, ers 1974, i Lafur ennill tir sylweddol ac edrych fel pe baen nhw am ffurfio Llywodraeth.

Erbyn i'r blychau ddod i mewn o weddill Caernarfon roedd y sefyllfa'n llawer gwell, ac erbyn i flychau cefn gwlad ddod i mewn roeddwn wedi adfer rhan sylweddol o'r tir. Y canlyniad oedd:

Dafydd Wigley *(Plaid Cymru)*	17,616	51%
Eifion Williams *(Llafur)*	10,167	30%
Elwyn Williams *(Ceidwadwr)*	4,230	12%
Mary McQueen *(Dem. Rhydd.)*	1,686	5%
Clive Collins *(Plaid Refferendwm)*	811	2%

O dan yr amgylchiadau, roedd y canlyniad yn weddol foddhaol. Roeddem wedi parhau i ennill mwy o bleidleisiau na'r pleidiau eraill gyda'i gilydd. Ond am y tro cyntaf ers 1974, roedd y bleidlais a'r mwyafrif wedi disgyn. Roedd gwersi i'w dysgu.

Y wers amlycaf oedd fy mod wedi ymddangos yn rhy hunanfodlon. Roedd ein llenyddiaeth yn pwysleisio gormod ar yr hyn yr oeddwn i fel unigolyn, a ninnau fel plaid, wedi llwyddo i'w wneud. Ni ddylai unrhyw blaid radical ddibynnu ar frolio llwyddiant. Ein cenadwri ni yw ymosod ar broblemau, ac ar lywodraethau sy'n methu ateb y problemau. Roedd tref Caernarfon mewn cryn lanast, fel llawer o drefi eraill yng Nghymru, gyda siopau canol tref wedi cau oherwydd effaith archfarchnadoedd ar y cyrion. Ond doedd fawr o gysur i drigolion Caernarfon wybod fod problemau cyffelyb mewn llefydd eraill. Roedden nhw eisiau clywed llais clir yn ymosod ar y *status quo*– nid llais yn amddiffyn y sefydliad lleol.

Roedd y canlyniadau trwy weddill Cymru'n foddhaol o ystyried y modd yr ysgubodd Llafur bopeth o'u blaenau a chael eu mwyafrif mwyaf erioed trwy Brydain. Nifer y seddi ar ôl yr etholiad oedd:

	Cymru	**Prydain**
Llafur	34	418
Plaid Cymru	4	4
Dem. Rhydd.	2	46
Ceidwadwyr	0	165
SNP	–	6
Eraill	–	20

Roedd gan Lafur felly fwyafrif o 178 dros bawb (o ddiystyru'r Llefarydd), a'r Toriaid wedi colli pob sedd yng Nghymru. Roedd Etholiad Cyffredinol olaf yr ugeinfed ganrif wedi adlewyrchu'r hyn a ddigwyddodd yn yr etholiad cyntaf yn 1906 – pan fethodd y Toriaid ennill yr un sedd yn ein gwlad. Dyma oedd y sefyllfa, y tro hwn, yn yr Alban hefyd, gyda'r SNP yn ennill dwy sedd o'r newydd, a'r Toriaid yn methu cael yr un sedd yno.

Methiant, felly, oedd ein hymdrech i gipio sedd Dwyrain Caerfyrddin a Dinefwr, a chafodd Dr. Alan Williams fwyafrif o 3,450 dros Rhodri Glyn Thomas. Serch hynny, roedd gogwydd o 2.1% o Lafur i Blaid Cymru, rhywbeth na welwyd yn unman arall. Ond doedd hynny ddim yn ddigon yn nannedd y corwynt a chwythodd i gyfeiriad Llafur.

Yng Ngheredigion llwyddodd Cynog Dafis i gadw'i sedd gyda'i fwyafrif wedi cynyddu'n ddramatig o 1,893 i 6,961 a hynny mewn etholaeth sylweddol lai, gan fod Gogledd Penfro mwyach mewn etholaeth ar wahân. Ym Meirionnydd Nant Conwy cododd mwyafrif Elfyn Llwyd o 4,613 i 6,805. Ac yn Ynys Môn, cadwodd Ieuan Wyn Jones ei sedd gyda'r mwyafrif wedi codi o 1,106 i 2,481. Ond yno roedd Llafur wedi curo'r Toriaid a dod yn ail credadwy, gyda gogwydd o 3.7% o'r Blaid i Lafur. Fe ddylem, efallai, fod wedi gweld hynny fel rhybudd ar gyfer y dyfodol.

Daeth Marc Phillips yn ail yn Llanelli, gyda 19% o'r bleidlais – arwydd arall o'r hyn oedd i ddod. Daethom hefyd yn ail yng Nghwm Cynon a'r Rhondda. Ond tenau iawn oedd y llwyddiannau er bod digon o ewyllys da tuag atom, yn enwedig yn y Cymoedd.

Serch hynny roeddem wedi llwyddo i ddod yn ail blaid yng Nghymru o ran nifer ein seddi, a chynnal y momentwm a grewyd gydag etholiad Ewrop 1994 ac etholiadau sirol 1995.

Os cymerir 1987 fel pegwn isaf y Blaid o ran pleidleisiau ac o ran canran ers i'r cyfnod modern agor gydag is-etholiad Caerfyrddin yn 1966, yna roeddem wedi llwyddo yn 1997, fel yn 1992, i ennill tir. Ond roedd y cynnydd yn enbyd o araf. Yr unig gysur oedd i ni ddal ein tir a chadw'n pennau mewn corwynt.

[1] *Western Mail,* 8 Ionawr 1997: 'Plaid Cymru launches it's drive for self-government'.
[2] *Dewis Têg i Gymru*, Gwasg Dwyfor 1996. Gweler hefyd *Western Mail,* 17 Ionawr 1997.
[3] *Scotsman,* 4 Ebrill 1997.
[4] *Daily Post,* 10 Chwefror 1997 'Wigley seat on pro-life hit-list'.

Bore Da i Gymru

Roeddwn yn y BBC yng Nghaerdydd nos Lun, 24 Mehefin 1996, yn cymryd rhan mewn rhaglen radio ar ddatganoli. Roedd Alex Carlile a Ron Davies hefyd ar y panel. Codwyd cwestiwn a ddylid cael Refferendwm ar gynlluniau datganoli'r Blaid Lafur. Dywedodd Ron Davies, yn blwmp ac yn blaen, nad oedd angen Refferendwm o'r fath.

Byddai Llafur, meddai, yn gosod eu rhaglen gerbron pobl Cymru yn yr Etholiad Cyffredinol oedd yn prysur nesáu. Byddai'n cynnwys cynlluniau'r Blaid Lafur ar gyfer Cynulliad Etholedig, a byddai pobl Cymru'n rhoi sêl eu bendith arnynt, fel ar bob agwedd o bolisi Llafur, yn yr Etholiad. Roedd Ron wedi dweud yr un peth yn y *Western Mail* ar 6 Mehefin 1996. Ron Davies oedd Ysgrifennydd Cymru yn yr Wrthblaid ar y pryd.

Drannoeth, roeddwn yn Llundain. Awgrymodd Ron ein bod yn mynd allan am swper, fel yr oeddem yn arfer gwneud o bryd i'w gilydd. Aethom draw i dŷ bwyta Eidalaidd nid nepell o'r Senedd. Wrth gerdded yno dywedodd yn blaen y byddai'n rhaid i ni wynebu Refferendwm. Eglurodd dros swper fod Blair wedi ei alw i mewn y diwrnod hwnnw i ddatgan y byddai'n orfodol cynnal pleidlais ar gynllun Datganoli Llafur. Yn amlwg roedd Blair a rhai o'i gyd-Weinidogion agosaf wedi bod yn trafod y mater ers rhai dyddiau. Ymddengys fod Gordon Brown, Jack Straw ac Ann Taylor yn rhan o'r *cabal* a benderfynodd fod Refferendwm i ddigwydd.

Mae lle cryf i amau nad oedd George Robertson, Llefarydd yr Wrthblaid ar yr Alban, mwy na Ron Davies yn rhan o'r drafodaeth wreiddiol ar fater mor sylfaenol bwysig i'w gwledydd. Y neges a roddwyd allan o swyddfa Tony Blair oedd *'[Ron Davies] had been informed as soon as matters concerning Wales had been discussed'*. Nid *'consulted'*; nid *'asked'*; ond *'informed'*.[1]

Roedd gan Ron Davies bob hawl i fod yn gandryll, ond yn ei ddull pragmataidd arferol, dywedodd wrthyf fod y penderfyniad wedi ei wneud ac y byddai'n rhaid i ni wneud y gorau o'r sefyllfa, beth bynnag oedd ein teimladau personol am y peth.

Buom yn trafod y rhagolygon o allu ennill Refferendwm, a beth ellid ei wneud i gael y nifer fwyaf posibl o bleidleisiau dros y cynllun. O safbwynt y Rhyddfrydwyr, teimlem y byddai cael etholiad trwy bleidlais gyfrannol (PR) yn allweddol bwysig. Gallai rhai Rhyddfrydwyr nad oeddynt yn frwd dros ddatganoli gefnogi'r cynllun er mwyn hybu'r agenda PR. Awgrymais hefyd y byddai'n rhaid cael ffordd i alluogi cefnogwyr Plaid Cymru i bleidleisio 'Ie' heb wneud i'r Cynulliad ymddangos fel tegan y Blaid. Dyma un o wersi 1979.

Nid Ron a minnau oedd yr unig ddau AS i deimlo'n flin am y datblygiad. Roedd pawb a gredai'n angerddol mewn sefydlu Senedd Gymreig yn teimlo fod y carped wedi ei gipio o dan ein traed. Gallem ragweld yr un profiad chwerw â'r hyn a gafwyd yn 1979.

Wedi swper, aeth Ron a minnau yn ôl i bleidleisio i'r Senedd. Y cyntaf i mi daro arno, yng Nghyntedd yr Aelodau, oedd Rhodri Morgan. Roedd yn bytheirio am benderfyniad Blair i gynnal Refferendwm. Fel arfer byddai Rhodri'n dda am gadw'i deimladau iddo'i hun, gan chwarae efo geiriau fel ffurf o hunanamddiffyniad. Ond y noson honno cefais weld y gwir Rhodri Morgan. Roedd yn gwbl ddiflewyn-ar-dafod. Fe wyddwn, yn yr ychydig eiliadau hynny, mor ddwfn oedd ymroddiad Rhodri i gael Cynulliad neu Senedd i Gymru. Pan oedd pethau'n mynd i'r pen roedd Rhodri'n ddigamsyniol ar ochr iawn y ddadl. Fe gofiais y digwyddiad hwn droeon yn y blynyddoedd wedyn, wrth i rywrai yn fy mhlaid fy hun amau diffuantrwydd Rhodri ar fater datganoli.

Roedd gorfod ymdopi â Refferendwm yn broblem i ni yn y Blaid. Beirniadais Tony Blair yn hallt am y modd yr ymdriniwyd â Chymru. Gwnes hyn yn y gobaith y gallem o leiaf ddylanwadu ar gynnwys y cwestiwn neu gwestiynau, ac ar natur rheolau'r ymgyrch refferendwm. Nid fi oedd yr unig Aelod Seneddol i wneud hyn, a doedd y dicter ddim yn gyfyngedig i Blaid Cymru. Ymddengys fod Paul Flynn AS Gorllewin Casnewydd, wedi ysgrifennu nodyn cryf iawn at Blair, gan gynnwys y geiriau '*surely Welsh Labour MPs have a right to decide the most important Welsh policy we have had*?'[2]

Yr hyn a oedd yn bwysig bellach oedd ein bod yn sicrhau pleidlais 'Ie'. Ond 'Ie' i ba gwestiwn? Gwyddwn y byddai ffurf y cwestiwn, yn ogystal â phwerau'r Cynulliad a gynigiai Llafur, yn dylanwadu'n sylweddol ar y modd y pleidleisiai pobl. Teimlais mai'r hyn oedd ei angen i ni ei wneud oedd llunio argymhellion positif yn dangos sut fath o Refferendwm y dymunem ei gael. Ysgrifennais lyfryn dan y tetil 'Dewis Teg i Gymru'[3] yn amlinellu sut y gallem gynnal Refferendwm aml-gwestiwn.

Pe baem wedi gwrthwynebu'r refferendwm yn llwyr byddem yn cael ein cyhuddo o fod ofn ymddiried ym marn pobl Cymru ar gwestiwn sefydlu Cynulliad. Ar yr un pryd roedd angen gwahaniaethu rhwng ein polisi ni a pholisi Llafur, ac osgoi trafferthion Refferendwm 1979. Bryd hynny, gyda Neil Kinnock yn arwain yr ymosodiad ar y Cynulliad a Phlaid Cymru'n ei amddiffyn, doedd dim rhyfedd nad oedd cefnogwyr Llafur yn gwybod ble y safent. Y canlyniad oedd i filoedd ohonyn nhw, gan gynnwys Ron Davies, bleidleisio 'Na'.

Yr hyn a awgrymais yn y llyfryn oedd cael Refferendwm gyda phedwar dewis, fel y byddai'r papur pleidleisio'n ymddangos fel a ganlyn:

Hunanlywodraeth yn Ewrop	
Senedd Ddeddfwriaethol	
Cynulliad Etholedig	
Dim newid	

Roeddem yn awyddus i gefnogwyr pob plaid deimlo fod eu polisi nhw yn opsiwn yn y Refferendwm, ac i'r etholwyr gael pleidleisio yn ôl eu blaenoriaeth, gyda phleidlais drosglwyddadwy. Byddai'r pleidleiswyr yn marcio'r papur pleidleisio, 1, 2, 3 – yn ôl eu dymuniad. Doedd gennyf fawr o amheuaeth mai Senedd, gyda'r hawl i ddeddfu, megis yr hyn a gynigiwyd i'r Alban, fyddai'r dewis mwyaf poblogaidd.

Byddai Refferendwm aml-ddewis yn rhoi lle i ni ddadlau dros bolisi gwahanol i'r Blaid Lafur, drwy gyfnod Etholiad Cyffredinol Mai 1997. Fyddai dim rhaid i ni ddatgan ein cefnogaeth na'n gwrthwynebiad i'r Cynulliad a gynigiai Llafur. Gallem ddadlau dros ein polisi cyfansoddiadol ni'n hunain sef hunanlywodraeth i Gymru o fewn yr Ewrop Unedig newydd.

Taerai rhai o fewn y Blaid na allem gynnal y safbwynt hwnnw drwy'r cyfnod oedd yn arwain at yr Etholiad. Ni welwn innau unrhyw anhawster. Nes y byddai'r Senedd wedi penderfynu ar ffurf y Refferendwm, a Llafur wedi cyhoeddi manylion terfynol eu Cynulliad, doedd dim rhaid i ni fynegi'n safbwynt.

Ganwaith yn ystod yr ymgyrch bu gohebwyr yn pwyso arnaf i ddweud sut y byddem yn ymgyrchu mewn refferendwm. Fy ateb fyddai: 'Dywedwch chi wrthyf i beth fydd pwerau'r Cynulliad a beth yn union fydd y cwestiwn, ac mi ddyweda innau wrthoch chi sut y byddwn ni'n pleidleisio'. Dyna fu'r bregeth trwy'r Etholiad a chafodd ymgeisyddion y Blaid ddim trafferth i uno tu cefn i'r safbwynt hwnnw.

Cefais gyfle i gyflwyno syniadau i'r Ysgrifennydd Gwladol newydd Ron Davies yn fuan iawn ar ôl buddugoliaeth ysgubol Llafur ar 1 Mai 1997. Yn wir cawsom res o gyfarfodydd yn y Swyddfa Gymreig, gan ei fod yn dymuno creu cymaint o gonsensws ag oedd yn bosib. Ond doedd Ron ddim am ildio ar fater y cwestiwn yn y Refferendwm: tybiai y byddai'n drysu pleidleiswyr ac o bosib yn anodd i ddehongli'r canlyniad pe bai'r gwahanol opsiynau'n cael eu cynnig. Doeddwn i ddim yn cytuno â hyn, ond fo a'i Lywodraeth oedd mewn grym.

Pan gyhoeddwyd Mesur Refferendwm y Llywodraeth y geiriad oedd:

Yr wyf yn cytuno y dylid cael Cynulliad i Gymru	
Nid wyf yn cytuno y dylid cael Cynulliad i Gymru	

Bûm yn ceisio'i ddiwygio, heb lwyddiant. Roedd y Llywodraeth am wthio'r Mesur drwy'r Senedd mor gyflym ag y gallent. Gyda mwyafrif anferthol, a'r Blaid Geidwadol ar chwâl, doedd dim i'w rhwystro. Gallwn ddeall eu rheswm dros frysio. Roeddynt eisiau cynnal Refferendwm yn fuan tra oedd ewyllys da'r etholwyr tuag at y Llywodraeth yn parhau. Cawsant y Ddeddf Refferendwm i'r llyfr statud ar 31 Gorffennaf 1997.

Cyhoeddwyd mai ar 18 Medi 1997 y cynhelid y Refferendwm yng Nghymru, wythnos wedi'r un yn yr Alban. Erbyn canol yr haf roedd y wasg a'r cyfryngau yn daer am imi ddatgan sut y byddem yn pleidleisio. A fyddem yn argymell pleidlais 'Ie'; yn argymell ymatal; yn dweud mai mater i bob aelod o'r Blaid fyddai hyn; neu bleidleisio 'Na'? Roedden nhw hefyd eisiau gwybod a fyddem yn gweithio dros gynnig y Llywodraeth. Roeddwn innau'r un mor benderfynol o ddal cyhyd ag y gallwn cyn datgelu'n safbwynt. Rhaid oedd gorfodi Aelodau Llafur i gymeradwyo a chefnogi polisi eu plaid eu hunain.

Addawodd Ron Davies y byddai'r Papur Gwyn yn disgrifio ffurf a phwerau'r Cynulliad allan cyn diwedd Gorffennaf. Ymddangosodd dan y teitl 'Llais i Gymru' ar 22 Gorffennaf. Roedd hyn yn gweithio'n dda i ni, gan ein bod wedi trefnu i gynnal cyfarfod o'r Cyngor Cenedlaethol ar 26 Gorffennaf, gwta saith wythnos cyn y

Refferendwm. Yn y cyfarfod hwnnw, pasiwyd i dderbyn y Cynulliad, er nad oeddem yn fodlon ar y pwerau; ac fe ganiatawyd i'n haelodau gymryd rhan yn yr ymgyrch 'Ie'.

Bu peth anghytuno o fewn y Blaid ynglŷn â hyn. Doedd gen i ddim gronyn o amheuaeth ynglŷn â'r ffordd ymlaen. Roedd angen i ni fel plaid ac fel unigolion droi pob carreg i gael pleidlais 'Ie'. Tacteg oedd dal yn ôl, nid arwydd o ddiffyg brwdfrydedd. Deallai Ron Davies hyn yn iawn ac roedd yn fodlon ar ein tacteg.

Mewn rhai ardaloedd byddai'n rhaid i'r Blaid gymryd arweiniad amlwg – megis yn Arfon. Os na fydden ni'n creu brwdfrydedd dros bleidleisio 'Ie', pwy a wnâi? Mewn ardaloedd eraill, byddai'n rhaid i ni weithio dan gochl yr ambarel 'Ie'. Roeddwn wedi cadw pellter personol bwriadol oddi wrth yr ymgyrch 'Ie' dros y misoedd, fel nad oedd yn cael ei chysylltu â Phlaid Cymru ym meddwl y pleidleiswyr. Ond, teimlwn nad oedd dim i'w golli trwy ddangos unoliaeth erbyn cyfnod olaf yr ymgyrch, gyda Ron Davies, Richard Livsey a minnau'n dod at ein gilydd i ddangos cefnogaeth unol i bleidlais 'Ie'. Roedd yn siom i mi fod rhai yn y Blaid yn dewis cadw'u pellter oddi wrth yr ymgyrch. Roeddent fel pe baent eisiau gwarchod eu hunain rhag dioddef ergyd seicolegol eto fel yn 1979. Mae'n bosib fod ambell aelod hefyd heb ddeall *finesse* ein tacteg, o fod yn llugoer pan gyhoeddwyd y manylion, ac wedyn i symud nef a daear i gael pleidlais 'Ie'.

Roedd llawer yn dibynnu ar barodrwydd y Blaid Lafur, a'u Haelodau Seneddol o Gymru, i arddel eu polisïau eu hunain yn ddigon brwd. Fel yn 1979 roedd rhai rebeliaid o fewn eu rhengoedd. Bu Llew Smith yn corddi yn erbyn Ron Davies; ond doedd Llew Smith ddim yn Neil Kinnock, ac ni wnaeth lawer o farc. Roedd Ron hefyd wedi gweithio'i gardiau'n ofalus. Roedd wedi gofalu bod yr argymhellion a gyflwynwyd gan Lafur yn adlewyrchu'r rhai yr oedd y Blaid Lafur yng Nghymru wedi eu cymeradwyo, dros gyfnod o flynyddoedd cyn hynny. O ganlyniad, roedd yn anodd i Aelodau Llafur o Gymru droi'r drol fel y gwnaed yn 1979. Dyma pam, gyda llaw, nad oedd Ron yn fodlon gwthio'n galetach ar faterion fel hawliau deddfu llawn i'r Cynulliad. Roedd yn rhaid iddo bwyso a mesur yn ofalus pa fandad oedd gan y Blaid Lafur Gymreig. O weithio o fewn y terfynau hynny, gallai hawlio fod pob agwedd o'r Cynulliad yn adlewyrchu'r hyn a fabwysiadwyd gan Lafur yn ddemocrataidd, ac felly gallai ddisgwyl i bob Aelod Seneddol Llafur o Gymru gefnogi pleidlais 'Ie'. Fel yr oedd Ron yn deall fy nhacteg i, roeddwn innau'n deall ei dacteg yntau.

Roedd brwdfrydedd ac arweiniad gan y Blaid Lafur yn allweddol bwysig i'r bleidlais. Es innau cyn belled â gofyn am gyfarfod yn 10 Downing Street i drafod y Refferendwm. Methais gael clust Blair, heb oedi'n hir i ddisgwyl am gyfarfod. Felly bodlonais ar gyfarfod efo Jonathan Powell, un o'r prif swyddogion polisi. Dywedais wrtho fod gennyf ddau gais yng nghyd-destun y Refferendwm yng Nghymru. Edrychodd yn amheus arnaf, yn amlwg yn disgwyl i mi ofyn am y lleuad. Fy nghais cyntaf oedd ar i Blair ei hun ddod i Gymru bedair gwaith o leiaf yn ystod yr ymgyrch, i roi neges ddigamsyniol fod y Blaid Lafur gyfan yn cefnogi pleidlais 'Ie'. Gwnes hyn o gofio sut y mae cymaint o bleidleiswyr Llafur, yn arbennig mewn ardaloedd fel Clwyd, yn cael eu gwleidyddiaeth drwy'r cyfryngau torfol yn Lloegr. Maent yn debycach o ymateb i arweiniad gan Blair nag i ddim a ddaw o Gymru.

Yr ail gais oedd iddynt drefnu fod neges yn dod gan Neil Kinnock o Frwsel i gefnogi pleidlais 'Ie'. Byddai hynny'n dangos fod yr ymgyrch y tro hwn yn hollol wahanol i un 1979 ac yn rhoddi esgus i'r rhai a bleidleisiodd 'Na' bryd hynny i gefnogi Cynulliad y tro hwn.

Gwenodd Powell. '*Is that all*?' meddai. '*Yes,*' meddwn innau. '*Well both of those shouldn't be too difficult to arrange,*' meddai.

Deallaf iddo gadw at ei air. Bu trefniadau i gael nifer o ymweliadau gan Blair, a byddent wedi digwydd yn llawn oni bai am farwolaeth y Dywysoges Diana. Dangosodd ei ymweliad â Wrecsam sut yr oedd presenoldeb y Prif Weinidog yn gallu dylanwadu. Er mai 'Na' oedd y canlyniad yn Wrecsam, o 22, 449 pleidlais i 18,574, rwy'n sicr fod ymweliad Blair wedi helpu i gau'r gagendor.

Ond ni chafwyd y datganiad positif gan Neil Kinnock. Wn i ddim ai cywir yr hanes, ond dywedwyd wrthyf mai'r gorau y gellid ei gael ganddo oedd parodrwydd i gadw allan o'r ddadl gyhoeddus. Roedd rhaid bodloni ar hanner torth, ond roedd tawelwch Kinnock yn fendith o gofio'i gyfraniad dieflig ddeunaw mlynedd ynghynt.

Roedd cyfnod yr ymgyrch, sef tair wythnos gyntaf Medi yn rhwystredigaeth fawr i mi. Roedd yn weddol amlwg nad oedd gan y mudiad 'Ie' yr adnoddau na'r drefniadaeth leol i redeg ymgyrch. Roeddwn yn siomedig nad oeddem fel Plaid, ar lefel genedlaethol, yn chwarae rhan mwy amlwg yn y frwydr. Bu'n rhaid i mi fodloni ar wneud sawl rhaglen deledu a radio, ambell gyfarfod yma ac acw trwy Gymru, a chanolbwyntio ar gael ein pleidleiswyr allan yn Arfon.

Roedd marwolaeth Diana, Tywysoges Cymru, wedi taflu cysgod dros yr ymgyrch. Ar ôl egwyl yn y gwleidydda, o barch, roedd yn anodd ailsefydlu patrwm a chreu momentwm i'r ymgyrch.

Manteisiwyd ar y cyfle i sefydlu peirianwaith ymgyrchu ffôn yn Swyddfa'r Blaid yng Nghaernarfon, ac mewn nifer o ganolfannau eraill. Roeddem wedi gweld mor effeithiol oedd hyn i'r Blaid Lafur yn yr Etholiad fis Mai, ac yn amlwg byddai angen adnoddau o'r fath arnom yn y dyfodol. Sefydlwyd deg llinell ffôn yng Nghaernarfon, gyda chyfrifiadur i ddadansoddi'r ymateb. Rhoddwyd 'benthyg' y cyfan i'r ymgyrch 'Ie dros Gymru'. Mewn gwirionedd y Blaid oedd yn gwneud y rhan fwyaf o'r gwaith. Fe drefnwyd i anfon llythyrau yn fy enw i i'r pleidleiswyr 'Ie' oedd wedi pleidleisio dros Blaid Cymru yn yr Etholiad ym Mai; a llythyrau yn enw'r ymgyrch 'Ie dros Gymru' i'r pleidleiswyr 'Ie' eraill.

Dim ond un cyfarfod ffurfiol a gynhaliais yn yr etholaeth, yn nhref Caernarfon; ond bûm allan gyda sgwadiau yn ymgyrchu o gwmpas pentrefi'r etholaeth. Ni allaf lai na theimlo fod y lefel yma o ymgyrchu wedi helpu i gael dros 60% o'r pleidleiswyr i droi allan ar y dydd – y lefel uchaf trwy Gymru. Ac roedd y ganran 'Ie', sef 64%, ymhlith y tri uchaf yng Nghymru (Castell-nedd – Port Talbot oedd yr uchaf gyda 66%, diolch fe dybiaf i arweiniad cadarn Peter Hain; a Chaerfyrddin oedd yr ail efo 65% 'Ie'). Bron yr unig uchafbwynt drwy gydol yr ymgyrch oedd y bleidlais 'Ie' anferth yn yr Alban ar y dydd Iau 11 Medi. Yno pleidleisiodd 74% 'Ie' a dim ond 26% 'Na'. Roedd hyn yn hwb seicolegol i'r ymgyrch 'Ie' yng Nghymru.

* * *

Os bu'r ymgyrch yng Nghymru yn un fflat a di-nod – 'boring' oedd y gair ar y pryd – roedd noson y cyfri yn rhywbeth o fyd arall. Dyna'r noson a gofiaf hyd fy medd. Gan fy mod ynghanol pethau, mae'n werth manylu am y profiad.

Ar ôl pleidleisio, a gwneud dipyn o waith corn siarad yn yr etholaeth, teithiodd Elinor a minnau i lawr i Gaerdydd yn y car. Doedd dim arwydd o unrhyw frwdfrydedd i'w weld ar y ffordd. O gofio hefyd mai cymysg oedd canlyniadau'r canfasio ffôn, dywedais wrth Elinor yn y tacsi o'r fflat i'r Swyddfa Gymreig ym Mharc Cathays bod yn well i ni fod yn barod am siom arall. Doedden ni ddim wedi gwneud digon i godi'r ymgyrch, nac i ddal dychymyg y genedl. Roeddwn yn flin, oherwydd gwyddwn ein bod fel plaid wedi dal ein hunain yn ôl. Rwy'n fodlon colli ar ôl brwydro hyd yr eithaf, ond does gen i ddim i'w ddweud dros bellhau parchus o'r frwydr, rhag ofn na chawn ein ffordd. Mae'n wir mai tacteg oedd hynny yn nyddiau cynnar yr ymgyrch, ond yn y cyfnod olaf yr oedd angen i bawb danio, ac i uno dros 'Ie'. Ofnaf na fu eistedd ar y ffens yn rhan o'm natur.

Cyrhaeddodd Elinor a minnau y Swyddfa Gymreig tua naw o'r gloch. Roedd Ron Davies a Win Griffith yno, ynghyd â rhai gweision sifil ac ambell gefnogwr i'r ymgyrch 'Ie' megis Roy Noble. Yn naturiol roedd y sgwrs yn troi o gwmpas y rhagolygon; ac er fy syndod soniodd rhywun fod polau 'exit' gan y BBC yn awgrymu pleidlais 'Ie' o 55%. Codais fy nghalon.

Aethom ymlaen o'r Swyddfa Gymreig i'r Coleg Cerdd a Drama, lle'r oedd y cyfri cenedlaethol yn digwydd. Roedd torfeydd oddi allan er gwaetha'r glaw, ac fe gafodd Ron groeso mawr. Aethom i mewn i'r adeilad, lle'r oedd nifer fawr o'r wasg a'r cyfryngau, a nifer cyfyngedig o gefnogwyr y naill ochr, ynghyd â rhai gwahoddedigion arbennig. Yn eu plith roedd hen gyfaill i mi – y Llysgennad Matjaz Sinkovec o Slovenia. Roedd wedi dangos diddordeb mawr mewn materion Cymreig, ac wedi teithio o Lundain yn arbennig i brofi'r achlysur. Ychydig iawn o aelodau'r Blaid oedd yno, ond yn eu plith roedd Janet Davies, cyn-Arweinydd Cyngor Taf-Elái. Bu wyneb Janet yn ddrych o brofiad y noson: gobaith, dagrau, torcalon a gorfoledd.

Rhaid cyfaddef fod rhan gynta'r noson yn erchyll, ac roedd Elinor a minnau'n ceisio cael rhyw gysur ymhlith y rhes o ganlyniadau negyddol. Roedd Casnewydd yn ôl y disgwyl wedi pleidleisio 'Na' yn drwm; ond dyna hefyd wnaeth Fflint, Dinbych a Chonwy. Canlyniad Merthyr oedd un o'r rhai cyntaf i godi'r galon. Roedd Ynys Môn wedi ei rhannu i lawr y canol – 51% 'Ie' a 49% 'Na'. Os na allem gael pleidlais 'Ie' yn ein cadarnleoedd pa obaith oedd inni? A phan bleidleisiodd y brifddinas, Caerdydd 'Na', roeddwn yn prysur ddod i'r casgliad ein bod fel cenedl yn dioddef rhyw ffurf o *death wish*. Fyddai neb wedi elwa mwy oddi wrth y Cynulliad na Chaerdydd ei hun.

Bu'n rhaid i mi wneud nifer o gyfweliadau radio a

theledu yn ystod y cyfnod hwn, ac roedd yn anodd peidio dweud pethau mawr. Ond brathu tafod oedd raid.

Tua 2.45 a.m. cefais wahoddiad i ymuno â Ron Davies, Peter Hain a Win Griffiths yn eu hystafell weinidogol. Roedd Richard Livsey yno hefyd, ynghyd â Huw Roberts – swyddog y wasg – a rhai gweision sifil. Roedd yr ysbryd yn isel. Eisteddem o gwmpas y bwrdd, yn sipian diodydd, ac yn trafod beth aeth o'i le, a beth ellid bod wedi ei wneud yn wahanol. Roedd tua saith canlyniad eto i ddod, ond roedd y mwyafrif 'Na' oddeutu 40,000. Ymhlith y rhai oedd heb eu cyhoeddi roedd Penfro a Phowys – go brin y gallem ddisgwyl ennill yr un o'r ddwy. Roedd y mynydd yn edrych yn anodd iawn ei ddringo.

Euthum allan o'r ystafell a chrwydro o gwmpas y cyntedd, gan siarad efo gohebwyr a chyfeillion. Yn fuan wedyn daeth Ron Davies a Huw Roberts allan gan grwydro o gwmpas ar eu pennau eu hunain, yn weddol ddistaw, ac ysgwyd llaw fel pe'n cydnabod eu bod wedi colli.

Mae rhai'n honni fod Ron Davies eisoes yn gwybod y canlyniad llawn bryd hynny. Nid wyf yn credu hyn. Cyfeiriodd yr Athro Kevin Morgan ato bryd hynny fel '*a very sad figure*'. Ffoniodd Nick Horton, gohebydd y *Western Mail* yn y cyfri, i gadarnhau mai 'Na' oedd y canlyniad a ddylai arwain ar dudalen flaen eu papur yn y bore.

Gwnes innau gyfweliad teledu, yn dweud fod y mynydd yn ormod i'w ddringo, a bod yn rhaid derbyn y tebygrwydd mai 'Na' fyddai'r canlyniad. Es cyn belled â dweud, gyda'r Alban wedi cael eu Senedd, na fyddai'r pwnc yn diflannu, ac y deuai 'trydydd cynnig i Gymru'. Ond gwyddwn yn fy nghalon, os mai 'Na' oedd y canlyniad y tro hwn, ei bod hi ar ben am genhedlaeth gyfan, o bosib am byth. Dyma'r amser o'r nos pan aeth llawer o'n cydwladwyr i'w gwelyau yn argyhoeddedig ein bod wedi colli; rhai yn eu dagrau; rhai'n sôn wrth glwydo am symud dramor i fyw – ni allent aros yn y Gymru oedd ofn cymryd y mymryn lleiaf o gyfrifoldeb dros ei materion ei hun.

Rhyw ddeng munud ar ôl i Ron ddychwelyd i'r swyddfa, daeth Huw Roberts allan a dweud wrthyf '*The Secretary of State wants a brief word with you*'. Es gydag ef mewn distawrwydd i lawr y coridor hir. Dychmygwn fod Ron eisiau cytuno ar eiriad datganiad yn cydnabod i ni golli; neu'n waeth fyth, ei fod yn ystyried ymddiswyddo.

Es i mewn drwy'r drws, a dyna oedd yr eiliad nad anghofiaf fyth. Daeth Ron ataf, a dagrau yn ei lygaid, a thaflu'i freichiau amdanaf. 'Dafydd, *we've won*!' meddai. Gyda'r geiriau syml hynny, roedd yr holl noson, yr holl ymgyrch, yr holl ganrif, wedi eu troi ar eu pen. Ychydig funudau'n gynharach roeddem yn syllu i bydew du anobaith. Yn sydyn roedd gobaith newydd i'n gwlad. Roeddem ar fin gweld rhywbeth y bu fy rhagflaenwyr yn Arfon, Lloyd George a Goronwy Roberts, yn ymgyrchu'n ofer drosto: ffurf ar Senedd etholedig i Gymru. Roeddwn innau hefyd yn fy nagrau.

Ni allwn gredu fy nghlustiau. Dechreuais daeru gyda Ron: '*Are you sure? Have you got the figures in black and white? Can I see them*?' Ar ôl holl siom y noson, allwn i ddim derbyn y canlyniad heb ei weld mewn du a gwyn, â'm llygaid fy hun. Doedd y ffigurau llawn ddim ganddo ar un darn o bapur. Esboniodd fod y swyddogion yn dal i geisio'u cael, ond bod canlyniadau Caerfyrddin, Gwynedd a Rhondda Cynon Taf, rhyngddynt, yn ddigon i wneud y gwahaniaeth. Doedd y canlyniadau ddim allan yn swyddogol, a siarsiodd fi i gadw'n ddistaw nes eu bod wedi'u cyhoeddi, a pheidio dangos fy mod yn gwybod. Sut oeddwn i am wneud hyn, dyn a ŵyr, ond fe wnes fy ngorau.

Es yn ôl i'r neuadd a thynnais Elinor i un ochr i sibrwd fod popeth yn iawn, ond nad oedd fiw iddi ddweud wrth yr un enaid. Erbyn hyn roedd sibrydion hefyd yn dechrau cyrraedd y neuadd. Roedd canlyniadau Rhondda Cynon Taf a Gwynedd allan. Roedd y cyfan yn dibynnu ar Gaerfyrddin. Roedd S4C wedi lled awgrymu y byddem yn ennill – y gohebydd John Meredith wedi methu cadw'i gyfrinach a thorri pob rheol newyddiadurol trwy roi mwy nag awgrym y byddai'r canlyniad yng Nghaerfyrddin yn ddigon. Dyna funud fawr ei yrfa ddarlledu. Y genadwri honno, i lawer o'r gwylwyr, fydd yr un foment yn yr holl noson nad aiff byth yn angof. Roedd rhywbeth addas, hefyd, mai trwy S4C y cafodd Cymru glywed gyntaf fod y bleidlais 'Ie' yn debyg o drechu. Credaf i bawb o fewn y byd darlledu yng Nghymru faddau i John Meredith am dorri'r rheolau. Doedd rheolau ddim yn addas i'r achlysur.

Hyd nes y byddai'r ffigurau swyddogol wedi eu cyhoeddi, ni allai neb ddibynnu ar sibrydion o'r teledu. Roedd pawb yn dod ataf, i holi a wyddwn i sicrwydd. Yn eu plith roedd y cyn-AS Toriaidd Keith Raffan, gohebydd HTV yn y cyfri. Roedd bron â'm hysgwyd er mwyn cael gwybod y gwir! Sylweddolais fod llawer o gyfeillion oedd yn gweithio yn y cyfryngau, sydd fel arfer yn gorfod cadw'r ddysgl yn wastad, heno ar bigau'r drain ac yn amlwg yn erfyn am bleidlais 'Ie'.

Wrth i ni ddisgwyl am ganlyniad Sir Gaerfyrddin roeddem yn edrych ar y sefyllfa drwy Gymru, oedd fel a ganlyn:

Pleidleiswyr 'Na'	526,579
Pleidleiswyr 'Ie'	510,304
Mwyafrif 'Na'	16,275

A allai Caerfyrddin wneud cymaint â hynny o wahaniaeth, meddyliai'r dorf oedd bellach mewn cynnwrf. Dim ond un sir drwy Gymru gyfan oedd wedi pleidleisio 'Ie' gyda mwyafrif o dros 16,000 – sef Castell-nedd/Port Talbot. Onid oedd hi'n ormod i ddisgwyl i hyd yn oed y sir gynhyrfus honno wneud cymaint o wahaniaeth?

Yna cyhoeddwyd ffigurau Caerfyrddin:

'Ie'	49,115
'Na'	26,119
Mwyafrif 'Ie'	22,996

Golygai hyn mai cyfanswm terfynol y pleidleisiau dros Gymru oedd:

'Ie'	559,419
'Na'	552,698
Mwyafrif 'Ie'	6,721

Roedd fel pe bai tîm pêl-droed wedi bod yn colli 9-0 ar hanner amser, yn dod yn ôl i 9-9 ym munud olaf y gêm, ac yn ennill gyda'r gic olaf. Pe bai rhywun wedi ysgrifennu sgript nofel fel hyn, byddai'n gwbl afreal.

Roedd un rhyfeddod arall yn y mwyafrif cyfyng o 6,721 pleidlais. Heb bleidlais 'Ie' pob sir unigol, ni fyddai'r frwydr wedi ei hennill. Roedd hyd yn oed y 10,592 a bleidleisiodd 'Ie' ym Mynwy wedi cyfrannu'n allweddol. Nid buddugoliaeth Caerfyrddin yn unig oedd hon!

Sylwais ar wyneb Janet Davies, yn gwenu'n llydan trwy ei dagrau. Nid hi oedd yr unig un. Pan gyhoeddwyd y mwyafrif, aeth y lle'n wenfflam. Aeth Ron Davies ymlaen i wneud ei araith gofiadwy, '*Good morning Wales*'. Yna galwodd ar ei gyd-Weinidogion, Peter Hain a Win Griffiths i fyny ato ar y llwyfan, ynghyd ag arweinydd y Democratiaid Rhyddfrydol, Richard Livsey, a minnau. Roedd yn ddigwyddiad nodweddiadol o haelioni Ron, a'i ddymuniad i weld ailuno ffrydiau radicaliaeth Cymru, y noson honno ac yn y Cynulliad pan ddeuai. Daeth y llun o'r pump ohonom ar y llwyfan yn un o drysorau cofiadwy'r noson.

Ond doedd y noson ddim drosodd. Roedd un alwad ffôn yr oedd yn rhaid i mi ei gwneud o neuadd y cyfri – i Gwynfor Evans yn ei gartref ym Mhencarreg. Yn wahanol i lawer, roedd Gwynfor wedi aros ar ei draed tan y canlyniad olaf. Ac fe gafodd ei haeddiant. Roedd wedi disgwyl nid am noson, ond am oes, i glywed hyn.

Ar ôl rhes o gyfweliadau, aethom allan o'r neuadd. Roedd torf fechan y tu allan yn canu yn y glaw oedd yn dal i bistyllio. Cefais rannu cerbyd gyda Ron o'r coleg draw i Westy'r Parc lle'r oedd parti swyddogol mudiad 'Ie dros Gymru' yn dal yn ei anterth. Cawsom groeso anhygoel, y cyfan ohonom, ar draws ffiniau plaid. Doedd pleidiau ddim yn bwysig ar noson fel hon. Bu rhai areithiau byr, a gwnes innau un yn eu plith, er nad oedd fawr o lais ar ôl gan yr un ohonom. Benthycais eiriau Gwynfor wedi ei fuddugoliaeth hanesyddol yn is-Etholiad Caerfyrddin yn 1966, sef bod y Cymry heddiw'n cerdded â'n pennau gymaint â hynny'n uwch a'n cefnau gymaint â hynny'n sythach: '*Walking with our heads a little higher, our backs a little straighter*'. Addas y geiriau, oherwydd y fflam a gynheuwyd yn Sgwâr Caerfyrddin ar 14 Gorffennaf 1966 oedd wedi aros i oleuo a chynhesu'r bore hanesyddol hwnnw yng Nghaerdydd. Roedd yn benllanw cyfnod.

Pan aeth Elinor a minnau allan tua chwech y bore, roedd yn dechrau gwawrio ond yn dal i arllwys y glaw. Roedd copïau cyntaf y *Western Mail* ar werth ar y stryd, gyda'r pennawd bras '*Wales says Yes*'. Cawsom lifft yn ôl i'r fflat yn Llandaf gan John Osmond, un a fu, dros y blynyddoedd, mor driw i'r achos o gael Senedd i Gymru.

Ar ôl bath poeth a brecwast sydyn roedd yn amser mynd allan eto a minnau heb gael winc o gwsg, nac ychwaith ei angen. Euthum i'r BBC yn Llandaf am saith o'r gloch y bore i sôn am y newyddion mawr. Wrth gerdded i fyny stepiau pencadlys y BBC pwy oedd y cyntaf i mi ei weld ond Rod Richards, oedd ar y pryd yn dal yn Arweinydd y Torïaid yng Nghymru. Ychydig oriau'n gynharach roedd yn uchel ei lais dros bleidlais 'Na'.

'Wel, Dafydd', meddai, 'mae'n rhaid i ni yn awr droi'r Cynulliad yn Senedd go iawn!' Chwyldro yn wir!

Ond roedd gwaith mawr yn dal i'n disgwyl. Doedd

dim sicrwydd y byddai'r Llywodraeth yn parchu mwyafrif mor fach, a'r bleidlais mor isel, ac yn sefydlu'r Cynulliad (i fod yn deg, fe gadarnhaodd Tony Blair yn fuan y bydden nhw'n cadw'u gair). Roedd y mater bach o gael Deddf Llywodraeth Cymru drwy'r Senedd. Ac roedd her fawr yn ein disgwyl, sef gwneud i'r Cynulliad weithio. Ond pethau i'r dyfodol oedd y rhain. Roedd Cymru, ar 18 Medi 1997, wedi croesi'r Riwbicon. Roedd y swing yn y bleidlais, rhwng '79 a '97, yn fwy yng Nghymru nag yn yr Alban.

Byth oddi ar hynny pan fydd pethau'n mynd o chwith a minnau'n teimlo'n isel, byddaf yn taflu fy meddwl yn ôl i'r diwrnod rhyfeddol hwnnw pan gydiodd ein gwlad, am unwaith, drwy drwch blewyn, yn ei chyfle. A daw gwên o foddhad i'm hwyneb. Fel y dywed Cynan yn ei bryddest 'Y Dyrfa':

> 'O Fywyd! dyro eto hyn,
> A'r gweddill Ti a'i cei'.

[1] Dyfyniad o *Wales says Yes*, Leighton Andrews, Gwasg Seren, 1999, tt. 12–13.
[2] *Ibid* t. 15.
[3] *Dewis Teg i Gymru*, Gwasg Dwyfor, 1996.

Llywodraeth Tony Blair

Wedi Etholiad '97 roeddem yn ôl yn y Senedd, mewn sefyllfa gwbl newydd. Am y tro cyntaf ers 1979 roedd Llafur mewn Llywodraeth. Ond yn wahanol i'r saithdegau, nid y Taffia o Gymru oedd yn rheoli pethau. Yn y saithdegau roedd Jim Callaghan (De Caerdydd) yn Brif Weinidog; Michael Foot (Glynebwy) yn Arweinydd y Tŷ; yr Arglwydd Elwyn Jones yn Arglwydd Ganghellor; Merlin Rees (gynt o Gilfynydd) yn Ysgrifennydd Cartref a John Morris (Aberafan) yn Ysgrifennydd Gwladol Cymru. Roedd George Thomas yn Llefarydd y Tŷ a Cledwyn Hughes yn Gadeirydd y Blaid Lafur Seneddol.

Y tro hwn, yr Albanwyr oedd wrth y llyw. Mae gan Tony Blair ei hun gysylltiad â'r Alban, er mai dros dîm pêl-droed Lloegr y bydd yn gweiddi. Penodwyd Gordon Brown yn Ganghellor, Robin Cook yn Ysgrifennydd Tramor, yr Arglwydd Irvine yn Arglwydd Ganghellor, George Robertson yn Ysgrifennydd Amddiffyn, Gavin Strang yn Weinidog Trafnidiaeth, Alistair Darling yn Brif Ysgrifennydd y Trysorlys a'r diweddar annwyl Donald Dewar yn Ysgrifennydd Gwladol yr Alban. Roedd y rhain i gyd yn y Cabinet. Yn hofran dros y cyfan ohonynt roedd cysgod Albanwr arall, y diweddar John Smith. O gofio am John Smith, doedd dim posibilrwydd y gallai'r Llywodraeth gefnu ar eu haddewid i sefydlu Senedd i'r Alban. O ymrwymo i'r Alban, byddai'n anodd iawn iddynt gefnu ar Gymru, er bod ein Refferendwm wedi bod yn un tra gwahanol.

Roedd Ron Davies wedi ei benodi'n Ysgrifennydd Cymru, a thra oedd yntau yn y swydd gellid bod yn weddol sicr na fyddai'r ymrwymiad i Gymru'n mynd yn angof. Roedd yr Is-Weinidogion yn y Swyddfa Gymreig, Peter Hain a Win Griffiths, hefyd yn llwyr ymroddedig i sefydlu'r Cynulliad. Bu cryn ddyfalu pam na chafodd Rhodri Morgan swydd, a phob math o esboniadau'n cael eu cynnig, rhai'n fwy credadwy na'i gilydd.

Gwahaniaeth arall yn y cyfnod hwn oedd y ffaith fod llawer o Weinidogion y Llywodraeth yn hen ffrindiau i mi. Yn ystod blynyddoedd hesb y Toriaid bûm yn cyd-ymgyrchu ar wahanol adegau gyda chyfeillion megis Tom Clarke, Clare Short, Mo Mowlam, Jeff Rooker, Frank Field, Frank Dobson, Alf Dubbs a Joyce Quin yn ogystal â Ron Davies wrth gwrs. Roedd yn hynod ddifyr gweld sut yr oedd cyfeillion fel hyn yn gorfod derbyn y gyfaddawd anorfod sydd ynghlwm â bod yn rhan o unrhyw Lywodraeth.

Roedd un o weithredoedd cyntaf y Llywodraeth yn un gwbl annisgwyl. Ar 6 Mai, cyn i'r Senedd newydd ymgynnull am y tro cyntaf, trosglwyddwyd i Eddie George, Llywodraethwr Banc Lloegr, y cyfrifoldeb llwyr dros bennu graddfeydd llog. Yr unig ffactor yr oedd o a'i Fwrdd i fod i'w hystyried oedd lefel chwyddiant. Doedd dim sôn am lefel diweithdra. Roeddwn wedi fy syfrdanu. Roedd gan hyd yn oed Fanc Ffederal America gyfrifoldeb i gymryd sylw o ddiweithdra, ochr yn ochr â chwyddiant. Trwy'r un weithred hon, o fewn dyddiau i ddod yn llywodraeth, roedd Llafur Newydd wedi ymrwymo'u hunain i agweddau Thatcheraidd tuag at bolisi ariannol.

Yn ei araith gyntaf i Dŷ'r Cyffredin fel Prif Weinidog, dangosodd Tony Blair beth fyddai cyfeiriad economaidd ei Lywodraeth gyda'r geiriau hyn:

'*Wise finance and stable economic management are the preconditions... Let us be clear: we have reached the limits of the people's willingness simply to fund an unreformed welfare system through ever higher taxes and spending.*'[1]

Mewn geiriau eraill roedd Llafur Newydd am ddilyn polisïau gwario a threthiant y Toriaid. Os oedd unrhyw amheuaeth ynglŷn â bwriad Gordon Brown, fe'i gwnaeth yn glir yn ei ddatganiad cyntaf ar wario cyhoeddus:

'*We said in our manifesto that we would work within existing spending limits. This we are also achieving as promised.*'[2]

Cyhoeddodd fwriad y Llywodraeth Lafur Newydd i dorri trethi a lleihau benthyca. Ni allai hyn olygu ond un peth: llai o arian ar gyfer gwario cyhoeddus. O ganlyniad bu i'r canran o incwm y wlad a wariwyd ar wasanaethau sector gyhoeddus ddisgyn o 42.1% ym 1995-6 i 38.9% yn 1998-9.

Roedd y cyfan wedi digwydd mor sydyn fel na chafodd adain chwith y Blaid Lafur gyfle i brotestio. O fod yn clymu eu hunain fel hyn, doedd gan y Llywodraeth mo'r adnoddau i dalu am y rhaglenni gwario y byddai eu cefnogwyr traddodiadol yn eu disgwyl. Y rhai a ddioddefodd waethaf yn y cyfnod hwn oedd y pensiynwyr a'r myfyrwyr.

Bu'r cynnydd yn y pensiwn gwladwriaethol yn enbyd o fach. Daeth y cyfan i ben yn hydref 1999 pan gyhoeddodd y Llywodraeth mai dim ond 75c yr wythnos fyddai'r codiad yn y pensiwn ar gyfer 2000–1. Achosodd hyn y fath adwaith nes y bu'n rhaid i Lafur ymddangos yn llawer mwy hael cyn yr etholiad canlynol, os nad oeddynt am dalu pris uchel. Rhaid cofio bod lefel y rhai sy'n troi allan i bleidleisio yn uchel ymhlith pensiynwyr ac yn gymharol isel ymhlith pobl ifanc.

Fe ddioddefodd y myfyrwyr wrth i Lafur barhau polisïau'r Torïaid o wneud iddyn nhw dalu rhan sylweddol o gost eu haddysg mewn prifysgol neu goleg addysg bellach. Byddai hyn yn cynnwys talu'r ffioedd dysgu. Roedd gofyn iddyn nhw gael eu hariannu naill ai gan eu rhieni neu trwy fenthyciad.

Allwn i ddim credu hyn. Roedd yn syfrdanol sut y gallai Gweinidogion o'r un genhedlaeth â minnau fod yn gweithredu yn y fath fodd. A hwythau'n Weinidogion y Blaid Lafur! Ymhlith y rhai a rannai gyfrifoldeb y Cabinet am y fath benderfyniad roedd Jack Straw, cyn-Lywydd yr NUS; Dave Clark, Llywydd Myfyrwyr Prifysgol Manceinion tra oeddwn i'n fyfyriwr yno, a David Blunkett, a ddaeth yn Weinidog Addysg. Dyma bobl oedd wedi manteisio ar gyfundrefn hael o grantiau i gael eu haddysg nhw. Pan oeddwn i yn y brifysgol yn y chwedegau roedd grant cynhaliaeth lawn yn £300, swm a fyddai'n cyfateb heddiw i ryw £4,000 y flwyddyn. Ac yn y chwedegau byddai'r wladwriaeth yn talu'r ffioedd hefyd.

Gwn am bobl ifanc yn fy etholaeth nad ydynt wedi mynd i brifysgol oherwydd y baich ariannol y byddai hynny wedi ei osod arnyn nhw neu ar eu teulu. Gwn am eraill sydd wedi dewis cyrsiau byr yn hytrach na rhai hwy, fel meddygaeth neu ddeintyddiaeth, i osgoi baich ariannol. Mae'n anhygoel fod Llywodraeth Lafur, a froliai mai 'addysg, addysg, addysg' fyddai'n cael eu blaenoriaeth, yn gweithredu yn y fath fodd yn erbyn myfyrwyr. Tybiaf y byddan nhw'n talu pris mawr am hyn ryw ddydd, gyda phobl ifanc yn cefnu ar y Blaid Lafur os nad ar wleidyddiaeth plaid yn gyfan gwbl.

Does dim dwywaith mai'r Mesur pwysicaf o safbwynt Cymru i fynd drwy'r Senedd yn ystod Llywodraeth gyntaf Tony Blair oedd Deddf Llywodraeth Cymru, 1998. Dyma'r ddeddfwriaeth i sefydlu Cynulliad Cenedlaethol yn sgîl y Refferendwm. Cyhoeddwyd y Mesur ar 26 Tachwedd 1997. Roedd yn darparu ar gyfer Cynulliad o 60 o Aelodau, 40 ohonynt yn cynrychioli etholaethau cyffelyb i rai San Steffan. Byddai'r 20 ychwanegol yn cael eu hethol ar sail rhanbarthol, trwy gyfundrefn pleidleisio cyfrannol (PR).

Roedd y pwerau a drosglwyddwyd i'r Cynulliad ym Mesur Llywodraeth Cymru 1998, yn rhai cyfyngedig iawn. Doedd gan y Cynulliad ddim hawl i wneud deddfau newydd. Yn hyn o beth roedd yn gorff hollol wahanol i Senedd yr Alban ac i Gynulliad Gogledd Iwerddon. Roedd y pwerau deddfu eilaidd, sef yr hawl i wneud gorchmynion statudol, yn gyfyngedig i nifer o fesurau oedd wedi'u henwi'n benodol yn y Mesur.

Byddai'n rhaid i'r Cynulliad Cenedlaethol weithredu o fewn bloc o arian a neilltuwyd gan y Trysorlys yn Llundain. Roedd hyn eto'n wahanol i'r Alban, oedd â hawl i amrywio treth incwm i fyny neu i lawr hyd at dair ceiniog yn y bunt. Roedd pwerau cyllidol y Cynulliad yn wannach na rhai'r cyngorau cymuned.

Yr unig ran o'r Mesur a roddai hawliau pen-agored i'r Cynulliad oedd Cymal 32. Dywedai'r cymal hwnnw:

The Assembly may consider, and make appropriate representations, about any matter affecting Wales.[3]

Roedd y Cynulliad felly am gael yr hawl i wneud datganiadau yn enw pobl Cymru. Amser fyddai'n dangos a fyddai'r byd a'r betws, ac yn arbennig y Llywodraeth yn San Steffan, yn cymryd gronyn o sylw o ddatganiadau'r Cynulliad. Dyma'r Adran o'r ddeddf a ganiatâ i'r Cynulliad drafod rhyfel Afghanistan gan achosi adwaith ffiaidd ymhlith rhai Aelodau Seneddol.

Roedd y Mesur yn mynnu y byddai staff y Cynulliad yn rhan o wasanaeth sifil Prydain. Roedd hyn yn groes i'r hyn oedd wedi ei gynnig yn Neddf 1978. Bryd hynny rhagwelwyd gwasanaeth cyhoeddus cyfunol i Gymru, a fyddai'n caniatáu i'r Cynulliad ddenu staff nid yn unig o'r Swyddfa Gymreig ac adrannau llywodraethol eraill yn Llundain, ond oddi wrth lywodraeth leol a chyrff enwebedig fel Awdurdod Datblygu Cymru neu'r Bwrdd Croeso. Roedd fy nheimladau i yn groes i rai Ron Davies ar y mater hwn. Roedd o'n argyhoeddedig y byddai'r profiad y gellid ei gael trwy ddefnyddio'r gwasanaeth sifil Prydeinig yn fwy gwerthfawr na'r hawl i ni ddatblygu'n gwasanaeth ein hunain. Er fy mod yn gweld y gwerth i bobl ifanc o Gymru fynd i ffwrdd i helaethu eu profiad, roeddwn i'n credu'n bendant y dylid edrych ar wasanaeth sifil y Cynulliad fel rhywbeth cynhenid Gymreig. Dyma, yn fy marn i, yr unig ffordd i ysbrydoli pobl ifanc i wasanaethu Cymru. Fel arall byddai penaethiaid y gwasanaeth sifil yn Llundain yn dwyn goreuon y bobl ifanc hyn sy'n codi drwy'r rhengoedd, a'u hanfon i Exeter neu Newcastle ac o ganlyniad ni fyddai modd i weision sifil gael y swyddi brasaf yng

Nghaerdydd cyn i agweddau Whitehall eu cyflyru. Yn waeth na dim, byddent yn cadw un llygad ar gowtowio i Lundain er mwyn cael dyrchafiad.

Un agwedd a achosodd gryn feirniadaeth yn y ddeddf wreiddiol oedd y bwriad i'r Cynulliad weithredu trwy system o bwyllgorau pwnc, yn hytrach na Chabinet. Byddai hyn yn debycach i lywodraeth leol nag i'r system Cabinet sy'n arferol mewn llywodraeth ganol. Newidiwyd hyn wrth i'r Mesur fynd drwy'r Senedd. Roeddwn yn falch iawn. Teimlwn mai'r perygl mwyaf i'r Cynulliad fyddai cael ei weld fel haen ychwanegol o lywodraeth leol.

Cafwyd ail-ddarlleniad y Mesur ar 8 Rhagfyr 1997. Wrth agor y ddadl, disgrifiodd Ron Davies y Cynulliad fel:

'A new institution that will both herald a new style of more inclusive politics that better fits the needs and character of Wales and (will) open to public scrutiny and accountability, the machinery of Government in Wales.'[4]

Cyfeiriodd at y ffaith fod y pwerau a drosglwyddwyd o'r Ysgrifennydd Gwladol i'r Cynulliad, yn rhai '*ever expanding*', gyda'r neges glir y byddai felly'n disgwyl i bwerau'r Cynulliad ehangu. Ychwanegodd y byddai deddfau newydd sy'n mynd drwy'r Senedd, o 1998 ymlaen, yn darparu ar gyfer rhoi cyfrifoldeb newydd ac ychwanegol at y rhai a gynhwyswyd yn y Mesur gwreiddiol.[5] Ar y thema hon o ychwanegu at bwerau'r Cynulliad, fe ymyrrais innau yn ystod araith Ron Davies, i ofyn a fyddai modd trosglwyddo'r pwerau dros yr Heddlu yng Nghymru, o'r Swyddfa Gartref i'r Cynulliad. Cadarnhaodd yntau y gellid gwneud hyn:

'If at some future date, a future Government decided to transfer law and order functions to the Secretary of State for Wales, knowing that they would then be transferred to the Assembly, they could do so using the mechanism of Clause 22'.[6]

Roedd hyn yn bwysig, gan ei fod yn datgan na fyddai angen deddfwriaeth newydd i drosglwyddo pwerau o'r fath i'r Cynulliad. Gellid gwneud hynny trwy '*Order in Council*'. Bu trafod yn ystod 2001 a ddylid trosglwyddo cyfrifoldeb dros yr Heddlu yng Nghymru i'r Cynulliad Cenedlaethol. Mae'r geiriau uchod yn rhai i'w nodi yng nghyd-destun y drafodaeth honno.

Yn fy araith innau ar yr ail-ddarlleniad dywedais: *'Plaid Cymru supports the Bill and accepts it for what it is – although it falls well short of the ideal that we envisaged.'*

Ymyrrodd Michael Ancram AS, Llefarydd y Torïaid ar ddatganoli, i awgrymu nad oedd y mwyafrif bach a gafwyd yn y Refferendwm, yn sail ddigonol ar gyfer sefydlu'r Cynulliad. Dywedais innau wrtho y byddai'r ymgyrch 'Na' wedi hawlio buddugoliaeth pe baen nhw wedi ennill y Refferendwm o drwch blewyn, ac wedi disgwyl i'r Llywodraeth beidio cyflwyno Mesur Datganoli. Roedd gennym ninnau'r un hawl i ddisgwyl i'r Mesur symud ymlaen. Ychwanegais:

'What is sauce for the backward-looking, scaremongering, no-voting, Neanderthals, is also sauce for the forward-looking, yes-voting, alliance which believes in democracy and in Wales.'[7]

Disgrifiais fy nyhead i weld pobl Cymru'n uno tu ôl i'r Cynulliad:

'Our own National Assembly will articulate the values that we

hold as a people: it will be a bulwark against imposed dogma of the Thatcherite kind. When I say 'as a people', I mean all the people of Wales. We regard all the people who live in Wales as citizens of Wales, and are all equal irrespective of race, creed, colour or language'.

O ystyried rhai dadleuon diweddar, mae'n werth ail-adrodd mai ar y sail honno y bu i Blaid Cymru ddatblygu'r ddadl dros Gynulliad Cenedlaethol yn ystod fy nghyfnod fel Llywydd.

Dyfynnais yn y ddadl eiriau Tom Ellis, Aelod Seneddol Meirionnydd, pan ddywedodd yn 1888 yn y Drenewydd:

'*Without a National Assembly – at once the symbol of unity and the instrument of self-government – Wales's position as a nation cannot be assured and her work as a nation cannot be done*'.[8]

Dyma'r cyd-destun hanesyddol ar gyfer sefydlu'r Cynulliad Cenedlaethol. Gresynais nad oeddem am gael pwerau llawn i ddeddfu yn y pynciau oedd yn cael eu datganoli, megis addysg, llywodraeth leol a'r iaith Gymraeg. Dadleuais y dylai fod gan y Cynulliad lais cryf ym Mrwsel, yn arbennig yng nghyd-destun amaethyddiaeth. Siaredais am dros hanner awr, un o'r areithiau hiraf a wnes yn y Senedd. Ond credaf fod gennyf esgus go dda dan yr amgylchiadau!

Rhoddwyd ail-ddarlleniad i'r Mesur o 374 pleidlais i 143. Roedd yn fy atgoffa o'r pleidleisiau tynn a gafwyd pan fu mesur o'r fath gerbron y Senedd yn y saithdegau. Roedd y byd bellach wedi newid. A'r eironi mawr oedd mai'r Refferendwm, er mor fach y mwyafrif, oedd wedi rhoi'r mandad i'r Mesur hwn fynd drwy'r Senedd heb drafferth.

Doedd y llwybr ymlaen ddim bob amser yn hawdd, nac yn eglur. Weithiau âi pethau'n eithaf poeth o fewn ein Grŵp Seneddol. Cofiaf, er engraifft, yn Ionawr 1998, inni gael coblyn o ffrae ynglŷn â phriodoldeb disgwyl i bob aelod o'r Cynulliad orfod tyngu llw i'r Frenhines.

Y cefndir i hyn oedd i Cynog Dafis a minnau fod yn noddwyr swyddogol i Fesur a gyflwynwyd gan Tony Benn y flwyddyn honno. Byddai hwnnw'n rhoi dewis i Aelodau Seneddol San Steffan beidio tyngu llw i'r Goron. Byddai hawl iddyn nhw, os mai dyna'u dewis, dyngu llw i wasanaethu eu hetholwyr. Cytunwn yn llwyr â Tony Benn yn hyn o beth, ac roeddwn yn falch o'i gefnogi.

Gosodais innau welliant i Fesur Llywodraeth Cymru, ar hyd yr un llinellau. Roeddwn wedi cyflwyno drafft i'r Grŵp gael ei ystyried yr wythnos flaenorol, ac nid oeddwn yn ymwybodol o unrhyw wrthwynebiad i'r bwriad. Yn ôl yr hanes a gofnodais yn fy nyddiadur ar gyfer 20 Ionawr 1998 bu lle poeth iawn yn y grŵp ac ychwanegais fy marn fod 'angen radicaleiddio'r Blaid'. Rhaid derbyn fod adegau pan fu'n rhaid i'm cyd-Aelodau fy ffrwyno!

Cafodd Mesur Llywodraeth Cymru sêl bendith y Frenhines ar 31 Gorffennaf 1998. Roedd y llwybr bellach yn glir i ni symud ymlaen i gynnal yr etholiadau cyntaf i Gynulliad Cenedlaethol Cymru ar 1 Mai 1999.

* * *

Yn ystod 1997–8 bu raid i mi ymdopi â nifer o

newidiadau staff – rhywbeth sy'n ddigon arferol ar ôl etholiad. Gadwaodd Delyth Lloyd ar ôl rhedeg fy swyddfa etholaeth am dros ddeng mlynedd i fod yn Gyfarwyddwraig Dolen Cymru Lesotho. Roedd gennyf fwlch sylweddol i'w lenwi. Roeddwn yn ffodus fod Gwenda Williams, a ymunodd â'm swyddfa yn ôl yn 1974 bellach yn gallu dychwelyd i weithio'n llawn-amser ar ôl magu teulu. Mae newid staff yn atgoffa rhywun mor ddibynol ydyw ar y tîm sy'n ei gynnal. Bu Fflur Emlyn gyda ni am sbel, yna ymunodd Judith Jones fel cynorthwy-ydd. Bûm hefyd yn ffodus o gael Richard Thomas fel Trefnydd Etholaeth. Mae gennym dîm hapus, gweithgar ac ymroddgar yn ein swyddfa. Hefyd bu i Dafydd Williams, ein cyd-lynydd Seneddol, adael yn Nachwedd 1997 i ymgymeryd â swydd gyda'r WDA. Bu Dafydd ar staff y Blaid am dros ddeng mlynedd ar hugain ac roedd yn ergyd o golli ei brofiad. Roedd eironi yn y ffaith iddo adael yr un mis ac y cyhoeddwyd Mesur Llywodraeth Cymru, mesur y gwnaeth Dafydd gymaint i'w sicrhau. Daeth Nia Jeffreys (o Borthmadog) atom fel Swyddog Cyfathrebu gan ymuno â Rhian Medi Roberts a Victor Anderson yn ein swyddfa seneddol. Yn ddiweddarach yn y Senedd, ymunodd Alun Shurmer a Karen Williams â'r tîm ymchwil yn Nhŷ'r Cyffredin, gan barhau'r traddodiad sydd gennym o fod â staff rhyfeddol yn ein cynorthwyo yn ein gwaith.

* * *

Bu nifer o frwydrau Seneddol eraill yn ystod y cyfnod cyn yr etholiadau i'r Cynulliad.

Un llwyddiant nodedig oedd gwaith Cynog Dafis

gyda'i fesurau i arbed ynni, yn arbennig felly ei *Road Traffic Reduction Bill* a ddaeth yn ddeddf gwlad yn ddiweddarach. Roedd Cynog wedi sefydlu ei hun fel arweinydd y mudiad amgylcheddol yn y Senedd. Ei araith wrth gyflwyno'i Fesur am ail-ddarlleniad ar 30 Ionawr 1998, yn ôl y nodyn dyddiadur a ysgrifennais ar y pryd, oedd 'Yr araith orau erioed gan AS Plaid Cymru, o safbwynt cario cynulleidfa'r Senedd gydag ef'. Roedd parch aruthrol tuag at Cynog a gwyddai pawb ei fod yn gwbl ddiffuant a phenderfynol ar yr agenda werdd. Weithiau byddai hyn yn achosi penbleth i ni fel Grŵp Seneddol. Roedd pleidleisio ar godi trethi ar betrol, er enghraifft, yn fater go boeth o ystyried ar y naill law, yr argyfwng amgylcheddol sy'n wynebu'r byd; ac ar y llaw arall, yr argyfwng economaidd yng nghefn gwlad Cymru.

* * *

Brwydr nodedig arall oedd honno i gael iawndal i'r glowyr a'r chwarelwyr fu'n dioddef o *emphysema* a *bronchitis* o ganlyniad i'w gwaith. Ar 23 Ionawr 1998 enillwyd achos Uchel Lys gan undeb NACODS ar ran y glowyr. Dyma'r achos llys drutaf erioed yn ôl pob tebyg, gyda'r posibilrwydd y byddai'n arwain at £1,500 miliwn o iawndal gan y Llywodraeth i'r cyn-lowyr a'u gweddwon. Roedd yn fater o falchder i mi mai Bleddyn Hancock, hen gyfaill ers fy nyddiau ym Merthyr, oedd wedi arwain y frwydr ar ran NACODS. Ond roedd yn warth o beth i flynyddoedd lusgo heibio cyn i'r Llywodraeth ddechrau talu i'r dioddefwyr.

Pwysais ar i John Battle, Gweinidog yn yr Adran Ddiwydiant, gael iawndal cyffelyb i'r chwarelwyr oedd wedi dioddef yr un afiechyd. Cyfarfûm ag ef ar 2 Chwefror 1998. Dywedodd yntau ei fod eisiau arweiniad gan yr undeb priodol (T&GWU) ynglŷn â sut y gellid diffinio'r chwarelwyr y dylid talu'r iawndal iddynt. Yn ddiweddarach wynebais yr un anhawster gyda'r Adran Iechyd, oedd yn gwrthod derbyn fod tystiolaeth feddygol yn profi bod gweithio yn y chwareli yn achosi emphysema.

Es ati i chwilio am dystiolaeth. Cefais gryn help gan Dr John Williams, Cymro a chanddo gysylltiadau teuluol â Rhostryfan, sy'n gweithio yn Ysbyty Halton yn Runcorn ac yn ymddiddori yn y pwnc. Pan adawais y Senedd yn 2001 roedd y gwaith o geisio cael achos digon cryf i argyhoeddi'r llywodraeth o hawliau'r chwarelwyr yn parhau, ac mae Hywel Williams AS bellach yn arwain y frwydr.

Roedd yn eironig fod y mater hwn yn dal ar yr agenda yn fy nhymor olaf fel AS. Bu hefyd yn un o'r prif eitemau y gweithiwn arno yn fy nghyfnod cyntaf yn San Steffan. Arweiniodd hynny at sicrhau Deddf Pneumoconiosis 1979, sydd bellach wedi talu rhyw £80 miliwn mewn iawndal. Mae'n eironi mwy fyth mai Llywodraeth Lafur sydd unwaith eto'n gwrthsefyll ein hymdrechion i gael cyfiawnder i'r chwarelwyr hyn a dalodd bris mor uchel am gyflog digon pitw.

Bu nifer o ymgyrchoedd eraill, rhai'n lleol a rhai'n genedlaethol. Bûm yn cydweithio â mudiad o Ogledd Lloegr i warchod hawliau pobl sy'n gweithio o'u cartrefi – merched gan amlaf – sy'n aml iawn yn agored i'w hecsbloetio. Cyflwynais ddrafft Mesur gerbron y Senedd i sefydlu eu hawliau. Bûm hefyd yn dadlau'r achos i reoleiddio'r defnydd o *jet skis* a chychod cyflym cyffelyb sy'n achosi cymaint o berygl oddi ar draethau Cymru. Cefais help mawr gan Gyngor Gwynedd yn hyn o beth a bu'r gwaith a wnaed gan un o'u prif swyddogion, Ieuan Lewis, yn arweiniad i gynghorau arfordirol drwy Brydain. Bûm yng nghanol ymgyrchoedd i warchod budd-daliadau pobl anabl ac i gael gwell darpariaeth ysbytai i'm hetholaeth. Roedd tristwch fod y gwasgu ar wario yn parhau ac yn dwysáu'r broblem ar gyfer gwasanaethau o'r fath.

Roedd hyn i gyd yn creu hinsawdd ddigon anodd i'r Blaid Lafur Gymreig wrth iddynt wynebu etholiad i'r Cynulliad ym Mai 1999. Ac yr oeddem ninnau'n barod am yr ymrafael.

[1] *Hansard*, 14 Mai 1997, colofn 64–5.
[2] *Hansard*, 25 Tachwedd 1997, colofn 774.
[3] Cymal 32 yw'r un perthnasol yn y ddeddf derfynol; Cymal 34 oedd yn y Mesur a gyhoeddwyd yn 1997.
[4] *Hansard*, 8 Rhagfyr 1997, colofn 671.
[5] *Ibid* colofn 677.
[6] *Ibid* colofn 678.
[7] *Ibid* colofn 703.
[8] *Addresses and speeches by the late T. E. Ellis MP*, t. 189, Hughes a'i Fab, 1912.

Trychineb i Gymru

Am bum munud wedi pedwar brynhawn dydd Mawrth, 27 Hydref 1998, roedd Cynog Dafis, Elfyn Llwyd a minnau'n cerdded a sgwrsio drwy Gyntedd yr Aelodau yn Nhŷ'r Cyffredin. Daeth David Hanson AS, Chwip Cymreig y Lywodraeth Lafur, draw atom. '*Heard the news?*' meddai. '*Ron Davies has resigned*'.

Dyma daran a fyddai'n siglo byd gwleidyddol Cymru i'w seiliau. Roedd yr Ysgrifennydd Gwladol wedi ymddiswyddo ar ôl digwyddiad ar Gomin Clapham yn Llundain, gydag ensyniad o wrywgydiaeth ynglŷn â'r helynt. Byddai'r oblygiadau i Gymru'n bellgyrhaeddol, ac felly hefyd i'r Blaid Lafur ac i'r Cynulliad. Dair blynedd yn ddiweddarach rydym yn dal heb lawn ddeall y gwahaniaeth a wnaeth y digwyddiad arswydus hwn.

Pan glywsom y newyddion, ni allem gredu'n clustiau. Ysgrifennais yn fy nyddiadur: 'Trychineb i Ron, i'w deulu ac i Gymru'.

Rhyddheais ddatganiad i'r perwyl hwnnw, ac o fewn y pedair awr nesaf roeddwn wedi gwneud dwsin neu ragor o gyfweliadau ar y mater, gan gynnwys un a aeth allan ar brif newyddion teledu Prydeinig y BBC. Talais deyrnged i Ron gan obeithio, beth bynnag fyddai ei ffawd, y cofiai pobl y gwaith mawr a wnaeth yn y ddwy flynedd flaenorol, gan gynnwys llunio fframwaith y Cynulliad, ennill y Refferendwm a llywio Deddf Llywodraeth Cymru i'r llyfr statud. Dywedais fy mod yn gobeithio y byddai'n parhau i chwarae rhan ym mywyd cyhoeddus Cymru.

Sylweddolwn fod hon yn golled i mi'n bersonol yn ogystal ag i'r genedl. Go brin y gallwn ddisgwyl sefydlu'r un berthynas weithredol efo Alun Michael, a gafodd ei benodi i'r swydd yr un prynhawn ac i'r Cyfrin Gyngor o fewn oriau. Efallai fod trefniadau eisoes ar y gweill ar gyfer hyn. Credai llawer fod Blair wedi bwriadu penodi Alun Michael i'r swydd flwyddyn ynghynt, pe bai'r Refferendwm wedi dyfarnu 'Na' ar ddatganoli.

Roedd sibrydion eisoes yn cylchredeg fod Ron Davies â thueddiadau hoyw. Nid oedd o ddiddordeb yn y byd i mi a oedd gan Ron Davies, nac unrhyw un arall, dueddiadau o'r fath – mater preifat yw hynny. Yr hyn oedd yn bwysig i mi oedd y gwaith mawr a wnâi fel Ysgrifennydd Gwladol. Byddwn wedi ei herio am swydd Prif Weinidog Cymru pan ddeuai'r etholiadau yn 1999, ond roeddwn yn llawn ddisgwyl mai Ron fyddai'n llenwi'r swydd. Byddai wedi ymgymryd â'r dyletswyddau gyda gweledigaeth ac ymroddiad, a byddai hanes Cymru'n wahanol iawn heddiw.

* * *

Deuthum i adnabod Ron yn dda iawn ar ôl iddo ddod yn Ysgrifennydd Cymru yn yr Wrthblaid o 1992 ymlaen. Yn wahanol i'w ragflaenwyr dros y blynyddoedd, ers colli Refferendwm 1979 roedd gan Ron syniad pendant iawn i ble'r oedd eisiau mynd – o safbwynt y Blaid Lafur yng Nghymru ac o safbwynt cael Cynulliad neu Senedd i'w wlad. Roedd yn benderfynol o sefydlu democratiaeth cenedlaethol i Gymru. Ni chollai unrhyw gyfle i hyrwyddo'r nod. Mae hanesyn difyr, sy'n adlewyrchu hyn, yn mynd yn ôl i Fawrth 1995, y Dydd Gŵyl Ddewi cyntaf ar ôl i Tony Blair ddod yn Arweinydd Llafur. Daeth Blair ar ymweliad â Chymru y bore hwnnw, a gofyn i Ron awgrymu sut y dylai gyflwyno'i ymlyniad i Gymru ar ddydd ei nawddsant. Yn ôl yr hanes, awgrymodd Ron y dylai gyfeirio at ddatganoli, gan ddefnyddio'r gair Cymraeg am yr hyn y byddai Llafur yn ei sefydlu i Gymru pe baent yn ennill yr etholiad: sef 'Senedd'! Dywedwyd wrth Blair mai dyma'r gair Cymraeg am 'senate' (sy'n dechnegol gywir) a'r gair agosaf at y math o Gynulliad oedd yn bolisi gan y Blaid Lafur.

Cyhoeddodd y *Western Mail* fod Tony Blair yn bersonol yn ymrwymo i '*Parliament for Wales*'. Dywedir fod Blair yn gandryll am hyn. Eto pe bai wedi mabwysiadu'r syniad a chyflwyno i Gymru yr hyn a wnaeth i'r Alban, byddai wedi dwyn y tir o dan draed Plaid Cymru, a sicrhau mwyafrif i Lafur o fewn y fath Senedd. Ond stori arall yw honno.

Yn ystod y cyfnod rhwng 1995 a 1999 roedd gennyf gysylltiad agos â Ron Davies. Byddai'r ddau ohonom yn mynd allan o Dŷ'r Cyffredin o bryd i'w gilydd i gael swper ac i drafod sut yr oedd pethau'n datblygu. Nid oeddem yn ceisio celu hyn. Fel arfer byddem yn mynychu tŷ bwyta lle byddai Aelodau Seneddol Llafur Cymreig eraill yn bresennol, ond yn cael bwrdd i ni'n hunain a thawelwch i gyd-drafod. Wn i ddim faint o les i Ron ymhlith ei gyd-Aelodau Llafur oedd iddo gael ei weld yn sgwrsio'n ddwys am wleidyddiaeth gyda mi!

Ar un achlysur o'r fath, yn 1996, dywedodd wrthyf sut

yr oedd yn gobeithio cael pwerau deddfu llawn i'r Cynulliad, a fyddai mewn gwirionedd yn ei wneud yn Senedd, beth bynnag fyddai'n cael ei alw. Buom yn trafod oblygiadau hyn, ac a ddylid cael y pwerau llawn ar gyfer pob maes fyddai'n cael ei ddatganoli, ynteu dechrau gyda rhai meysydd penodol. Cofiaf bwyso arno mai'r meysydd allweddol i'w cael o'r dechrau fyddai addysg, llywodraeth leol a'r iaith Gymraeg. Gorau oll pe bai'r gweddill hefyd yn dod, ond y rhain oedd y cyfrifoldebau allweddol.

Buom hefyd yn trafod y dimensiwn Ewropeaidd, a'r angen i Gymru gael llais ym Mrwsel. Cytunai'n llwyr â hyn, er yn pwysleisio mai'n raddol y byddem yn ennill y fath bwerau. Roedd yn gredwr mawr mewn 'proses'. Daeth ei ddisgrifiad enwog o ddatganoli yn rhan o wirionedd y cyfnod: '*A process not an event*'.

Roedd Ron yn arbennig o awyddus i gael y Blaid i gefnogi'r model a gyflwynid gan Lafur – ac i gael cefnogaeth y Rhyddfrydwyr hefyd. Credaf iddo ragweld sefyllfa o fewn y Cynulliad lle y gellid gweithio i uno'r ffrydiau radical blaengar a sosialaidd oedd i'w canfod o fewn Plaid Cymru a'r Rhyddfrydwyr yn ogystal â'r Blaid Lafur Gymreig. O wneud hyn, gellid sefydlu partneriaeth newydd yn y Cynulliad, un a allai fod â mwyafrif yno am gyfnod sylweddol o amser.

Yr hyn ddaeth yn amlwg i mi, o'r trafodaethau hynny, oedd dymuniad diffuant Ron i godi gwleidyddiaeth Cymru allan o'r rhigol sectyddol oedd yn nodweddiadol o wleidyddiaeth y Cymoedd yn arbennig. Roedd yn fodlon edrych ar syniadau da o ba bynnag gyfeiriad y bydden nhw'n dod. Ni fyddai'n disgwyl llawer o gyfeiriad y Toriaid, gan eu bod yn cychwyn o safbwynt ac o werthoedd cwbl wahanol. Ond roedd yn ddigon hirben i werthfawrogi y gallai syniad adeiladol ddod gan y Blaid a chan y Rhyddfrydwyr, neu hyd yn oed o'r tu allan i'r rhengoedd pleidiol-wleidyddol.

Roedd ei awydd i uno'r ffrydiau radical yn tarddu'n rhannol o'i weledigaeth ac yn rhannol o'r hyn a welai fel bygythiad i'r Blaid Lafur. Gwyddai fod patrwm oedran y Blaid Lafur mewn etholaethau fel Caerffili yn adlewyrchu cenhedlaeth oedd yn prysur heneiddio. Roedd cymaint o'r genhedlaeth iau wedi symud i Blaid Cymru. Byddai'n rhaid i hynny newid os oedd Llafur am osgoi chwalfa. Daeth buddugoliaeth ysgytwol Tony Blair yn 1997 â pheth gwaed newydd i mewn i rengoedd Llafur; pobl a gydymdeimlai â Llafur Newydd oedd y rheini. Doedd Ron ddim yn ystyried ei hun yn berson 'Llafur Newydd', na chwaith yn berson 'Hen Lafur'. Gwelai ei hun fel 'Llafur Cymreig' ac roedd ei barodrwydd i arddel y disgrifiad hwnnw ynddo'i hun yn adrodd cyfrolau.

Ar ochr chwith y Blaid Lafur y bu Ron Davies trwy gydol ei oes. Cyn mynd i'r Senedd bu'n gynghorydd ar hen Gyngor Bedwas a Machen, a ddaeth i ben yn 1974. Gwrthwynebodd gynlluniau'r Toriaid yn 1973 i osod cyfundrefn newydd o renti 'teg' ar denantiaid tai cyngor – trefn a fyddai'n golygu rhent dipyn mwy i lawer o drigolion tai cyngor y Cymoedd. Dan arweiniad Ron fe wrthododd Bedwas a Machen weithredu'r system a daeth yntau'n adnabyddus yn y Cymoedd fel '*Ron the rents*'. Trwy gyd-ddigwyddiad roeddwn innau ar yr un pryd yn aelod o Gyngor Bwrdeistref Sirol Merthyr Tudful, a minnau hefyd yn gwrthod gweithredu Deddf Cyllid Tai y Torïaid.[1]

Roedd Ron a minnau felly'n rhannu'r parodrwydd i herio deddf gwlad os oedd honno'n ddeddf anghyfiawn. Roedd Ron hefyd yn rhan o'r traddodiad gweriniaethol o fewn y Blaid Lafur. Tynnodd y Teulu Brenhinol i'w ben unwaith gyda'i sylwadau am y Tywysog Charles. Bu'n rhaid iddo gamu'n ôl o'r trywydd hwnnw, ond roedd gan y genedl Gymreig eithaf syniad ym mhle'r oedd ei galon.

Pan ddaeth Ron yn Ysgrifennydd Gwladol fe barhaodd ein cyfeillgarwch. Roedd ei ddrws ar agor yn y Swyddfa Gymreig, a chawn gyfle teg i drafod yn agored unrhyw agweddau a fynnwn o bolisi'r Llywodraeth. Gyda Deddf Llywodraeth Cymru yn dod gerbron y Senedd, roedd yn naturiol fod llawer o'r drafodaeth yn ymwneud â manylion y Mesur Datganoli. Dyma'r cyfnod pan gefais fy mhenodi'n aelod o'r Cyfrin Gyngor. Bu rhai yn y Blaid yn feirniadol fy mod wedi derbyn y fath 'anrhydedd', ond yr oedd gwerth ymarferol iawn iddo, fel yr oedd Donald Stewart AS, Arweinydd yr SNP yn y saithdegau wedi canfod. Ron oedd un o aelodau'r Cyngor a ddaeth i Balas Buckingham ar gyfer y seremoni. Credaf ei fod yn falch i mi ddod yn aelod, gan y gallai wedyn drafod agweddau o'r Mesur Datganoli efo fi '*on Privy Council terms*'. Manteisiodd ar yr hawl honno lawer tro. Roedd yn rhaid i mi barchu cyfrinachedd y wybodaeth a gefais ganddo, ond roedd yn help i gael trafodaeth gall am fesur allweddol i Gymru. Yr oedd hyn hefyd yn fy ngalluogi innau i roi arweiniad i'r Blaid ar sail gwell dealltwriaeth o feddylfryd y Llywodraeth.

Roedd Ron Davies yn bragmatydd mewn llawer

ffordd. Fel un a fu unwaith yn ffansïo'i hun fel Prif Chwip ei Blaid yn y Senedd, ac a brentisiodd fel gwleidydd yn y Cymoedd, roedd yn deall sut oedd y broses wleidyddol yn gweithio o fewn y Blaid Lafur. Gwyddai fod yn rhaid cario syniadau trwy Gabinet Llafur a thrwy Dŷ'r Cyffredin. Gwyddai hefyd fod rhaid sicrhau cefnogaeth mwyafrif y Blaid Lafur yng Nghymru. Doedd o ddim mor naïf â disgwyl cefnogaeth pawb, ond roedd rhaid trefnu mwyafrif gweladwy a chredadwy. Hefyd roedd angen cadw'r ddysgl yn wastad gydag aelodau Llafur ar gynghorau unedol Cymru a gyda'r undebau llafur. Roedd Ron yn deall hyn, fel gwleidydd o'r Cymoedd, ac yn deall digon am beirianwaith gwleidyddol i allu gwireddu ei syniadau. Yn hyn o beth roedd yn llawer iawn mwy effeithiol na Cledwyn Hughes neu John Morris, dau gyn-Ysgrifennydd Gwladol a gefnogai ddatganoli yn ddiffuant, ond a fethodd gael y maen i'r wal. Wrth wneud hyn roedd Ron yn creu gelynion, a byddai wedi gweithio allan faint o elyniaeth y gallai ei fforddio ar unrhyw agwedd o'i raglen. Rhaid fod dicter personol tuag at Ron yn corddi sawl aelod o'r Blaid Lafur Gymreig oedd wedi eu gelyniaethu.

Gwelais hefyd sut yr oedd Ron Davies yn gallu ennill cefnogaeth frwd y gweision sifil allweddol a weithiai iddo. Y mwyaf allweddol o'r rhain oedd yr Ysgrifennydd Parhaol yn y Swyddfa Gymreig ar y pryd, Rachel Lomax. Roedd ei gwreiddiau yn Abertawe, ac roedd yn hynod o alluog ac uchelgeisiol. Ceisiodd adrannau eraill yn Llundain, gan gynnwys y Trysorlys a 10 Downing Street, ei denu o'r Swyddfa Gymreig. Bu sôn mai hi fyddai'r ferch gyntaf i ddod yn Ysgrifennydd i'r Cabinet. Roedd Rachel Lomax a Ron yn cydweithio'n berffaith ar gynlluniau datganoli. Gallai hi gynhesu at ei frwdfrydedd a'i benderfyniad. Roedd yntau'n parchu ei barn a'i phrofiad o'r broses lywodraethol. Roedd yn bartneriaeth bwysig ar gyfnod pwysig.

Ar ôl i Ron ymddiswyddo, parhaodd Rachel Lomax am sbel i weithio dan Alun Michael yn y Swyddfa Gymreig. Ond dechreuodd golli rhywfaint o'i diddordeb yn y gwaith. Roedd agwedd Alun at ei ddyletswyddau, yn ogystal â'i anian bersonol, yn wahanol iawn i rai Ron Davies. '*Buccaneer*' oedd Ron. Byddai weithiau'n hwylio'n agos iawn at y gwynt, er mwyn cyrraedd ei nod. Mor wahanol oedd Alun Michael: diogel, dibynadwy, ond di-liw. Gadawodd Rachel Lomax i fynd yn Brif Swyddog yr Adran Nawdd Cymdeithasol yn Llundain: tipyn o her, gan mai dyma'r adran yn y Llywodraeth gyda'r gyllideb fwyaf. Fe gadwodd ei chartref ym Mro Morgannwg.

Y bore yr ymddiswyddodd o'r Swyddfa Gymreig cefais alwad ffôn ganddi. Roeddwn ar y pryd ar hanner cynnal cymorthfa yn fy swyddfa yng Nghaernarfon. Roedd y sgwrs, a barhaodd dros hanner awr, yn un gofiadwy. Cefais yr argraff bendant ei bod bron â thorri ei chalon wrth adael y 'prosiect' o sefydlu'r Cynulliad. Pe bai Ron Davies wedi aros yn ei swydd does dim amheuaeth na fyddai hithau wedi aros i gael y Cynulliad ar ei draed, beth bynnag fyddai'r canlyniad o ran ei gyrfa. Roedd yn golled enfawr i Gymru fod Rachel Lomax wedi gadael yn sgîl ymadawiad Ron Davies.

* * *

Ar ôl gorfod ymddiswyddo, bu Ron yn dal i obeithio y gallai ddod yn ôl i chwarae rhan amlwg o fewn Llywodraeth Lafur y Cynulliad, ac efallai ei arwain ryw ddydd. Credaf nad oedd wedi llawn sylweddoli maint y niwed a wnaed iddo gan y sgandal – a'r modd yr oedd ei elynion wedi manteisio ar y sefyllfa i sicrhau hynny. Doedd o chwaith ddim wedi ymateb yn ddigon agored ac yn ddigon buan wrth wynebu'r cyfryngau yn sgîl ei drafferthion. Roedd ei gyfweliad ar 27 Hydref 1998, gyda John Sargent o'r BBC, yn ei ddangos fel un nad oedd wedi cydnabod realiti'r sefyllfa oedd ger ei fron; felly hefyd ei araith yn Nhŷ'r Cyffredin ar 2 Tachwedd 1998. Roedd yn amlwg yn anodd iddo ymdopi â'r argyfwng – fel y byddai i unrhyw un yn yr un sefyllfa. Teimlai amryw mai ei eiriau '*We are what we are*'[2] oedd y rhai allweddol. Roedd y geiriau fel pe baent yn cyffwrdd â'r llinellau a roddodd Dylan Thomas yng ngenau'r Parch. Eli Jenkins:

> 'We are not wholly bad – or good –,
> Who live our lives under Milk Wood'

Hyd yn oed yn ystod ymgyrch etholiad 1999, credaf fod Ron yn gobeithio y byddai drws yn ailagor rywsut i'w roi yn ôl mewn swydd ddylanwadol yn y Cynulliad. Ar un adeg mae'n ddigon posib fod gan fwyafrif y Grŵp Llafur yng Nghaerdydd gydymdeimlad mawr â'u cyn-arweinydd. Roedden nhw wedi uniaethu cymaint â'i waith o gynllunio'r Cynulliad. Roedd yntau wedi ymdrechu i gael ymgeisyddion positif eu hagwedd tuag at y Cynulliad o blith tîm Llafur. Mae'n bosib fod hyd yn oed mwyafrif o fewn yr Aelodau a etholwyd yn enw

Llafur ym Mai 1999 yn awyddus bryd hynny i weld Ron Davies yn hytrach nag Alun Michael yn arwain y Cynulliad.

Fe wnaed niwed sylweddol i'w ragolygon gan ddau beth. Yn gyntaf credai rhai nad oedd Ron wedi dangos digon o gefnogaeth i Alun Michael yn yr etholiad i'r Cynulliad – etholiad a oedd yn ddigon dyrys iddyn nhw fel plaid ac i Alun Michael fel unigolyn. Bu rhai'n dyfalu a oedd Ron ag un llygad ar y posibilrwydd y byddai Alun Michael yn methu ennill sedd yn y Cynulliad, ac y byddai hynny'n rhoi cyfle iddo yntau ddod yn ôl yn arweinydd. Yr oedd Ron mewn sefyllfa amhosibl. Os oedd yn cadw proffeil rhy uchel, byddai'n agored i feirniadaeth, fel y byddai pe na bai'n gwneud digon.

Ar ôl sefydlu'r Cynulliad, roedd Ron yn ymddangos i rai yn y Grŵp Llafur fel pe bai'n troi'r drol yn ormodol yn y Pwyllgor Datblygu Economaidd pan oedd yn gadeirydd arno. Teimlai rhai ei fod yn rhoi amser caled i Rhodri Morgan. Cafodd ei symud o'r gadair oherwydd hyn. Roedd unwaith eto'n ddiamynedd ac yn rhuthro'n rhy sydyn i geisio adennill y tir a gollwyd ganddo oherwydd y sgandal.

Pe bai Ron wedi bodloni ar gymryd sedd gefn am ryw ddeunaw mis a gweithio'n ddygn o'r golwg, efallai y gallai fod wedi creu hygrededd newydd ac adennill ei le. Pe bai wedi gallu syrthio ar ei fai o'r dechrau efallai y byddai hynny wedi tynnu peth o'r gwynt o hwyliau'r rhai oedd yn ei erlid.

Ond yn fwy na dim, rhoddwyd ergyd i'w hygrededd gan straeon newydd yn y papurau tabloid yn honni cysylltiadau rhywiol eraill. Nid oes gennyf syniad a oedd unrhyw sail iddynt, ac rwyf yn fodlon derbyn gair Ron fod y cyfan yn ffug. Os felly, roedd rhywun, yn rhywle, yn benderfynol o'i ddymchwel – a sicrhau na fyddai mewn grym yn y Cynulliad.

Pwy allai fod yn bwydo'r wasg ac achosi'r fath sgandal, wn i ddim. Os oedd modd gwneud hyn iddo ar ôl iddo gael ei ethol i'r Cynulliad, pwy sydd i ddweud nad oedd rhywun, yn rhywle, hefyd wedi cynllwynio yn ei erbyn pan oedd yn Ysgrifennydd Gwladol?

Nid dweud yr wyf fod Ron Davies yn bur, yn wyn ac yn ddiniwed; heb ei fai heb ei eni. Ond rwyf yn weddol sicr fy meddwl fod y pwysau gwaith a'r straen aruthrol a fu arno rhwng 1996 a 1998 wedi chwarae rhan yn ei gwymp. Mae pobl dan bwysau yn troi am ddihangfa neu gysur i bob math o gyfeiriadau. Does dim newydd yn hyn. Hefyd mae'n bosib fod rhywun, neu rywrai, a wyddai am ei rwystredigaethau, neu ei wendidau, wedi chwilio am gyfle i ddefnyddio'r rheini i'w faglu. O weld y math o dacteg a ddefnyddir gan rai o bapurau tabloid Llundain yn erbyn y Blaid, dyw hi ddim mor anodd credu y gallai pobl ddiegwyddor, caled a phenderfynol wneud yr un peth yn erbyn aelod o'r Llywodraeth.

Dyfalu yw hyn. Does gen i ddim ffeithiau i wneud cyhuddiadau pendant. Y cyfan y gallaf ei wneud yw meddwl yn uchel am y posibiliadau. Mae'r sefydliad, yn ei ystyr ehangach, yn hynod bwerus. Ac mae yna bobl ar gyrion pob sefydliad, sydd hefyd yn gallu gweithredu'n ddiegwyddor iawn. Pan fydd hynny'n digwydd gall pobl eraill cwbl anrhydeddus – gan gynnwys plismyn, gwleidyddion a newyddiadurwyr gonest – gael eu defnyddio'n ddiarwybod iddyn nhw'u hunain, o fewn y cynllwyn.

Efallai y daw'r gwir allan ryw ddydd. Efallai na ddaw allan byth.

Yr hyn a wn yw fod cwymp Ron Davies yn ergyd i'r Blaid Lafur, i Gymru ac i'r Cynulliad Cenedlaethol. Mae'n ddigon tlawd arnom fel cenedl. Allwn ni ddim fforddio colledion fel hyn. Ac er gwaethaf pawb a phopeth, hyd yn oed pe bai'r cyhuddiadau a'r ensyniadau i gyd yn wir, fyddai hynny'n lleihau dim ar gyfraniad unigryw Ron Davies i sefydlu llywodraeth gynhwysol ddemocrataidd yng Nghymru ac i gychwyn Cymru ar broses na fydd troi'n ôl ohoni.

[1] *O Ddifri*, tt. 134–7.
[2] *Hansard*, 2 Tachwedd 1998, col. 575.

Y ddaeargryn dawel

Ni fu erioed, yn hanes Cymru, etholiadau tebyg i'r rhai yng ngwanwyn a haf 1999. Nid gor-ddweud yw hyn. Mae'n amlwg yn llythrennol gywir. Dyma'r etholiadau democrataidd cyntaf i'n Cynulliad Cenedlaethol cyntaf ers dyddiau Owain Glyndŵr. A go brin fod cyfundrefn etholiadol yr oes honno yn batrwm o ddemocratiaeth!

Dyma agor pennod newydd yn hanes ein gwlad. A dyma hefyd y cyfle i Blaid Cymru sefydlu ei hun fel yr unig ddewis amgen i'r bobl yng Nghymru oedd ddim eisiau parhau yng nghrafangau'r Blaid Lafur.

Roedd etholiadau eraill pwysig ar wahân i rai'r Cynulliad yn digwydd y flwyddyn honno. Cynhaliwyd yr etholiadau Cynghorau Unedol ar yr un diwrnod â'r Cynulliad, sef 6 Mai 1999. Chwe wythnos yn ddiweddarach, ar 10 Mehefin, cynhaliwyd etholiadau Cynghorau Cymuned Cymru yn ogystal â'r etholiadau i Senedd Ewrop. Dyna bedair set o etholiadau dros gyfnod byr. Ni fu erioed y fath bwysau ar beirianwaith etholiadol Plaid Cymru. Roedd straen aruthrol ar ein staff ac ar ein cyllid fel ei gilydd.

Gwyddwn mai'r etholiadau i'r Cynulliad fyddai'r allwedd i'n llwyddiant y flwyddyn honno. Byddai'r sylw a gaem ar gyfer y Cynulliad, mewn etholiad benben â'r Blaid Lafur, yn rhoi'r hwb angenrheidiol i'n hymgeisyddion sirol i herio Llafur yn y Cymoedd. Pe baem yn llwyddo i greu momentwm yn yr etholiadau ar ddechrau Mai, byddai hynny o fendith i'n hymgeisyddion ar gyfer Senedd Ewrop ym Mehefin. Doedden ni erioed wedi ennill sedd yn Senedd Ewrop, ac ar ôl methu cipio sedd Gogledd Cymru yn 1994 roeddwn i'n bersonol yn hynod o awyddus i unioni'r cam.

Wedi ymgyrchoedd anfoddhaol yn 1997, yn arbennig un y Refferendwm, roeddwn yn benderfynol o gael gafael ar yr awenau o'r dechrau, a chadw gafael drwy gydol y cyfnod. Un fantais fawr oedd ein bod yn gwybod dyddiad yr etholiadau ymlaen llaw. Felly roedd cyfle i amseru'r ymgyrch a llunio patrwm cytbwys.

Ein nod oedd dod yn ail i Lafur o ran seddi yn y Cynulliad, a gyda lwc o ran nifer pleidleisiau. Roedd rhaid dangos mai rhwng Llafur a Phlaid Cymru y byddai'r dewis ymarferol a wynebai bleidleiswyr Cymru.

Roedd y gyfundrefn bleidleisio ar gyfer y Cynulliad yn un newydd, gydag elfen o bleidlais gyfrannol (PR). Byddai 40 sedd yn cael eu hethol yn uniongyrchol, ar sail etholaethau San Steffan. Ychwanegwyd 20 sedd i'w hethol ar sail pum rhanbarth – dyna bedair sedd PR i bob rhanbarth. Felly roedd gan bob etholwr ddwy bleidlais, un etholaethol ac un ranbarthol: croes i'r ymgeisydd o fewn yr etholaeth, a chroes i'r blaid ar y bleidlen ranbarthol. Po fwyaf o seddi fyddai plaid yn ennill yn etholaethol, lleiaf yn y byd allen nhw ddisgwyl eu hennill yn rhanbarthol. Roedd y drefn yn hynod gymhleth i'w hesbonio ond yn ddigon hawdd ei defnyddio.

Roedd y Blaid Lafur a Phlaid Cymru eisoes wedi cael dadleuon mewnol ynglŷn â sut i sicrhau gwell cyfartaledd rhwng dynion a merched yn y Cynulliad. Roedd Llafur wedi codi nyth cacwn, a bygythiadau o weithredu cyfreithiol, trwy efeillio etholaethau cyfagos gyda'i gilydd a dewis dau ymgeisydd ar y cyd – un ddynes ac un dyn. Fe weithiodd y drefn i Lafur, gan fod ganddynt felly ugain dyn ac ugain dynes ar gyfer y 40 sedd yng Nghymru. Yn y canlyniad terfynol llwyddodd y Blaid Lafur i gael 15 o ferched o blith eu 28 AC.

Ceisiodd Plaid Cymru sicrhau cydbwysedd trwy ddefnyddio rhestri rhanbarthol. Rhoddwyd menyw ar flaen y rhestr, dyn yn ail a menyw yn drydydd ym mhob un o'r pum rhanbarth. Roedd y tri enw cyntaf ar restrau rhanbarthol y Blaid fel a ganlyn:

Gogledd	**Canolbarth**	**Gorllewin y De**	**Canol y De**	**Dwyrain y De**
Janet Ryder	Helen Mary Jones	Janet Davies	Pauline Jarman	Jocelyn Davies
Sion Brynach	Cynog Dafis	Dr Dai Lloyd	Owen John Thomas	Dr Phil Williams
Fflur Roberts	Delyth Richards	Sara Reid	Eluned Bush	Gill Jones

Ar ddechrau'r ymgyrch credem fod gennym eithaf siawns o ennill pum sedd etholaethol, sef y pedair oedd gennym yn San Steffan (Ynys Môn, Arfon, Meirionnydd Nant Conwy a Cheredigion) ynghyd â Dwyrain Caerfyrddin a Dinefwr. Dynion oedd wedi eu dewis mewn pedair o'r pum sedd yma, ac roedd gennym siawns o gymryd o leiaf un sedd oddi ar bob rhestr. Pe baem, er enghraifft, yn ennill 12 sedd, byddai chwech o'r Aelodau'n fenywod. Ymddangosai'n gyfaddawd derbyniol, er bod rhai'n teimlo nad oedd yn ddigon radical i warchod hawliau menywod. Teimlai rhai dynion hefyd eu bod yn cael cam, gan nad oedd yn bosib iddyn nhw fod ar flaen y rhestr. Cryfhaodd hyn fy mhenderfyniad i ennill mwy o seddi, a sicrhau y byddai pobl fel Phil Williams, Cynog Dafis, Dai Lloyd ac Owen

John Thomas, oedd yn ail ar eu rhestrau, yn cael i mewn i'r Cynulliad.

Roedd y broses o ddewis ymgeisyddion yn ddifyr. Am y tro cyntaf yn ein hanes roedd cystadleuaeth frwd i gael enwebaeth. Yn y gorffennol, gydag etholiadau San Steffan, y drefn arferol oedd i'r Llywydd orfod troi breichiau i gael ymgeisydd i bob sedd. Braf gweld y diddordeb newydd. Ymhlith yr ymgeisyddion roedd amryw o'r hen do, hoelion wyth y Blaid, a fu'n cario'r faner mewn etholiadau heb obaith o'u hennill. Iddyn nhw roedd cael sefyll ar gyfer y Cynulliad Cenedlaethol yn wobr ynddo'i hun. Un a ddaw i'r meddwl yw'r diweddar annwyl Bob Vickery, a fu'n cynnal yr achos yng Nghasnewydd dros flynyddoedd lawer. Roedd yn wefr iddo gael sefyll, ac yn fonws iddo lwyddo i gael 12% o'r bleidlais.

Roedd ein tîm yn un profiadol. Ar wahân i'r tri AS (Ieuan, Cynog a minnau) a'r cyn-AS Dafydd Elis Thomas, roedd cynghorwyr amlwg fel Janet Davies, Geraint Davies, Pauline Jarman a Janet Ryder, yn ogystal â hoelion wyth fel Phil Williams a Rhodri Glyn Thomas, gyda'u profiad maith o ymladd etholiadau San Steffan. Roedd gennym hefyd wynebau newydd, fel Bleddyn Hancock, arweinydd y glowyr, a Gareth Jones, cyn-brifathro Ysgol John Bright, Llandudno. Roedd cynrychiolaeth gref o'r to ifanc, gan gynnwys Elin Jones, Helen Mary Jones, Jocelyn Davies, Dai Lloyd, Alun Cox, Dyfan Jones a Siôn Brynach.

Un a geisiodd am enwebaeth Maldwyn oedd Elinor, fy ngwraig. Fe'i ganwyd yn Llanidloes ac mae ganddi deimladau cynnes iawn tuag at sir ei mebyd. O weld maint y gwaith sy'n wynebu aelodau'r Cynulliad mae'n rhyddhad iddi erbyn hyn na chafodd ei dewis! Mae colled gwleidyddiaeth, mi dybiaf, yn ennill i'r byd cerddorol.

Roedd angen mwy na thîm credadwy mewn etholiad lle'r oeddem yn anelu at ffurfio llywodraeth. Golygai bod yn rhaid i ni lunio polisi manwl. Am fisoedd cyn yr etholiad bu Cynog Dafis yn arwain tîm bach o ymchwilwyr. Gwnaethant waith anhygoel o fanwl. Bu Victor Anderson, sydd bellach yn Aelod Gwyrdd o Gyngor newydd Llundain, a Fflur Jones, myfyrwraig a ddaeth atom o Brifysgol Caergrawnt â'i gwreiddiau yn Llanuwchllyn, yn gefn mawr inni. Rhai misoedd cyn yr etholiad penodwyd Leila Haines yn ymchwilydd cyflogedig llawn-amser yn ein pencadlys. Un arall a wnaeth gyfraniad sylweddol yn wirfoddol oedd Dr Eurfyl ap Gwilym, cyn-Gadeirydd Cenedlaethol y Blaid. Diolch i'r cyfeillion hyn, cawsom faniffesto etholiad wedi ei brisio'n fanwl.

Bu eironi mawr yn hyn o beth, o gofio agwedd y wasg a'r cyfryngau pan lansiwyd ein hymgyrch etholiad. Roeddwn wedi gwneud fy ngwaith cartref yn ofalus, gan ddisgwyl y byddai'r gohebwyr yn herio gwariant pob rhan o'n rhaglen. Es i gyfarfod lansio'r maniffesto â llyfryn wrth law gyda ffigurau ariannol manwl ar gyfer pob eitem yn y maniffesto. Siom o'r mwyaf oedd i'r wasg y bore hwnnw beidio holi'r un gair am y mater! Yr unig gwestiwn o ddiddordeb iddyn nhw oedd a oeddem yn sefyll dros annibyniaeth. Roedd hyn yn dangos diogi'r cyfryngau yn Llundain, a diffyg gwaith cartref y Blaid Lafur ym Millbank. Roedden nhw'n cymryd yn ganiataol fod ein safbwynt a'n neges ni'n union yr un fath â rhai'r SNP yn yr Alban, oedd yn ymladd dan y slogan *Independence in Europe*.

Pan ddaeth y trydydd ymholiad yn olynol yn pwyso ar y cwestiwn annibyniaeth, fe gynhyrfais braidd oherwydd eu hamharodrwydd i dderbyn fy ateb cyntaf. Sillafais allan iddynt yn syml, gydag ensyniad o '*watch my lips*', y geiriau:

'Plaid Cymru has NEVER – EVER – stood for independence as our constitutional objective'.

Roedd hyn, wrth gwrs, yn llythrennol gywir, er o bosib nad oedd rhai o aelodau'r Blaid wedi llawn sylweddoli hynny! Nod Plaid Cymru o'r dyddiau cynnar oedd hunanlywodraeth, nid annibyniaeth. Yn ei ddarlith enwog 'Egwyddorion Cenedlaetholdeb' yn Ysgol Haf gynta'r Blaid yn 1926 dywedodd Saunders Lewis:

'Peidiwn â gofyn am annibyniaeth i Gymru. Nid am nad yw'n ymarferol, ond oblegid nad yw'n werth ei gael... Mynnwn felly nid annibyniaeth, eithr rhyddid.'[1]

I mi, ystyr rhyddid yw cydnabyddiaeth o hawl pobl Cymru i benderfynu ar eu dyfodol cyfansoddiadol eu hunain, sef cydnabyddiaeth o sofraniaeth pobl Cymru.

Mewn pamffledyn yn 1960 cadarnhaodd Gwynfor Evans hynny gyda'r geiriau:

Saunders Lewis stated categorically that the Party aimed at freedom, not independence... The Party has never departed from this standpoint.[2]

Bu ymdrech yn 1981 i newid ein hamcanion i gynnwys 'annibyniaeth' ond methodd y cynnig, fel fu hanes cynnig arall yng Nghynhadledd 2001. Roeddwn yn gwbl sicr o'm ffeithiau wrth wneud y gosodiad i'r wasg.

Anghrediniaeth oedd ymateb y cyfryngau. Aeth y Blaid Lafur ati i geisio troi pob carreg i wrthbrofi'r honiad. Anfonwyd ymchwilwyr i'r Llyfrgell Genedlaethol yn Aberystwyth i gribinio trwy bob pamffledyn a llyfryn a gyhoeddwyd gan y Blaid dros y blynyddoedd. Methwyd a chael unrhyw dystiolaeth o sylwedd, dim ond ambell frawddeg gyffredinol lac; ond arhosodd y ddadl trwy gydol yr ymgyrch. Achoswyd peth ansicrwydd i rai o'n hymgeisyddion a chefnogwyr, nad oeddent wedi gwahaniaethu yn eu meddyliau eu hunain rhwng hunanlywodraeth ac annibyniaeth. Fy siom fawr innau oedd peidio cael dangos ein bod wedi meistroli'r ystyriaethau gwario, wedi gwneud ein gwaith cartref yn drwyadl, ac yn gwybod cost pob addewid yn ein maniffesto.

Digwyddiad arall cofiadwy mewn Cynhadledd i'r Wasg oedd yr hyn a fynegais tua wythnos cyn y diwrnod pleidleisio. O weld llwyddiant ein hymgyrch, nad oedd y cyfryngau yn sylwi arno, disgrifiais hyn fel '*a silent earthquake running through the Welsh body politic*'.

Cydiwyd yn y geiriau, a gafodd eu gweld fel proffwydoliaeth o'r chwyldro a ddigwyddodd wythnos yn ddiweddarach.

* * *

Cefais gyfle i fanylu ar ein polisi mewn cyfres o ddarlithiau ar wahanol agweddau o'n rhaglen, gan gynnwys addysg, iechyd, amaethyddiaeth a chefn gwlad, yr economi, Ewrop a nod cyfansoddiadol.[3]

Roedd hyn yn ffrwyth ymchwil manwl a misoedd o baratoi. Cofiaf gyfarfod Tredegar yn arbennig o dda. Yno, mewn lle addas iawn yng nghysgod Aneurin Bevan, bûm yn amlinellu'n rhaglen ar gyfer y gwasanaeth iechyd. Daeth nifer o bobl ynghyd oedd yn gweithio yn y gwasanaeth iechyd, i'm holi'n fanwl am ein polisïau. Llawn cystal fod hoelion wyth fel Dr Dai Lloyd a Dr Dafydd Huws wrth law i'm helpu i ateb.

Roedd y gyfres o werth mawr i mi'n bersonol, gan ei bod wedi fy ngorfodi i feistroli manylion ein polisi. Rhoddodd hyn nerth i mi wrth ddelio â chwestiynau a chyfweliadau'r wasg a theledu trwy gydol yr ymgyrch. Ychwanegodd sylwedd i'n hymgyrch, gan greu'r ddelwedd o blaid oedd yn aeddfed i lywodraethu.

O gofio rhai o rwystredigaethau ymgyrchoedd blaenorol fe ofalais y tro hwn fod gennym dîm cryf yn trefnu fy rhaglen ymgyrch o awr i awr. Roeddwn yn ffodus o gael Llŷr Huws Gruffydd fel gofalwr personol i mi a Nia Jeffreys, o'n tîm Seneddol, fel cyswllt y wasg. Roedd y ddau, ynghyd â rota o yrwyr car, gyda mi drwy gydol yr ymgyrch, ac yn cydweithio â'r tîm yn ein pencadlys o dan arweinyddiaeth Karl Davies.

Dyma etholiad lle'r oedd technoleg wedi cyrraedd lefel newydd eto. Yn y car wrth grwydro Cymru roedd gennym gymaint â phedwar ffôn symudol, ac weithiau byddai pedwar ohonom yn siarad arnynt ar yr un pryd! Roedd gennym gyfrifiadur bychan fel y gellid anfon datganiad i'r wasg drwy e-bost dros y ffôn symudol wrth deithio o un cyfarfod i'r llall. Cawsom ein *battle bus* moethus trwy garedigrwydd Clayton Jones, Pontypridd. Ar adegau byddem yn cludo'r wasg gyda ni yn y bws o fan i fan; rhoddai hyn gyfle i mi drafod agweddau o'r ymgyrch mewn mwy o ddyfnder gyda gohebwyr. Roedd y tîm yn un hapus a phob un ohonom ag atgofion i'w hadrodd.

Un diwrnod sy'n aros yn fy nghof yw dydd Llun olaf yr ymgyrch. Roedd yn Ŵyl Fai, ac aethom ar y bws i ffair enfawr ym Mharc Singleton, Abertawe; buom yno am ryw awr yn crwydro ym mysg y miloedd, ysgwyd ambell law, sgwrsio ac ati.

Mae gennyf achos i gofio'r achlysur am sawl rheswm. Y cyntaf oedd i mi lwyddo, am yr unig dro yn fy mywyd, i daro coconyt gyda phêl. Cofiais am 1974, pan oedd lwc wedi troi o'm plaid wrth imi ennill sawl raffl cyn yr ymgyrch lwyddiannus i San Steffan. Roedd yn stori dda i'r wasg hefyd a thynnwyd lluniau wrth y stondin goconyt.

Yr ail reswm dros gofio'r prynhawn oedd i rywun achwyn wrth Gyngor Abertawe ein bod ym Mharc Singleton a rhyw fân swyddog yn y Cyngor yn mynnu'n bod yn gadael oherwydd ein bod yn troi'r ffair yn 'achlysur gwleidyddol'. Ysgwn i a fydden nhw wedi ymateb felly pe bai Neil Kinnock neu Tony Blair wedi galw heibio? Roedd y cyfan yn fy atgoffa o gastiau'r hen Blaid Lafur pan oeddwn yn gynghorydd ym Merthyr. Cawsom rybudd y byddai'r Heddlu'n cael eu galw onid oeddem yn gadael. Diolch, Abertawe, am y croeso! Felly bu'n rhaid i mi ymlwybro'n araf, coconyt yn fy llaw, yn ôl i'r bws, gan ddal i ddweud 'Helô' wrth bawb oedd yn mynd heibio, nes creu anniddigrwydd i Hitleriaid bach y Parc a oedd yn ceisio'n hebrwng oddi yno.

Dyma ni'n cyrraedd y bws o'r diwedd. Och a gwae!

Roedd y bws wedi mynd yn sownd yn y mwd, wrth geisio troi'n ôl i adael y Parc! Bu rhaid cael tractor i'w dynnu allan. Ac wrth i ni loetran yno, yn disgwyl am y tractor, gyda swyddogion y Parc yn dal i sefyll o gwmpas yn ddrwgdybus, dyma gamera teledu'n ymddangos. Haleliwia! Y peth olaf mae unrhyw ymgeisydd eisiau yw camera teledu i'w ddangos yn cael ei gicio allan o ffair, neu'n waeth fyth, fod ei ymgyrch wedi suddo yn y mwd! Fe lwyddais i gyfarfod y criw teledu cyn iddyn nhw weld y bws, a thynnwyd ambell lun ohonof yn ysgwyd llaw a chusanu babis; doedd swyddogion y Parc, chwaith, ddim eisiau cael eu ffilmio'n fy nhaflu allan!

Felly, ar ôl ychydig funudau, penderfynais mai'r peth callaf i'w wneud oedd diflannu. Dyma fi'n ei bachu hi o'r golwg pan nad oedd neb yn edrych ac yn ymgilio i eistedd ar fainc y tu ôl i lwyni. Bûm yno am ryw hanner awr, nes bod y tractor wedi llwyddo i ryddhau'r bws, gan ddefnyddio'r amser i wneud ambell alwad ffôn. Feddyliais i ddim mwy am y digwyddiad wrth i ni yrru ymlaen i gyfarfod â Helen Mary Jones yn yr etholaeth drws nesaf, Llanelli, a chrwydro gyda hi o amgylch ffair arall lle'r oedd teimlad rhyfeddol ein bod am gael canlyniad da.

Wythnosau wedi'r etholiad, adeg yr Eisteddfod Genedlaethol yn Llangefni, daeth digwyddiad y parc yn Abertawe yn ôl fel taran. Cefais ar ddeall fod si o amgylch i'r perwyl fy mod wedi cael fy ngweld yn Abertawe, adeg yr etholiad, yn loetran o gwmpas yn chwilio am gwmni gwrywgydiol! Chwerthinllyd ac anhygoel, ie, ond cofier fod hyn lai na blwyddyn ar ôl helynt Ron Davies mewn parc yn Llundain. Roeddwn wedi dychryn – nid yn lleiaf oherwydd i un o arweinwyr y Blaid rybuddio fod papur dydd Sul ar fin cyhoeddi'r stori. Allwn i yn fy myw wneud pen na chynffon o'r busnes. Wedyn dywedodd aelod blaenllaw arall o'r Blaid ei fod yntau wedi clywed y stori – 'ryw si dy fod yn un o'r *gay haunts* mewn parc yn Abertawe adeg yr etholiad'! Roeddwn i yn fy nyblau pan sylweddolais darddiad y stori. Y fainc honno tu ôl i'r llwyni oedd y *gay haunt*! Y wers i bob gwleidydd yw hyn: holwch yn ofalus cyn eistedd ar fainc mewn parc!

Ond mae ochr arall, dduach i'r hanes. Mae'n adlewyrchu'r camliwio bwriadol y mae rhai gwleidyddion a newyddiadurwyr yn fodlon ei gredu; neu hyd yn oed ei greu a'i ledaenu. Deallais wedyn fod amryw o bobl ddigon parchus yn yr Eisteddfod yn sibrwd wrth ei gilydd. 'Glywsoch chi'r si am Wigley?' Pan soniais wrth gyfaill am y digwyddiad cefais ateb syml: '*What do you expect? That's politics!*' Os yw hynny'n wir am wleidyddiaeth, dim rhyfedd fod pobl gall yn cadw draw o'r fath garthle. Gwae ni os gadawn i wleidyddiaeth y Cynulliad suddo i'r fath gors.

* * *

Roedd yn rhaid ceisio cadw rhyw fath o gydbwysedd rhwng fy ngwaith cenedlaethol yn ystod yr Etholiad a chadw presenoldeb gartref yng Nghaernarfon. Gyda Llafur wedi codi eu pleidlais yn Etholiad '97, doedd wiw i mi gymryd yr etholaeth yn ganiataol. Roeddwn yn hynod ddiolchgar i Merfyn Jones-Evans, Richard Thomas a'r tîm ymgyrchu yn Arfon, am lwyddo i gadw momentwm yr etholiad a minnau'n absennol am gyfnodau hir.

Am y tro cyntaf bu defnydd eang o ganfasio ffôn yn ystod etholiadau 1999. Roedd Ieuan Wyn Jones yn argyhoeddedig mai'r dechneg hon oedd un o arfau cudd pwysicaf y Blaid Lafur yn eu buddugoliaeth ysgubol yn Etholiad 1997. Bu Ieuan yn sefydlu cyfres o ganolfannau ffonio i'r Blaid gyda Gareth Kiff a Robat Trefor yn trefnu'r gwaith manwl. Seiliwyd yr ymgyrch ffôn ar holiadur barn proffesiynol a gomisiynwyd gan y Blaid. Does dim dwywaith fod y technegau hyn wedi helpu'r Blaid i ganolbwyntio adnoddau mewn seddau enilladwy yng nghyfnod olaf yr ymgyrch.

Nid peth rhad yw rhedeg etholiad o'r fath. Roeddem yn ddigon ffodus i fod wedi derbyn symiau sylweddol o arian o ewyllysiau dwy o gefnogwyr hael y Blaid, sef y ddiweddar Fonesig Enid Parry, Bangor a'r ddiweddar Mrs Siani Roberts, Pwllheli. Heb eu haelioni nhw fyddai dim gobaith i ni fod wedi rhedeg ymgyrch sylweddol fel a wnaed yn 1999. Diolch i gewri'r Blaid yn y gorffennol, fel y diweddar Elwyn Roberts, am weld gwerth ewyllysiau i'r mudiad flynyddoedd maith yn ôl. Credaf y byddai Elwyn, a'r ddwy aelod hael a fu farw ychydig cyn etholiad cynta'r Cynulliad, wedi ymfalchïo fod eu cyfraniad yn allweddol i'r Blaid ar adeg mor dynged-fennol i Gymru.

* * *

Yn ganolog yn etholiad 1999 roedd yr helynt ynglŷn ag arweinyddiaeth y Blaid Lafur. Doedd Alun Michael ddim yn cael ei weld yn arweinydd cryf. Yn bwysicach, efallai, cafodd ei weld fel 'ci bach Tony Blair'. Nid dyma'r dyn y dymunai aelodau'r Blaid Lafur ei gael fel eu harweinydd yng Nghymru.

At hyn gellid ychwanegu un ansicrwydd arall. Roedd amheuaeth a fyddai Alun Michael yn aelod o'r Cynulliad o gwbl oherwydd ei fod ar restr rhanbarthol a heb etholaeth benodol. Pe bai hynny'n digwydd, gallai'r Blaid Lafur fod heb arweinydd i ffurfio llywodraeth. Gallai hynny olygu trydydd etholiad o fewn llai na dwy flynedd i ddewis arweinydd Llafur.

Mae'n anodd dweud faint o wahaniaeth a wnaeth personoliaeth Alun Michael i'r canlyniad. Ymddangosai i mi fod llawer mwy o broblem yn deillio o'r ffaith nad oedd wedi cael amser digonol i lunio'i raglen nac i gytuno gyda Tony Blair ar y math o bolisïau gwahanol y gellid eu dilyn yn y Cynulliad. Roedd holl ddelwedd y Blaid Lafur yn un niwlog ac yn brin o hyder.

Efallai mai dyna paham yr oedd yr *odds* betio, yn ôl y bwci, Jac Brown, yn hynod o ffafriol i mi ar gyfer bod yn Brif Ysgrifennydd cyntaf Cymru: Dafydd Wigley (5-2) ar gynffon Alun Michael, *Llafur* (6-4 *on*); Mike German, *Dem. Rhydd.* (80-1); Rod Richards, *Tori* (100-1).

* * *

Bûm yn ymweld â bron pob etholaeth yng Nghymru yn ystod yr ymgyrch. Cafwyd rhai cyfarfodydd hynod, gan gynnwys un arbennig yn Neuadd y Ddinas yng Nghaerdydd a'r lle dan ei sang. Fel bob amser, cafwyd cyfarfod brwdfrydig yn Etholaeth Dwyrain Caerfyrddin a Dinefwr. Cofiaf hefyd deimlo 'newid yn y gwynt' wrth gerdded ar hyd Stryd Fawr y Coed Duon yn Etholaeth Islwyn. Dyna pryd y tynnwyd un o luniau cofiadwy'r etholiad, a minnau'n lladd fy hun yn chwerthin wrth siarad â dynes leol: roedd hi newydd fy nghyfarch gyda'r geiriau 'I know you! Don't tell me! Yes – it's Don Touhig!' Don Touhig wrth gwrs oedd Aelod Seneddol Llafur yr ardal!

Cefais hefyd gyfle i gymryd rhan mewn nifer o raglenni teledu, ac yn un o'r rheini, ar y nos Fawrth olaf yng Nghaerdydd, y gadawodd Alun Michael y gath o'r cwd ynglŷn â diffyg sicrwydd arian ar gyfer rhaglen Amcan Un. Mwy am hyn yn nes ymlaen.

* * *

Erbyn diwedd yr ymgyrch roedd yn amlwg fod pethau'n mynd yn dda i ni. Doedd y cyfri llawn ddim yn digwydd ar ddiwrnod yr etholiad. Ond roedd cyfle i weld ffordd oedd y gwynt yn chwythu wrth i'r blychau gael eu hagor y noson honno i wahanu papurau pleidleisio'r etholaeth, y pleidleisio rhanbarthol a'r pleidleisiau llywodraeth leol. Yng Nghaernarfon gwelais arwyddion yn weddol fuan fod y patrwm yn dra gwahanol yn 1999 i'r hyn a welwyd yn Etholiad Cyffredinol 1997 pan gefais y fath fraw. Roedd yn amlwg o'r dechrau y byddai mwyafrif Plaid Cymru'n sylweddol y tro hwn. Yn wir, prif ddiddordeb y noson oedd yr etholiad lleol yn ward Pen-y-groes, lle roedd gan ein harweinydd gweithgar, y Cynghorydd Alun Ffred Jones, gryn frwydr ar ei ddwylo i gadw'r sedd.

Yn ystod y nos daeth newyddion syfrdanol i'n clustiau – ein bod yn gwneud yn hynod o dda yn Islwyn, Llanelli a'r Rhondda. Drannoeth, pan es i Neuadd y Ganolfan Hamdden yng Nghaernarfon ar gyfer cyfri'r pleidleisiau, cefais fraw arall. Daeth cyfaill o'r BBC ataf a dweud fod si gref ein bod yn ennill Cwm Cynon a Phontypridd. Teimlas ias oer yn mynd i lawr fy nghefn. Ymddengys bod rhai oedd yn fy ngwylio drwy gamerâu'r BBC, oedd yn darlledu'n fyw o Gaernarfon, yn sylwi fy mod wedi troi'n welw. Ac nid heb reswm. Os oeddem yn wir yn ennill y ddwy sedd hyn, yn ychwanegol at y Rhondda, Islwyn a Llanelli, byddai'n arwydd fod y Blaid yn ysgubo drwy'r Cymoedd.

Pe bai hynny'n digwydd, ni fyddai'r blaid fwyaf yn y Cynulliad; ar fy ysgwyddau i y byddai'r cyfrifoldeb o ffurfio llywodraeth. Gwyddwn nad oeddem yn barod am hynny. Doedd dim digon o brofiad yn ein tîm. Nid oeddem chwaith wedi cwblhau'n gwaith cartref o safbwynt blaenoriaethau o fewn ein rhaglen. Roedd yn ormod o naid, o fod yn blaid fach ar lwyfan Prydeinig i lywodraethu gwlad. Cofiais yr hyn a ddigwyddodd i ni ar Gyngor Merthyr yn 1976: ysgubo i rym, ac allan ar ein cefnau o fewn tair blynedd. Yr oedd rheswm da dros yr ias oer.

Fel yr âi'r diwrnod yn ei flaen, deuai'n amlwg ein bod wedi gwneud yn eithriadol o dda ond ddim yn ddigon da i ffurfio llywodraeth. Yng Nghaernarfon roedd y canlyniad yn foddhaol iawn. Roeddwn wedi cadw'r sedd efo'r ganran uchaf o'r bleidlais yn yr wyth etholiad a sefais yn yr etholaeth. Y canlyniad oedd:

Dafydd Wigley *(Plaid Cymru)*	18,748	65.8%
Tom Jones *(Llafur)*	6,475	22.7%
Bronwen Naish *(Tori)*	2,464	8.7%
David Shankland *(Dem. Rhydd.)*	791	2.8%

Ar ôl cwblhau'r cyfri a rhes o gyfweliadau, aeth Elinor a minnau adref i weld gweddill y canlyniadau ar y teledu. Roeddem adref mewn pryd i weld tri chanlyniad pwysig iawn i ni. Yn gyntaf, gweld Helen Mary Jones yn bownsio dros y llwyfan yn Llanelli ar ôl cipio'r sedd. Yna gweld canlyniad rhyfeddol Conwy gyda Gareth Jones yn cael mwyafrif o 114 dros Lafur ar ôl ail gyfri. Yn olaf, cael y canlyniad yr oeddem yn disgwyl amdano – sef rhestr y Canolbarth a'r Gorllewin, a gweld fod Cynog wedi ennill sedd.

Roeddwn wedi amau llawer a fyddai Cynog Dafis yn y Cynulliad, gan iddo ildio'i sedd yng Ngheredigion i 'rywun iau', sef Elin Jones. Dim ond ar ôl cryn berswâd y cytunodd Cynog i sefyll o gwbl. Roedd yn ail ar y rhestr ranbarthol. Byddai ei bresenoldeb yn y Cynulliad, ei allu a'i 'hen ben' yn allweddol bwysig i ni. Pan ddaeth ei fuddugoliaeth i'n clustiau fe ddadgorciwyd y siampên am y tro cyntaf.

Ond nid ein siampên ni yn Hen Efail oedd newyddion y noson. Y darlun a saif yn y cof oedd canlyniad Islwyn – hen sedd Neil Kinnock – gydag aelod newydd Plaid Cymru, Brian Hancock, yn tywallt siampên Islwyn dros bennau pawb o fewn ei gyrraedd, fel pe bai wedi ennill ras Grand Prix. Roedd gan Bleidwyr Islwyn yr hawl i ddathlu, ac un o gadarnleoedd Llafur yng Ngwent wedi disgyn i'r Blaid.

O Went hefyd y daeth un o hanesion doniolaf y noson. Roedd fy hen gyfaill, Phil Williams, yn ymgeisydd ym Mlaenau Gwent, yntau hefyd yn ail ar ein rhestr ranbarthol ar gyfer Dwyrain De Cymru. Oherwydd y system, po fwyaf o seddi etholaethol y byddem yn eu hennill, lleiaf fyddai'r siawns o gipio seddi rhanbarthol.

Roedd Phil wedi dod i mewn i'r etholiad yn isel ei obeithion. Pe caem un sedd yng Ngwent, byddai'n gamp. Yna pan glywodd sibrydion ar y nos Iau fod ein pleidlais ranbarthol yn uchel cododd ei obeithion ac aeth i mewn i'w gyfri yng Nglynebwy mewn hwyliau da. Gwelodd nad oedd wedi llwyddo yn yr etholaeth honno, ond roedd gobaith iddo o hyd fel yr ail enw ar y rhestr ranbarth. Efallai y gallem, wedi'r cyfan, gael dwy sedd ranbarthol.

Yna daeth canlyniad Islwyn, pilsen chwerw-felys i Phil. Er mor felys iddo oedd llwyddiant Brian Hancock, roedd yn ergyd i'w ragolygon ei hun. Roedd yn ymddangos y byddem yn ennill dwy sedd yng Ngwent – Jocelyn Davies, ar frig y rhestr ranbarthol, a Brian Hancock yn Islwyn. Roedd ennill tair sedd y tu hwnt i'n gobeithion. Felly ar ddiwedd ei gyfrif yng Nglynebwy trodd Phil Williams yn ddigon penisel i chwilio am y cyfrif rhanbarthol, i ddangos wyneb heb ddisgwyl ennill sedd.

'Fe ofynnais ym mhle roedd y cyfri rhanbarthol i gael ei gynnal ac fe ddwedon nhw mai yng Nghanolfan Chwaraeon Trecelyn,' meddai Phil Williams wrth adrodd y stori. 'Felly fe es i'r car a gyrru i lawr yno, ac ar ôl chwilio am le i barcio fe es i mewn. Ac yn wir roedd yna bleidleisiau'n cael eu cyfri yno, ond ar gyfer Cyngor Caerffili, nid y Cynulliad. Ar ôl rhagor o holi fe ges wybod taw yng Nghanolfan Hamdden Casnewydd y dylsen i fod, nid yn Nhrecelyn. Felly, bant â fi yn y car i Gasnewydd.

'Pan gyrhaeddais i yno roedd y lle bron yn wag. Dim ond ychydig o lanhawyr oedd ar ôl, yn ysbugo'r llawn. Fe es i at un o'r gweithwyr Cyngor a gofyn, braidd yn betrusgar, ai yma oedd y cyfri yn digwydd. *"Sure,"* meddai un. *"But it finished a long time ago and everyone's gone home."*

'Roeddwn i'n meddwl y byddai'n ddiddorol cael gwybod beth oedd y canlyniad,' meddai Phil, oedd yn argyhoeddedig nad oedd o ymhlith y buddugwyr. 'Felly fe ofynnais i'r gweithwyr, *"How did it go then?"*

'"*Oh! fine,*" meddai un ohonynt, *"Except for some Professor guy who didn't turn up for the count and won a seat!"*'

A dyna sut y dysgodd yr Athro Phil Williams, ar ôl sefyll a cholli dros y Blaid mewn chwe etholiad Seneddol, ei fod o'r diwedd wedi ennill y bwysicaf o bob ymgyrch. Roedd yn aelod o'r Cynulliad Cenedlaethol.

* * *

Roedd y canlyniad yn un bendigedig i ni. Roeddem wedi ennill 17 sedd, ac wedi cael 28% o'r bleidlais yn yr etholaethau. Y canlyniadau llawn oedd:

	Nifer seddi	**% o'r bleidlais ranbarthol**
Llafur	28	35.5
Plaid Cymru	17	30.6
Torïaid	9	16.5
Dem. Rhydd.	6	12.5

Felly roedd Llafur dair sedd yn brin o fwyafrif dros bawb. Golygai hynny y byddai'n rhaid iddynt greu clymblaid neu wneud cytundeb aml-bleidiol i lywodraethu trwy gytundeb. Byddai gan Blaid Cymru le canolog yn y trafodaethau i ffurfio llywodraeth a chryn ddylanwad o fewn y Cynulliad. Plaid Cymru oedd yr wrthblaid ffurfiol.

Yr un mor bwysig i mi oedd y ffaith fod cymaint o hen gyfeillion wedi cael sedd yn ein Cynulliad Cenedlaethol. Roedd Janet Davies yno: cofiais ei gweld yn ei dagrau pan oedd pethau'n edrych yn ddu arnom noson y refferendwm. Roedd Owen John Thomas o Gaerdydd yno: os gweithiodd unrhyw un yn ddiflino dros y Blaid a thros Gymru, Owen John oedd hwnnw. Fel cymaint o'r hoelion wyth roedd wedi sefyll mewn etholiadau lle nad oedd gobaith ennill, ac wedi cerdded trwy wynt a glaw heb ddisgwyl unrhyw wobr heblaw hyrwyddo achos Cymru. Roedd Phil Williams yno: prin y gwnaeth neb gyfraniad tebyg i un Phil dros y blynyddoedd; roedd ar y Cynulliad wir angen ei allu rhyfeddol. Roedd Geraint Davies yno, cynghorydd o'r Rhondda a safodd yn erbyn treth y pen pan oedd cynghorwyr Llafur y cwm yn fodlon ildio i drefn Thatcher. Roedd Pauline Jarman yno, yn dathlu buddugoliaeth ddwbl, gan iddi ddod yn Arweinydd Cyngor Rhondda Cynon Taf ar yr un diwrnod. Roedd Pauline yn hen ffrind o'r dyddiau pan oeddwn i'n gynghorydd ym Merthyr yn y saithdegau.

Roeddwn yn siomedig fod cyfeillion eraill wedi boddi yn ymyl y lan. Roedd Phil Richards wedi dod o fewn 677 pleidlais i ennill Cwm Cynon, a methodd Bleddyn Hancock, arweinydd y glowyr o 1575 pleidlais ym Mhontypridd. Er hynny roedd yn noson anhygoel i'r Blaid, ac i minnau. Roedd yn agor cyfnod newydd yng ngwleidyddiaeth Cymru.

Roedd gennym hefyd wynebau newydd i ychwanegu dyfnder i'n presenoldeb yn y Cynulliad. Roedd Gareth Jones wedi ennill Conwy oherwydd y parch aruthrol tuag ato yn Llandudno yn ogystal â'r gefnogaeth a gafodd ym Mangor a Dyffryn Ogwen. Fel cyn-brifathro ar ysgol enwog John Bright roedd ganddo rywbeth arbennig i'w gyfrannu i Bwyllgor Addysg y Cynulliad. Ac roedd Janet Ryder, ein hymgeisydd ar restr Gogledd Cymru, wedi ennill sedd – Saesnes oedd wedi dod i fyw i Ruthun o Sunderland lai na deng mlynedd ynghynt. Roedd yn hynod bwysig i'r Blaid, yn ogystal ag i Ogledd Ddwyrain Cymru, ein bod yn gallu dangos fod lle blaenllaw i bobl fel Janet Ryder o fewn y Gymru newydd. Aelod rhanbarthol arall dros y De Ddwyrain oedd Jocelyn Davies o Drecelyn. Pan gafodd hi ei hethol i'r Cynulliad, roedd ar ganol gwneud gradd yn y gyfraith, fel myfyrwraig aeddfed, yn Rhydychen. Daeth Jocelyn yn un o sêr y Cynulliad. O'r diwedd roedd Rhodri Glyn Thomas wedi ennill sedd, ar ôl brwydro mor galed i adennill hen sedd Gwynfor Evans yng Nghaerfyrddin dros y Blaid yn San Steffan. Daeth Dr Dai Lloyd, meddyg teulu yn Abertawe â phrofiad uniongyrchol o'r sector iechyd, daeth Brian Hancock â phrofiad o redeg busnes bach, a daeth Elin Jones a llais y genhedlaeth ifanc i fewn i'n rhengoedd.

Y tri chanlyniad a darodd y penawdau oedd ein buddugoliaethau yn y Rhondda (Geraint Davies), Llanelli (Helen Mary Jones) ac Islwyn (Brian Hancock). Roedd y rhain wedi siglo Llafur i'w seiliau, ac aeth y neges o amgylch y byd.

Yn amlwg byddai cryn bwysau ar ysgwyddau rhai o'r

hen lawiau, fel Ieuan Wyn Jones, Dafydd Elis Thomas, Cynog Dafis a minnau. Ond am y tro cyntaf, roedd gennym dîm sylweddol o aelodau, tîm galluog ac amrywiol. Ni allwn fod wedi disgwyl gwell.

* * *

Bu llwyddiant ysgubol hefyd yn etholiadau Cynghorau Unedol a Sirol Cymru. Cadwodd y Blaid reolaeth dros Gyngor Gwynedd, gyda 43 cynghorydd allan o gyfanswm o 83 sedd. Llwyddodd Alun Ffred i gadw'i sedd gyda 14 o fwyafrif. O wybod am gyfraniad aruthrol Alun Ffred i'r Cyngor mae weithiau'n anodd deall diffyg gwerthfawrogiad yr etholwyr. Canlyniad llawn Cyngor Gwynedd oedd:

Plaid Cymru	43 sedd
Annibynnol	20 sedd
Llafur	12 sedd
Dem. Rhydd.	6 sedd
Arall	2 sedd

Os oedd canlyniadau Gwynedd yn galondid, roedd rhai Rhondda Cynon Taf yn syfrdanol. Fe welir maint y fuddugoliaeth wrth gymharu'r sefyllfa gyda'r etholiad blaenorol yn 1995:

	1995	1999
Llafur	56	26
Plaid Cymru	14	42
Annibynnol	4	5
Democratiaid Rhyddfrydol	0	2
Eraill	1	0

Roedd Llafur wedi colli rheolaeth RCT am y rheswm syml iddyn nhw wneud smonach llwyr o'u cyfnod yn llywodraethu. Roedd y Cyngor y nesaf peth i fod yn fethdalwyr, ac yn rhedeg ar golled o £11 miliwn y flwyddyn. Dim rhyfedd fod yr etholwyr wedi cael llond bol. Tra oedd Llafur yn rheoli roedd ganddyn nhw dri char swyddogol crand gyda *chauffeur* i'w gyrru. Pan agorwyd y cwpwrdd diod yn ystafell y Cadeirydd, cafwyd gwerth £2,500 o ddiodydd yno, y trethdalwyr wedi talu amdanynt ar gyfnod pan oedd y Cyngor yn cau cartrefi henoed oherwydd prinder arian. Roedd Llafur wedi talu pris haeddiannol am eu hesgeulustod. Byddai adfer y sefyllfa yn her enfawr i Pauline Jarman a thîm Plaid Cymru. Beth bynnag am hynny, roedd hi'n fuddugoliaeth aruthrol i'r Blaid ar y noson. Roedd y ddaeargryn dawel wedi taro eto.

Cafwyd canlyniad yr un mor ysgubol yng Nghaerffili, lle'r arweiniodd Lindsay Whittle dîm y Blaid i fuddugoliaeth arall. Y canlyniad yng Nghaerffili oedd:

Plaid Cymru	38 sedd
Llafur	28 sedd
Rhydd. Dem.	3 sedd
Annibynnol	4 sedd

Roedd y canlyniad hwn yn wobr i waith caled Lindsay a'i gyd-Bleidwyr fel John Taylor, Malcolm Parker, Phil Bevan a Judith Pritchard. Ar ôl ymgyrchu'n ddyfal am genhedlaeth roedden nhw ar fin llywodraethu eu cyngor a'u bro.

Drwy Gymru enillodd y Blaid 204 sedd ar ein Cynghorau, cynnydd o 91 sedd. Roedd ein tacteg o redeg etholiad y Cynulliad a'r Cynghorau, gyda'i gilydd, wedi talu ar ei ganfed. Am y tro cyntaf erioed yr oedd gan Blaid Cymru 'bleidlais dros y Blaid' a hynny dros Gymru gyfan.

* * *

Chwe wythnos yn ddiweddarach, cynhaliwyd yr etholiadau Ewropeaidd. Roedd yn hanfodol i ni gadw'n momentwm, a chael tîm o Aelodau Plaid Cymru yn Senedd Ewrop ar ôl ugain mlynedd o ymdrechu'n aflwyddiannus, gan gynnwys fy methiant innau yn sedd Gogledd Cymru yn 1994.

Y tro hwn roedd cyfundrefn bleidleisio newydd mewn grym. Un etholaeth fawr oedd Cymru gyfan, gyda phum sedd yn cael eu hethol drwy drefn gyfrannol (PR).

Dewiswyd ymgeisyddion Plaid Cymru mewn cynhadledd arbennig yn Aberystwyth. Bu cystadleuaeth frwd, ac fe benderfynwyd ar y rhestr yn y drefn ganlynol: Jill Evans (Rhondda), Eurig Wyn (Arfon), Marc Phillips (Caerdydd), Sue Perkins (Aberystwyth) ac Owain Llywelyn (Pontypridd). Mae'n deg nodi i Jill Evans wneud cyflwyniad ysgubol pan enillodd y lle cyntaf, yn haeddiannol, ar ein rhestr.

Yn naturiol roedd Marc Phillips, Cadeirydd Cenedlaethol y Blaid, yn siomedig. Roedd Eurig Wyn hefyd yn teimlo fod ei gyfle i gyrraedd Senedd Ewrop wedi diflannu. Tybiai y byddai'n amhosib i ni ennill mwy nag un sedd. Ceisiais innau ei berswadio fod ail sedd yn gwbl bosib ac y dylai fwrw iddi gyda'r un brwdfrydedd ac angerdd â phe bai ar frig y rhestr. Cyfaddefodd Eurig ar ôl yr Etholiad ei fod yn meddwl mai fi oedd yr unig berson yng Nghymru a gredai y gallai gael sedd yn Senedd Ewrop ac yntau'n ail ar restr y Blaid! Ond chwarae teg i Eurig, fe fwriodd i mewn yn egnïol i'r gwaith ac fe gafodd ei wobr.

Prif nodwedd yr etholiad trwy Brydain oedd diffyg diddordeb yr etholwyr. Yng Nghymru roedd perygl o *voter fatigue* gan fod yr ymgyrch yn dilyn mor fuan ar ôl etholiadau'r Cynulliad.

Ceisiais innau godi proffeil yr ymgyrch, a chreu cysylltiad ym meddyliau'r etholwyr rhwng yr etholiad hwn â'n llwyddiant fis ynghynt gyda'r Cynulliad. Bu cyfle i wneud pwynt yn y Cynulliad pan ddefnyddiodd Aelod Llafur Torfaen, Lynne Neagle, ddadl fer i ymosod ar y Blaid yng nghyd-destun etholiad Ewrop.

Pan wrthododd Ms Neagle adael i mi ymyrryd i ateb yr ymosodiadau ar ran y Blaid, datganais mewn llais uchel a glywyd gan y Cynulliad oll, nad oedd gennyf unrhyw fwriad i aros i wrando ar y fath sothach. Codais fy mhapurau i adael y siambr. Er fy syndod dyma weddill tîm y Blaid ar eu traed yn fy nilyn tua'r drws. Heb air o ymgynghori, roeddem wedi cynnal *walkout* cyntaf y Cynulliad!

Cyrhaeddodd hyn y penawdau, ond doedd pawb ddim yn hapus. Roedd rhai o aelodau blaenllaw y Blaid yn teimlo nad oedd y fath 'antics' yn gweddu i siambr y Cynulliad. Efallai'n wir. Ond os oes perygl i'r Blaid gael cam, mae'n rhaid codi llais. Dyma'r hyn a wnes yn Nhŷ'r Cyffredin – gan gasglu cerdyn coch ddwywaith gan Ddirprwy Lefarydd y Tŷ, a chael fy ngwahardd am gyfnod o'r Senedd. Nid yw'n rhan o'm cyfansoddiad i roi parchusrwydd unrhyw sefydliad o flaen lles y Blaid a Chymru.

Ni wnaeth y brotest unrhyw niwed i'n hymgyrch ar gyfer Senedd Ewrop. Os rhywbeth, llwyddodd i droi'r ffocws ar y Blaid fel yr unig wrthwynebiad effeithiol i Lafur.

Profwyd hynny pan ddaeth y canlyniadau ar y Sul dilynol, 13 Mehefin. Lleisiau newydd Cymru yn Senedd Ewrop oedd Glenys Kinnock (Llafur), Jill Evans (Plaid Cymru), Eluned Morgan (Llafur), Jonathan Evans (Ceidwadwr) ac Eurig Wyn (Plaid Cymru).

Roedd Eurig, yn ogystal â Jill, i mewn. Dyma ganlyniad ysgubol eto i'r Blaid, oedd wedi llwyddo i gael 30% o'r bleidlais a dod o fewn 1,500 o bleidleisiau i gyfanswm y Blaid Lafur trwy Gymru. Cyn yr etholiad, Llafur oedd yn dal pob un o'r pum sedd yng Nghymru. Bellach roedd y Blaid wedi dal i fyny â nhw: dwy sedd yr un.

Roedd gennym, felly, ein tîm seneddol am y tro cyntaf yn Senedd Ewrop. Byddai'n cymryd ei le o fewn Cynghrair Rydd Ewrop, clymblaid o bleidiau cenedlaethol neu ranbarthol o'r cenhedloedd bychain a'r rhanbarthau hanesyddol yn Ewrop. Yn ehangach, byddem yn cydweithio o fewn Grŵp Gwyrdd y Senedd, rhywbeth addas iawn o gofio sut oedd Cynog wedi braenaru'r tir i sicrhau cydweithrediad rhwng Plaid Cymru a'r Blaid Werdd yn nechrau'r nawdegau.

Roedd y canlyniad hefyd yn dysteb i'r gwaith aruthrol a wnaeth Jill Evans, dros ugain mlynedd, wrth ddatblygu cysylltiadau Cymru ag Ewrop. Os oedd rhywun erioed wedi haeddu lle mewn Senedd, Jill Evans oedd honno.

Hi ddaeth yn arweinydd ar Blaid Cymru yn Senedd Ewrop ond yr oedd calon fawr Eurig hefyd yn rhan hanfodol o'r fuddugoliaeth.

O ystyried llwyddiant Plaid Cymru yn etholiadau'r Cynulliad, y Cynghorau Unedol a Senedd Ewrop, roedd etholiadau 1999 yn binacl i Blaid Cymru ar ddiwedd canrif. Roedd yn binacl hefyd i'm cyfnod innau fel Llywydd. Fyddai gwleidyddiaeth Cymru fyth yr un fath wedi 'daeargryn dawel '99'.

[1] *Egwyddorion Cenedlaetholeb*, Saunders Lewis: Ailargraffiad 1975 gan Blaid Cymru, t. 8 a t. 10.

[2] *Self-Government for Wales and the Common Market for the Nations of Britain*, Gwynfor Evans, 1960, t. 7.

[3] Cynhaliwyd y darlithiau hyn fel a ganlyn: Addysg, Bangor, 18.1.99; Economi, Caerdydd, 1.2.99; Amaeth a chefngwlad, Aberystwyth, 15.2.99; Iechyd, Tredegar, 2.3.99; Ewrop (Darlith Goffa Phil Henry), Abertawe, 13.3.99.

Agor y Cynulliad

Roedd Mai 1999 yn fis cynhyrfus. Wrth fynychu'r Cynulliad Cenedlaethol etholedig cyntaf erioed, roeddem yn creu hanes. Roedd gen i deimladau afreal ynglŷn â'r holl beth. Ar y naill law, Plaid Cymru oedd y brif wrthblaid; a minnau'n Arweinydd yr Wrthblaid. Ar y llaw arall, nid oedd gennym fawr o syniad beth oedd Llafur yn bwriadu ei wneud fel Llywodraeth, na sut yr oedden nhw am weithredu fel lleiafrif gyda 28 sedd allan o 60. Roedd y cynnwrf felly'n gymysg ag ansicrwydd.

Roedd gennym dîm o 17 AC a byddai'n rhaid creu trefn ar unwaith. Byddem yng nghanol bwrlwm gwaith y Cynulliad cyn pen dim, gan fod y pwerau llawn yn trosglwyddo o Lundain ar 1 Gorffennaf, 1999. Y peth cyntaf i'w wneud oedd cymryd y llw. Yn wahanol i San Steffan, fe wnaed hyn yn breifat gerbron gwas sifil o'r Cynulliad. Doedd dim lle i wneud unrhyw 'ddatganiad' ynglŷn â phriodoldeb y llw. P'run bynnag nid dyma oedd yr adeg i wneud hynny. Roedd yn rhaid cael y Cynulliad i weithio. Gan nad oedd gan Lafur fwyafrif, golygai hynny weithredu ar sail consensws.

Y dasg gyntaf yn y siambr oedd ethol Llywydd. Roeddwn wedi cytuno â Ron Davies, cyn iddo ymddiswyddo, y byddai'n briodol i'r 'Llefarydd' cyntaf ddod o blith yr ail blaid fwyaf yn y siambr, fel rhan o ymdrech i sicrhau na fyddai un blaid yn tra arglwydd-iaethu dros y Cynulliad.

Roedd Dafydd Elis Thomas bron â thorri'i fol eisiau'r

swydd, ac roeddwn innau'n gwbl sicr yn fy meddwl nad oedd fawr neb arall o fewn y Cynulliad gyda'r profiad, y gallu a'r bersonoliaeth i ymgymryd â'r dasg. Roedd hefyd yn bwysig fod y Llywydd cyntaf yn siarad Cymraeg. Yr unig un arall cymwys, yn fy marn i, oedd Rhodri Morgan.

Doedd pawb ddim yn fodlon fy mod yn gwthio enw Dafydd Elis Thomas gerbron. Cefais beth adwaith o fewn y Blaid. Roedd rhai heb faddau iddo am fynd i Dŷ'r Arglwyddi. Credai eraill na fyddai'n addas cael Arglwydd fel swyddog Llywyddol, er mai dyna sydd wedi digwydd hefyd yn yr Alban (David Steel) ac yng Ngogledd Iwerddon (John Alderdice). Rhybuddiodd un o gyn-ymgeisyddion Seneddol y Blaid fy mod yn creu pastwn ar gyfer fy nghefn fy hun drwy helpu Dafydd Elis Thomas yn ôl i'r briffordd wleidyddol. Gobeithiaf y dengys amser nad oedd sail i'r fath rybudd. Yr hyn oedd yn bwysig ar y pryd oedd cael Llywydd credadwy a allai wneud y gwaith, ac a fyddai'n adnabyddus i bobl Cymru.

Roedd ffactor bwysig arall wrth roi enw Dafydd Elis Thomas gerbron. Roedd angen Llywydd a fyddai'n ddigon cryf i wrthsefyll pwysau o gyfeiriad llywodraeth y dydd, boed honno yng Nghaerdydd neu yn Llundain. Er gwaethaf ambell wahaniaeth barn a fu rhwng Dafydd a minnau doedd gen i ddim amheuaeth o gwbl ynglŷn â rhoi ei enw gerbron y Cynulliad. Cafodd ei ethol yn unfrydol, gyda Jane Davidson (Llafur, Pontypridd) yn ddirprwy iddo.

Roedd hefyd angen creu trefn o fewn Grŵp Plaid Cymru yn y Cynulliad. Y penodiad allweddol oedd Trefnydd Busnes a fyddai'n gweithredu hefyd fel chwip.

Dyma'r sawl a fyddai'n cydweithio â Threfnydd Busnes y Llywodraeth a'r pleidiau eraill, i gytuno ar reolau'r Cynulliad (os nad oedden nhw eisoes wedi eu llunio gan weithgor John Elfed Jones), a hefyd y weithlen o wythnos i wythnos. Yn y cyswllt hwn doedd gen i ddim amheuaeth mai Ieuan Wyn Jones oedd y person priodol, oherwydd ei brofiad fel Chwip Seneddol yn Llundain. Yno roedd wedi dysgu pwysigrwydd y 'sianeli arferol', fel y cyfeirid yn y Senedd at y cysylltiadau rhyngbleidiol a weithiai drwy berthynas anffurfiol y Chwipiaid.

Creodd Ieuan o'i gwmpas 'dîm busnes' oedd yn cynnwys Cynog Dafis fel Cyfarwyddwr Polisi profiadol i'r Blaid, a dwy ddirprwy chwip, sef Elin Jones (Ceredigion) a Jocelyn Davies (De Ddwyrain Cymru). Doeddwn i ddim yn rhan o'r Grŵp hwn fy hun, ac awgrymodd rhai fy mod ar fai yn hynny o beth. Efallai eu bod nhw'n iawn. Ond cofiaf imi ddweud wrth Ieuan yn gynnar iawn yn oes y Cynulliad, fy mod yn gweld fy rôl fel Llywydd y Blaid yn un a fyddai'n golygu treulio amser oddi allan i'r Cynulliad, i gadw cysylltiad â'r Blaid yn y wlad, yn ogystal â chadw presenoldeb Seneddol. Y geiriau a ddefnyddiais oedd 'codi uwchben y gêm', er mwyn datblygu perspectif strategol. Roedd yn bwysig cofio mai un rhan o waith y Blaid ydi'r Cynulliad. Mae'n rhaid cadw'r ddysgl yn wastad rhwng ein tîm yno a'n cynrychiolyddion yn Senedd Ewrop, yn Nhŷ'r Cyffredin ac ar y Cynghorau Sirol. Dywedais wrth Ieuan fy mod yn dibynnu'n helaeth arno o safbwynt trefnu'r gwaith o ddydd i ddydd.

Mae'n werth nodi ein bod wedi credu cyn dyfodiad y Cynulliad, mai am ddau ddiwrnod yr wythnos y byddai'r

Cynulliad yn cyfarfod yn llawn yng Nghaerdydd, sef ar ddydd Mawrth a dydd Mercher. Byddai dydd Llun yn ddiwrnod etholaeth; felly hefyd dydd Iau a dydd Gwener, os na fyddai pwyllgorau gan yr Aelodau i'w mynychu. Disgwylid i'r Cynulliad, yn wahanol i'r Senedd, weithio i batrwm oriau a fyddai'n decach i deuluoedd, sef o naw y bore tan hanner awr wedi pump y pnawn. Bu peth beirniadaeth yn y cyfryngau, cyn sefydlu'r Cynulliad, mai gweithwyr rhan-amser, dau ddiwrnod yr wythnos, fyddai'r Aelodau. Dyna hefyd, gyda llaw, oedd asesiad y gweision sifil a luniodd amserlen ddrafft i Aelodau'r Cynulliad yn dangos beth oedd yn cael ei ragweld fel y patrwm gwaith.

Dyma ran o'r rheswm pam y credai'r tri ohonom oedd yn Aelodau Seneddol (Cynog, Ieuan a minnau) y gallem ymdopi am gyfnod yn gwneud y ddwy swydd – sef dydd Llun a dydd Iau yn Llundain, dydd Mawrth a dydd Mercher yng Nghaerdydd, a dydd Gwener a Sadwrn yn yr etholaethau. Roeddem wedi llwyr gamasesu'r baich gwaith a fyddai gan Aelodau'r Cynulliad, a beth a olygai o ran dyddiau ac oriau gwaith. Roedd gwaith y Cynulliad, o'r diwrnod cyntaf, yn waith amser-llawn – a mwy na hynny.

Yn y cyfnod cynnar hwn, roedd y Cynulliad yn cyfarfod am sesiynau llawn ar brynhawniau Mawrth a Mercher; byddai'r pwyllgorau ar fore Mercher a dydd Iau. Erbyn hyn fe newidiwyd y drefn, gan symud y sesiwn lawn o ddydd Mercher i fore Iau, i roi gwell cydbwysedd i'r wythnos ac i leihau dwysedd arffwysol y gwaith oedd yn rhedeg o fore Mawrth tan nos Fercher yn y drefn wreiddiol.

Mae hyn yn cyffwrdd â phroblem arall a wynebem, o ganlyniad i'r ffaith fod tri o'r pedwar Aelod Seneddol Plaid Cymru wedi ein hethol i'r Cynulliad. Roedd hyn yn gadael Elfyn Llwyd fel yr unig Aelod Seneddol amser-llawn yn San Steffan, ac yn rhoi baich afresymol o drwm arno. Roedd y sefyllfa'n wahanol i'r SNP. Roedd pob un o'u chwe AS nhw wedi cael eu hethol i Senedd yr Alban. Roedd ganddynt grŵp o 35 Aelod yn Senedd yr Alban, gydag Alex Salmond yn eu harwain. Daethant o dan feirniadaeth drom yn Llundain, ac yn y wasg Albanaidd, am beidio cael presenoldeb yn San Steffan yn y cyfnod wedi sefydlu Senedd yr Alban. Yn 2000, safodd Alex i lawr o arwain yr SNP yng Nghaeredin, er mwyn rhoi mwy o amser yn San Steffan. Fe barhaodd yno wedi Etholiad Cyffredinol 2001 gan roi'r gorau i'w sedd yn Senedd yr Alban.

Cawsom ninnau'n beirniadu hefyd, er bod Elfyn yn Llundain i chwifio'r faner ar ein rhan. Roedd y pwysau gwaith yn aruthrol ar y pryd, a chofiaf un wythnos yn nechrau Gorffennaf 1999 pan amcangyfrifais imi fod wedi gweithio 92 awr. Byddai'n well pe bai'r tri ohonom wedi ymddiswyddo ar unwaith o fod yn Aelodau Seneddol, i ganolbwyntio'n llwyr ar ein gwaith yn y Cynulliad. Dyna a wnaeth Cynog Dafis maes o law. Wnaeth Ieuan a minnau mo hynny, a bu raid inni'n dau dalu pris am y penderfyniad hwnnw mewn gwahanol ffyrdd. Peidio ymddiswyddo ar unwaith, gan herio Aelodau Llafur i wneud yr un peth, oedd y camgymeriad gwleidyddol mwyaf a wnes yn fy ngyrfa. Hawdd, wrth gwrs, yw gweld hyn wrth edrych yn ôl.

Sefydlwyd Grŵp Aelodau'r Blaid yn y Cynulliad, a

fyddai'n cyfarfod bob bore Mawrth i drafod ein gwaith. Cadeirydd cyntaf y Grŵp oedd Helen Mary Jones (Llanelli), gyda Janet Ryder (Gogledd Cymru) yn Ysgrifennydd. Ffurfiwyd Cabinet yr Wrthblaid i gynnwys yr Aelodau oedd yn arwain ar ein rhan ar y pwyllgorau; a hwnnw'n cyfarfod i drafod polisi am awr bob bore Mawrth, cyn y Grŵp llawn. Bu rhai problemau ynglŷn â'r drefn. Byddai peth o waith y Grŵp yn dyblygu'r hyn fyddai wedi digwydd yn y Cabinet. Roedd perygl hefyd i Aelodau nad oeddynt yn y Cabinet deimlo'u bod wedi eu 'gadael allan'. Newidiwyd y drefn yn ddiweddarach, o dan arweinyddiaeth Ieuan Wyn Jones, gyda'r Grŵp llawn yn trafod popeth. Gwendid y drefn yma yw ein bod yn methu cyd-drafod materion polisi mewn dyfnder, ac yn rhoi'r sylw pennaf i'r hyn sy'n digwydd o ddydd i ddydd, heb edrych ymlaen yn fwy strategol. Dal i deimlo'n ffordd ymlaen yr ydyn ni fel Plaid.

Roedd rhaid hefyd penodi'n haelodau i weithio ar chwe phwyllgor a sefydlwyd, gan dderbyn y byddai'n rhaid i'r Blaid gynnig cadeiryddion i ddau o'r pwyllgorau hynny. Byddai baich gwaith trwm iawn ar y cadeiryddion, a chydnabuwyd hyn yn 2001 drwy gynnig cyflog ychwanegol iddynt. Oherwydd ei brofiad ar Bwyllgor Amaeth Tŷ'r Cyffredin cynigiwyd Ieuan Wyn Jones fel Cadeirydd Pwyllgor Amaeth y Cynulliad. Yn y cyfnod pan wynebai cefn gwlad argyfwng aruthrol yn sgîl BSE roedd ei arweiniad yn nyddiau cynnar y pwyllgor yn amhrisiadwy. Daeth Cynog yn Gadeirydd y Pwyllgor 'Addysg dros 16 oed', a roddai gyfle iddo ddylanwadu ar y newidiadau mawr yn y gyfundrefn hyfforddi yng Nghymru, rhywbeth oedd yn agos iawn at ei galon.

Ar y dechrau bu Ron Davies yn gadeirydd Pwyllgor Datblygu'r Economi, ond fe'i symudwyd o'r swydd gan y Blaid Lafur oherwydd, fe dybiaf, ei fod yn ormod o ddraenen yn ystlys y llywodraeth. Ein llefarydd ni ar faterion datblygu'r economi oedd Dr Phil Williams ac fe sefydlodd drefn o gydweithio'n agos â Ron Davies ar y pwyllgor, rhywbeth oedd o fudd i'r Cynulliad ac i Gymru. Doeddwn i ddim ar yr un o'r pwyllgorau pwnc, er i mi eistedd i mewn ar y rhan fwyaf ohonynt i gael peth teimlad ynglŷn â'u gwaith. Cymerais y portffolio Cyllid fy hun, ond doedd yna ddim Pwyllgor Cyllid cyfatebol.

Mae hyn yn wendid mawr yng nghyfundrefn y Cynulliad, gan nad oes pwyllgor blaenoriaethau na strategaeth i gydlynu gwaith y pwyllgorau eraill. Fe wneir hyn o fewn y Cabinet, mae'n debyg, ond dim ond y blaid sy'n llywodraethu (neu'r glymblaid bellach) sydd â phresenoldeb yno. Felly mae'r syniad canmoladwy o fod yn hollgynhwysol wrth ffurfio blaenoriaethau polisi yn ddiffygiol yn y ffordd y mae'n cael ei weithredu.

Fel Llefarydd Cyllid cefais gyfle i gydweithio'n agos ag Edwina Hart AC, Gweinidog Cyllid y Llywodraeth, ac fe sefydlwyd cydweithrediad da rhyngom. Roedd hyn yn eithriadol o bwysig ar gyfer Cyllideb gyntaf y Cynulliad. Os na allai'r Llywodraeth gael eu cyllideb drwy'r Cynulliad, fydden nhw ddim yn gallu llywodraethu. Roedd y broses o drafod y Gyllideb yn rhoi cyfle i ni ddylanwadu, ac i bwyso am rai eitemau yr oedden ni'n eu gweld yn hanfodol. Dyma sut y llwyddwyd i symud ymlaen gydag arian ychwanegol i wella'r gwasanaeth rheilffyrdd rhwng de a gogledd gydag un trên ychwanegol bob ffordd yn ddyddiol. A dyma'r drefn a roddodd gyfle i ni ddiddymu tâl presgripsiwn ar gyfer rhai cleifion. Dyw'r Cynulliad ddim wedi sefydlu trefn foddhaol i oruchwylio gwariant. Yn ddiweddarach daeth i'r amlwg fod y Llywodraeth wedi tanwario dros hanner can miliwn o bunnoedd ar y gyllideb iechyd ac felly hefyd ar gyllideb datblygu'r economi. Os na allwn ddefnyddio'n hadnoddau cyfyngedig yn y modd mwyaf effeithiol, bydd y Cynulliad yn agored i feirniadaeth.

Dim ond am gyfnod byr y bu Ieuan yn cadeirio'r Pwyllgor Amaeth. Roedd y baich yn llawer trymach nag a ragwelai, ac roedd yn afresymol iddo wneud y gwaith hwn yn ogystal â gwaith Trefnydd Busnes a Chwip, tra'n parhau i gynrychioli Ynys Môn yn y Senedd. Penodwyd Rhodri Glyn Thomas yn Gadeirydd y Pwyllgor Amaeth yn ei le, ac yn ddiweddarach symudodd Rhodri Glyn i gadeirio'r Pwyllgor Diwylliant. Mae Rhodri Glyn wedi tyfu'n aruthrol fel gwleidydd ar ôl dod i'r Cynulliad. Mae'n un o'r Aelodau mwyaf gweithgar yno.

* * *

Roedd angen i ni hefyd benodi staff i hyrwyddo'n gwaith. Does gan Aelodau'r Cynulliad ddim adnoddau cyffelyb i rai'r Aelodau Seneddol yn San Steffan ar gyfer cyflogi staff ysgrifenyddol ac ymchwil. Roeddwn yn bersonol mewn sefyllfa ddigon ffodus: roedd gennyf yr arian Seneddol i gynnal fy swyddfa a staff yng Nghaernarfon, lle cyflogir dwy amser-llawn – Gwenda Williams a Judith Jones. Roedd dwy yn gweithio i mi yn y Cynulliad, Mererid Lewis fel ysgrifenyddes a Nia Jeffreys a rannai ei hamser rhwng y Cynulliad a Thŷ'r Cyffredin, fel cynorthwy-ydd i ofalu am y wasg a'r cyfryngau. Bu Nia gyda mi yn y Senedd am ddeunaw mis cyn sefydlu'r Cynulliad ac roedd ei chysylltiadau yn Llundain yn ogystal â Chaerdydd yn hynod werthfawr. Oherwydd fy mod mewn sefyllfa ffodus o ran staff, bu'n bosib i mi drosglwyddo'r cyfan o'r arian a glustnodir fel 'lwfans yr Arweinydd' (oedd i gyllido Swyddfa'r Arweinydd) i'w ddefnyddio at ddibenion y Grŵp. O ofyn i bob Aelod hefyd gyfrannu tua £7,000 allan o'u lwfans cynnal swyddfa, roedd modd i ni sefydlu cyfundrefn o staff proffesiynol amser-llawn i gynorthwyo gwaith y Grŵp.

Penodwyd chwech o ymchwilwyr yn ychwanegol at yr Arweinydd Ymchwil, Lila Haines. Sefydlwyd tîm o dri o staff gweinyddol o dan arweinyddiaeth Cath Adams, cyn-ymgeisydd y Blaid ar gyfer Senedd Ewrop. Penodwyd Emyr Williams yn Swyddog y Wasg.

Fu'r penodiadau hyn ddim heb eu helbulon. Cododd cwestiwn o fewn y Grŵp a oedd angen i Swyddog y Wasg fod yn ddwyieithog. Doedd dim rhaid i bob ymchwilydd na phawb o'r staff gweinyddol siarad y ddwy iaith, ond teimlwn ei fod yn gwbl hanfodol i Swyddog y Wasg allu cyfathrebu'n effeithiol yn Gymraeg a Saesneg. Aeth i bleidlais o fewn y Grŵp, ac enillais y dydd. Ond roedd y bleidlais ymhell o fod yn unfrydol, ac roedd yn arwydd o rai dadleuon pellach a fyddai'n codi o fewn y Blaid yn y cyfnod oedd i ddod.

Wedi i ni sefydlu'r drefn yma, roedd gennym dîm o staff oedd yn gryfach nag eiddo unrhyw blaid arall yn y

Cynulliad. Dywedai llawer o aelodau'r pleidiau eraill mor eiddigeddus oedden nhw o'n cyfundrefn. Roeddem hefyd yn gallu denu staff o ansawdd uchel. Ymgeisiodd dros gant am y swyddi ymchwil, y rhan fwyaf yn bobl ifanc ddisglair iawn. Roedd tua 40 ohonynt yn rhai y gallem yn hawdd fod wedi eu penodi. Tasg eithriadol o anodd oedd dethol chwech o'u plith. Roedd yn hyfryd sylweddoli y teimlai'r goreuon ymhlith talent ifanc Cymru yr awydd i ddod i weithio yn y Cynulliad ac yn benodol i weithio dros y Blaid.

Ar yr un pryd roedd angen i Aelodau newydd y Cynulliad sefydlu swyddfeydd yn eu hetholaethau i wasanaethu'r cyhoedd. Trwy'r swyddfeydd lleol y llwyddasom fel Plaid i greu enw da ym mhob un o'r etholaethau a gynrychiolwyd gennym yn Nhŷ'r Cyffredin. Roedd gan rai swyddfeydd eisoes, fel un Rhodri Glyn Thomas yn Rhydaman a Helen Mary Jones yn Llanelli. Dangosodd rhain y ffordd. Daeth Helen Mary i etholaeth nad oedd erioed wedi profi'r fath wasanaeth. Ar adegau bu Helen yn cynnal cymorthfeydd ddwywaith yr wythnos yn Llanelli, a'r rheini'n para hyd at bedair awr ar y tro.

Gwelais ffrwyth hyn wrth gerdded drwy Ganolfan Siopa Llanelli gyda Helen a Dyfan Jones, ein hymgeisydd Seneddol yn Etholiad San Steffan 2001. Daeth llu o bobl at Helen i ddiolch iddi am ei help. Dim rhyfedd i berfformiad y Blaid yn 2001 fod ar ei orau yn Nwyrain Caerfyrddin a Dinefwr, lle'r enillodd Adam Price y sedd, ac yn Llanelli lle torrwyd mwyafrif Llafur i ddim ond 5,000. Mae gwersi i'w dysgu yn rhai o'r etholaethau eraill.

Mater gwahanol yw sefydlu patrwm etholaethol ar gyfer Aelodau Rhanbarthol y Cynulliad. Mae gan y Blaid naw Aelod sy'n cynrychioli etholaethau unigol, ac wyth gyda seddi rhanbarthol. Mae'r seddi rhanbarthol hyn yn enfawr, ac mae'n anodd gwybod sut i leoli swyddfa a chynnal cymorthfeydd mewn modd synhwyrol i diriogaeth o'r maint. Yr enghraifft fwyaf anhylaw yw sedd y Canolbarth a'r Gorllewin, sy'n ymestyn o Eglwysbach, dair milltir o Fae Colwyn, i lawr i Ddinbych-y-pysgod; ac yn cynnwys y cyfan o Bowys o Langynog i Grughywel. Ble, yn enw pob rheswm, y mae Aelod Rhanbarthol fel Cynog Dafis i fod i leoli ei swyddfa? Ac ar ba sail a pha batrwm y mae i fod i wasanaethu'r etholwyr? Er gwaetha'r anawsterau hyn, fe welwyd aelodau rhanbarthol y Blaid yn torri tir newydd wrth i Jocelyn Davies agor swyddfa yng Nghasnewydd, Dai Lloyd yn Abertawe, Janet Ryder yn Wrecsam, Janet Davies ym Mhen-y-bont, a Phil Williams yn Nhredegar. Roedd hyn yn naid sylweddol ymlaen i'r Blaid o safbwynt ein darpariaeth leol.

* * *

Agorwyd y Cynulliad yn ffurfiol gan y Frenhines ar 26 Mai 1999. Roedd yn ddiwrnod cofiadwy, gyda gwasanaeth yn Eglwys Gadeiriol Llandaf yn y bore, seremoni agor y Cynulliad yn y Siambr yn y pnawn a chyngerdd anferthol yn y Bae gydag arddangosfa tân gwyllt gyda'r nos. Cafwyd hefyd ginio ym mhresenoldeb y Frenhines a Tony Blair i ddathlu'r achlysur.

Roedd patrwm yr agoriad yn wahanol iawn yng Nghaerdydd i'r rhwysg a welwyd yng Nghaeredin. Yno roedd y Frenhines wedi teithio drwy'r ddinas mewn cerbyd agored clasurol yn cael ei dynnu gan geffylau. Roedd y Lluoedd Arfog yn gorymdeithio gyda rhai miloedd o bobl ar y naill ochr i'r stryd.

Yng Nghaerdydd, yn gwbl fwriadol, roedd yr achlysur yn dawelach. Cofiaf drafod y cynlluniau ar gyfer y diwrnod gydag Alun Michael. Roedd yn teimlo, a chytunwn innau, na ddylem gystadlu â'r Alban, gyda'r milwyr a'r gynnau ac ati; fyddai hynny ddim yn gydnaws â'n traddodiadau yng Nghymru. Llawer gwell fyddai diwrnod yn cyrraedd uchafbwynt gyda chyngerdd oedd yn agored i bawb. Diwrnod gwerinol oedd y bwriad; tra oedd croeso i'r Frenhines ddod i ddathlu gyda ni, diwrnod i bobl Cymru oedd hwn yn anad dim.

Roedd yn addas iawn fod John Morris AS, fel Twrnai Cyffredinol, yn bresennol yn Siambr y Cynulliad i gyfrannu, ar ran y Llywodraeth, i'r broses ffurfiol o drosglwyddo grym o Lundain i Gaerdydd. Fo oedd wedi ymdrechu'n galed ond yn ofer, fel Ysgrifennydd Cymru yn y saithdegau, i sefydlu Cynulliad i Gymru. Roedd tri gwleidydd yn eistedd yn rhes flaen y Cynulliad ar gyfer y seremoni: Dafydd Elis Thomas, Alun Michael a minnau, y tri ohonom yn Gymry Cymraeg fel John Morris ei hun a ymunodd yn y seremoni. Roedd pumed siaradwr Cymraeg yn ein plith, os ydych yn cyfri'r Tywysog Charles ymhlith siaradwyr yr iaith! Cefais gyfle i ddweud ychydig eiriau yno ar yr achlysur hanesyddol hwn.

Roedd hefyd yn achlysur teuluol, gan fod Elinor yn cymryd rhan yn y gweithgareddau. Roedd hi, ynghyd â Meinir Heulyn, Eleri Darkins a Katherine Thomas yn cyflwyno cerddoriaeth telyn pan arwyddwyd y dogfennau trosglwyddo grym.

Y noson honno cefais gyfle i drafod datblygiadau'r Cynulliad gyda Tony Blair, gan fy mod yn eistedd wrth ei ochr am ddwyawr dros ginio arbennig yng Ngwesty newydd Dewi Sant ym Mae Caerdydd. Yr unig ran o'r noson a gofiaf, fodd bynnag, yw'r adroddiadau cyson oedd yn ein cyrraedd am achlysur pwysig arall oedd yn digwydd y diwrnod hwnnw, sef gêm derfynol Cwpan Ewrop rhwng Barcelona a Manchester United. Ar ôl i Man U fod yn colli tan funud ola'r gêm, cawsant gôl i'w gwneud yn gyfartal, a chododd Blair o'r bwrdd i roi'r newyddion i'r Frenhines a eisteddai ar y bwrdd agosaf atom. Funud yn ddiweddarach, sgoriodd Man U y gôl allweddol i ennill y gêm a'r cwpan. Dyma Blair ar ei draed eto i gyfleu'r genadwri i'r clustiau Brenhinol. Clywais floedd o gymeradwyaeth ganddi, ac edrychai fel pe bai'n codi'n gorfforol o'i chadair. Mae'n amlwg fod gan y Frenhines beth diddordeb mewn chwaraeon heblaw rasus ceffylau!

Roedd y Cyngerdd hefyd yn gofiadwy, efo amrywiaeth eang o dalent y genedl yn perfformio. Un nad oedd yno, ac a ddylai fod, oedd Dafydd Iwan. Sut ar y ddaear y gellid honni fod cyngerdd dathlu sefydlu'r Cynulliad Cenedlaethol yn un oedd yn cynrychioli'r genedl, heb bresenoldeb un a gyfrannodd gymaint i ddatblygu'r ymwybyddiaeth Gymreig o fewn ein cenhedlaeth ni? Wn i ddim pwy wnaeth y penderfyniad. Roedd yn fy atgoffa ein bod fel cenedl yn medru bod yn hynod o fach a chul ar adegau. Rwy'n sicr na fyddai hyn wedi digwydd pe byddai Ron Davies wrth y llyw. Er hynny roedd y cyngerdd a'r tân gwyllt yn gofiadwy iawn a theimlad fel carnifal ym Mae Caerdydd. Er nad oedd y grym llawn yn cael ei drosglwyddo tan 1 Gorffennaf, roedd y Cynulliad yn bodoli ac roedd lle i ddathlu. Amser a ddengys a fydd y Cynulliad yn gwireddu'r gobeithion mawr a deimlid gan filoedd o bobl ar y noson honno ym Mai 1999; yn wir a yw'n bosib gwireddu'r fath freuddwyd o fewn y pwerau cyfyngedig a roddwyd i ni?

[1] Y tîm gwreiddiol oedd Brett Duggan, Lowri Gwilym, Anna Nicholl, Llywelyn Rhys, Haf Roberts a Lisa Turnbull; ynghyd â Leila Haines fel Prif Ymchwilydd. Staff gweinyddol y grŵp oedd Natalie Drury, Kathy Hughes a Marian Ramster gyda Cath Adams fel pennaeth.

Brwydr Amcan Un

Oni bai am Blaid Cymru, fyddai Cymru ddim wedi cael statws Amcan Un gan yr Undeb Ewropeaidd ar gyfer y cyfnod o 2000 i 2006. Roedd eraill wrth gwrs wedi gwneud eu rhan, yn arbennig felly Ron Davies a Peter Hain. Roedd eu rhan nhw, wrth reswm, yn fwy canolog ond bu cyfraniad y Blaid a'r Cynulliad yn gwbl allweddol. Ac oni bai am y Cynulliad Cenedlaethol, ni fyddai unrhyw werth ychwanegol wedi dod o gael y statws hwnnw.

Dydi Amcan Un, hyd yma, ddim wedi cyflawni'r hyn yr oedd rhai'n ei ddisgwyl. Ond mae gennym raglen i wella'r economi, i greu gwaith a chodi lefel incwm y pen a ddylai arwain at gynnydd yn ein safon byw. Mae'n cynnwys buddsoddi £348 miliwn y flwyddyn. Er nad yw'r cyfan o'r arian hwn yn ychwanegol i Gymru, mae cyllid sylweddol ychwanegol yn dod i'r economi Gymreig. Yn sicr mae'n well na chic yn y pen ôl.

Ond i ddechrau yn y dechrau. Flynyddoedd yn ôl bu Plaid Cymru'n hawlio y dylai rhannau o Gymru fod yn derbyn arian gan Ewrop i greu gwaith. Mae gan Ewrop gronfeydd arian sylweddol, sy'n cael eu galw'n gronfeydd strwythurol. Eu pwrpas ydi helpu ardaloedd tlotaf Ewrop i ddatblygu, a gwaetha'r modd mae rhannau sylweddol o Gymru ymhlith y tlotaf. Gan Gymru y mae'r incwm-y-pen isaf o bob gwlad a rhanbarth ym Mhrydain.

Cafodd rhannau o Brydain, fel Glannau Mersi, Gogledd Iwerddon ac Ucheldir ac Ynysoedd yr Alban, arian sylweddol o'r cronfeydd hyn rhwng 1994 a 2000. Bu Plaid Cymru, ac yn arbennig Jill Evans a Phil Williams, yn pwyso yn yr wythdegau am i ardaloedd difreintiedig Cymru gael eu cydnabod ar gyfer cymorth o'r fath. Nid Ewrop a wrthododd gydnabod Cymru. Llywodraeth Geidwadol Llundain, oedd mor elyniaethus tuag at bopeth o Ewrop, a fethodd gyflwyno cais priodol ar ein rhan. Bûm yn galw arnyn nhw i unioni'r cam gwarthus hwnnw wrth ymgyrchu ar gyfer Etholiad Ewrop 1994, ond ofer oedd ein hymdrechion.

Gyda Llafur yn dod yn Llywodraeth yn 1997, roeddem yn llawer mwy gobeithiol y gallem gael ein cydnabod ar gyfer statws Amcan Un yn y rhaglen nesaf a redai o 2000 i 2006. I gael ein derbyn roedd yn rhaid cyflwyno cais yn seiliedig ar ardal a ffurfiai uned economaidd naturiol gyda chyfartaledd incwm-y-pen yn llai na thri chwarter cyfartaledd Ewrop. Roedd rhannau sylweddol o Gymru, gan gynnwys hen ardaloedd y glo a'r llechi, a chefn gwlad Dyfed a Gwynedd, yn dod o fewn y diffiniad hwnnw. Ond roedd y Toriaid yn mynnu mai dau ranbarth oedd i Gymru – Gogledd a De. Roedden nhw'n gaeth i hen feddylfryd oedd yn gwbl amhriodol o safbwynt polisi rhanbarthol Ewrop.

Awgrymodd Plaid Cymru yn nechrau'r nawdegau y dylid ailwampio map rhanbarthol Cymru i gydnabod realiti economaidd ein gwlad. Roedden ni o'r farn mai rhwng gorllewin a dwyrain y dylai'r rhaniad fod. Roedd economi rhannau mwyaf dwyreiniol Cymru, fel Fflint a Wrecsam, rhannau o Bowys a Mynwy, Casnewydd, Bro

Morgannwg a Chaerdydd, yn llwyddo'n rhyfeddol. Roedden nhw'n gallu denu cwmnïau o bedwar ban y byd, yn arbennig o Siapan a'r Unol Daleithiau.

Stori gwbl wahanol oedd hi yng Ngwynedd, Dyfed a'r cymoedd glofaol.

Roeddem yn disgwyl i Lywodraeth Lafur weithredu'n ddi-oed i baratoi map rhanbarthol newydd a fyddai'n cael ei gydnabod gan Frwsel. Byddem wedyn, bron yn otomatig, yn elwa o dan gynllun Amcan Un. Cawsom ein harwain i gredu fod y gwaith eisoes ar droed y tu ôl i'r llenni. Ond bu ond y dim i ni golli'r cwch.

Anghofia i byth mo'r diwrnod pan gawsom ein deffro i'r ffaith honno mewn modd mwyaf dramatig.

Ar ddydd Mercher, 19 Mawrth 1998, teithiodd Ieuan Wyn Jones a minnau i Frwsel i sicrhau fod buddiannau Cymru'n cael y sylw dyladwy. Doedd gan Blaid Cymru bryd hynny ddim aelodau yn y Senedd Ewropeaidd er bod Eurig Wyn a Jill Evans yn ein cynrychioli ar Bwyllgor Rhanbarthol Ewrop. Roedden nhw'n poeni nad oedd fawr o arwydd o symud tuag at gynnwys Cymru yn y rhaglen Amcan Un newydd oedd dan ystyriaeth.

Bu Ieuan a minnau mewn nifer o gyfarfodydd ar y bore dydd Iau, gyda swyddogion amaeth Comisiwn Ewrop ac eraill, cyn mynd draw i swyddfa WEC yn y prynhawn. WEC yw'r *Wales European Centre*, swyddfa a sefydlwyd gan nifer o gyrff yng Nghymru rai blynyddoedd yn ôl er mwyn rhoi ffocws i bresenoldeb Cymru ym Mrwsel. Roedd rhanbarthau eraill Ewrop ymhell ar y blaen i Gymru, ac yn manteisio'n fwy effeithiol ar gynlluniau a chyllid o Frwsel.

Aethom i mewn i gyfarfod dau hen gyfaill, Jim

Hughes a Hugh Laxton.[1] Sgotyn yw Jim er gwaetha'i enw Cymreig, ond bu'n gweithio am gyfnod gyda Bwrdd Datblygu Cymru Wledig. Roedd yn hyddysg ynglŷn â sefyllfa economaidd Cymru, ac yn 'hen ben' gyda chysylltiadau da ym Mrwsel. Fel arfer byddai'n ein croesawu'n hamddenol i'w swyddfa, yn darparu paned o goffi, ac yn holi am hyn a'r llall yng Nghymru.

Nid y tro hwn. Aeth yn syth at y pwynt, bron cyn i ni ysgwyd llaw ac eistedd wrth y bwrdd.

'*What the hell is going on?*' meddai. '*Why on earth has Wales still not presented its new regional map as a basis to argue its case for Objective One funding?*' Yr hyn oedd wedi cythruddo Jim a'i gydweithiwr oedd mai cwta dair wythnos oedd ar ôl i gael y map newydd i'w le, un a fyddai'n rhannu Cymru rhwng gorllewin a dwyrain yn hytrach na de a gogledd. Roedd Cernyw wedi cyflwyno map newydd a fyddai'n sail iddyn nhw gael arian Amcan Un yn ôl ym Mehefin 1997, bron flwyddyn yn gynharach. Roedd Jim, a phawb ym Mrwsel a hidiai fotwm am les economaidd Cymru, yn methu deall pam nad oedd map newydd eisoes i law ym Mrwsel. '*What on earth do the Welsh Office think they are doing?*' meddai. '*Unless they pull their fingers out – and do so damn quickly – Wales will have missed the boat*'.

Ni allem gredu'n clustiau. Roeddem wedi cyrraedd ar yr union adeg iawn. Y diwrnod cynt, 18 Mawrth, roedd drafft o fapiau newydd ar gyfer rhaglen Amcan Un (2000–6) wedi eu cyhoeddi ym Mrwsel. Doedd dim newid yn y rhanbarthau de/gogledd ar gyfer Cymru. Ar sail y mapiau hyn, meddai Jim wrthym, doedd gan Gymru ddim gobaith. Glannau Mersi a De Swydd Efrog oedd yr unig ardaloedd yn y mapiau newydd a fyddai'n sicr o gael statws Amcan Un, a Chernyw gyda phosibilrwydd o gael ei chydnabod.

Ymddengys fod swyddfa WEC wedi pwyso ar y Swyddfa Gymreig ers tri mis i ganolbwyntio'u holl egnïon ar hyrwyddo'r mapiau rhanbarthol newydd. Roedd angen argyhoeddi'r Swyddfa Ystadegau Genedlaethol, yr ONS yn Llundain, ynglŷn â hyn. Dywedodd Jim Hughes wrthym ei fod dan yr argraff nad oedd y Swyddfa Gymreig wedi pwyso'n ddigon caled ar yr ONS. Roedd cymaint â £2 biliwn dros gyfnod o saith mlynedd yn y fantol. Gan Jim a Hugh cawsom y dadleuon y byddai eu hangen ar gyfer pwyso ar y Llywodraeth ar y cyfle cyntaf.

Roedd yr hyn a glywsom yn swyddfa WEC yn anhygoel. Roedd yn anodd credu y byddai Cymru wedi cael ei hesgeuluso yn y fath fodd. Ond fe gadarnhawyd popeth pan aethom ymlaen i'n cyfarfod nesaf ym Mrwsel.

Ronnie Hall oedd â chyfrifoldeb dros Wledydd Prydain o safbwynt grantiau rhanbarthol Ewrop. Gwyddel o Tyrone yw Ronnie; mae ganddo gryn gydymdeimlad â Chymru. Cawsom union yr un bregeth ganddo yntau. Dywedodd yn ddigamsyniol, os na fyddai Cymru'n dechrau deffro, y byddem yn colli'r cwch. Cadarnhaodd fod yn rhaid cyflwyno'r cais erbyn 10 Ebrill os oeddem am gael ein hystyried – 'a chymryd', meddai, 'nad yw Blair a Santer ddim wedi setlo ar y map yn barod y tu ôl i'r llenni!' Neges bwrpasol os bu un erioed.

Roedd Ieuan yn hedfan yn ôl y noson honno, ond

arhosais innau ym Mrwsel, gan ffonio cymaint ag y gallwn yng Nghymru i drosglwyddo'r neges. Roedd y bil ffôn yn anferth – £17 ar gyfer galwad i'r *Western Mail* yn unig!

Gadewais neges i Ron Davies, yr Ysgrifennydd Gwladol, i ddweud wrtho mor ddifrifol oedd y sefyllfa ac i ofyn am gael ei gyfarfod yr wythnos ganlynol yn Llundain. Anfonais lythyr ato drannoeth i gadarnhau'r sefyllfa.[2]

Gwnes nifer o gyfweliadau gyda'r BBC ac eraill ar y pryd gan geisio rhoi rhan o'r bai am y llanast ar yr Adran Ddiwydiant a Masnach. Nhw sy'n gyfrifol am y Swyddfa Ystadegau, yr ONS, ac ymddengys mai'r methiant i gael y map newydd heibio'r rheini oedd y prif drafferth. Y bore trannoeth ymddangosodd yr hanes ar dudalen flaen y *Western Mail*.

Rhan o eironi'r sefyllfa oedd fy mod yn hedfan y diwrnod hwnnw o Frwsel i Ddulyn ar gyfer y gêm rygbi ryngwladol ac wedyn i annerch cyfarfod ym Mhrifysgol Galway. Roedd Iwerddon yn hen feistri ar weithio'r gyfundrefn Ewropeaidd. Wrth hedfan i Ddulyn, ysgrifennais yn fy nyddiadur:

Ni allwn lai na rhyfeddu at y modd yr oedd WEC yn ein hanwesu – bron yn ymbil arnom i wneud y gwaith y dylai'r Swyddfa Gymreig fod yn ei wneud. Mae coblyn o fai ar rywun, rhywle. Ond nid dyma'r amser i sgorio pwyntiau gwleidyddol, ond i geisio cael y maen i'r wal.[3]

Yr wythnos ganlynol cefais gyfle i godi cwestiwn yn uniongyrchol gyda Tony Blair ar lawr Tŷ'r Cyffredin, ynglŷn ag Amcan Un. Gofynnais:

As the EC's new proposals for structural funds leave Wales, Scotland and Northern Ireland with no Objective One status, will the Prime Minister make a determined effort... to ensure that the newly defined Western and Coalfield Region of Wales, whose GDP per head is below the threshold for Objective One status, enjoys that status for the years 2000–6?[4]

Gwrthododd Tony Blair roi unrhyw ymrwymiad o'r fath. Cefais yr argraff ei fod yn hel esgus wrth ateb fy nghwestiwn. Cyfeiriodd at 'gwtogiadau' oherwydd yr ehangu i gynnwys gwledydd Dwyrain Ewrop. Fyddai'r ehangu ddim yn digwydd mewn pryd i effeithio ar raglen Amcan Un dros y cyfnod 2000–6. Sgwarnog gan y Prif Weinidog oedd hyn, i guddio blerwch ei Lywodraeth wrth ymdrin â'r mater. Yn ddiweddarach y noson honno cefais gyfle i drafod yr holl fater yn anffurfiol gyda Ron Davies yn Nhŷ'r Cyffredin. Dywedodd Ron fod y Prif Weinidog eisoes wedi codi sefyllfa Cymru gyda Jacques Santer, Llywydd y Comisiwn Ewropeaidd, ac mai dros Gymru a Chernyw y byddai Blair yn gwneud ple arbennig. Da iawn! Ond pe bai achos Cymru wedi ei gyflwyno mewn da bryd, fyddai dim angen gwneud unrhyw ble arbennig.

Yn fy nghyfarfod gyda Ron Davies bûm yn pwyso'n drwm arno i ymateb i'r wybodaeth a gawsom ym Mrwsel. Ar ôl sbel dywedodd Ron wrthyf nad oedd yn gyfarwydd â'r holl fanylion, ac y byddai'n well i mi drafod y mater gyda'r gwas sifil priodol yn y Swyddfa Gymreig.

Digwyddodd hynny drannoeth. Roedd yn braf iawn cael delio â'r gweision sifil perthnasol yn uniongyrchol. Fyddai hyn erioed wedi digwydd dan y Torïaid. Roedd yn adlewyrchu agwedd agored Ron Davies tuag at lywodraeth. Roedd yn chwa o awel iach trwy gynteddau llychlyd Whitehall. Yn y cyfarfod efo'r gwas sifil, June Milligan, cefais yr argraff iddi gael ei harwain i gredu fod digon o amser i gyflwyno cais Amcan Un. Dywedodd fod yr *Highlands and Islands* wedi ennill eu statws nhw yn y rownd flaenorol chwe blynedd ynghynt *'at about the eleventh hour and fifty ninth minute'*.

Does gen i ddim amheuaeth fod hynny'n wir. Ond os oeddem am fod yn dal yno ar eiliad olaf y trafodaethau, roedd yn rhaid i ni fod yn y ras o'r dechrau un. Doedd dim posib dychmygu y byddai Tony Blair yn gallu tynnu argymhelliad ar gyfer Cymru allan o'r het ar ddiwedd y trafodaethau heb i'r tir fod wedi ei fraenaru ymlaen llaw. Rhyfeddwn nad oedd neges WEC wedi cyrraedd gweision sifil y Swyddfa Gymreig. Mae June Milligan yn was sifil y mae gennyf barch mawr tuag ati.

Dangosodd y saga hon yr agendor oedd yn bodoli rhwng y Swyddfa Gymreig a Brwsel; roedd hyn, heb os, yn rhan o etifeddiaeth cyfnod John Redwood.

Does dim amheuaeth fod Ron Davies wedi cymryd y neges ynglŷn ag Amcan Un o ddifri. Deallais wedyn i'w dîm newid gêr yn sylweddol. Gwelais hynny drosof fy hun wedi'r Pasg, pan gyfarfu'r Uwch Bwyllgor Cymreig yng Nghaerfyrddin ar 5 Mai. Siaradais yn y ddadl gan gyfeirio at y sefyllfa Amcan Un. Ar ôl i mi siarad cefais neges gan Peter Hain yn gofyn i mi ei gyfarfod yn breifat y tu allan i'r Siambr i drafod y mater. Roedd yn dda gweld fod Peter Hain wedi cael y cyfrifoldeb am hyn – roedd yn un o'r Gweinidogion gorau a welais yn y Swyddfa Gymreig, un oedd yn fodlon trafod ar draws ffiniau plaid, heb ragfarnau cynhenid hen griw Llafur y Cymoedd.

Awgrymodd beth allwn i ei wneud i helpu i ennill y frwydr – o deyrngarwch iddo, gwell i mi beidio manylu![5]. Roedd yn amlwg bod gennym frwydr ar ein dwylo i ennill Amcan Un, ond fod Gweinidogion y Swyddfa Gymreig a minnau bellach ar yr un donfedd.

Cefais gyfle i bwysleisio'r angen am ennill arian Amcan Un i Gymru ddiwedd y mis hwnnw, pan ddaeth Jacques Santer, Llywydd y Comisiwn Ewropeaidd, ar ymweliad â Chaernarfon. Roedd yn ddifyr bod rhai ymdrechion wedi eu gwneud i'm cadw allan o'r cyfarfod, ond ar ôl creu cryn helynt, cefais fy nghynnwys ymhlith y rhai oedd yn ei gwmni drwy'r dydd. Roedd ei raglen ar gyfer y diwrnod yn caniatáu i mi, a Dafydd Iwan, ddisgrifio cyflwr ein heconomi iddo. Roedd Neil Kinnock yno hefyd, ond yn ymddangos fel pe bai'n ceisio newid ffocws y sgwrs oddi wrth Amcan Un ac yn dadlau dros *transitional relief* i'r ardaloedd a fyddai'n colli statws 5b, oedd yn berthnasol i rannau sylweddol o'r Gymru wledig. Gwnaeth hyn i mi deimlo, fel y gwnaeth sylwadau Blair yn y Senedd yn gynharach, fod y Llywodraeth a'u cyfeillion yn ceisio lliniaru'r disgwyliad y gallai Cymru fod yn ennill statws Amcan Un.

Aeth yr wythnosau heibio, a ninnau'n chwilio am bob cyfle i roi ffocws ar yr angen i sicrhau Amcan Un. Roeddwn yn dechrau gweld hyn fel thema ganolog ein hymgyrch etholiad ar gyfer y Cynulliad y gwanwyn canlynol.

Ar un adeg fe heriais Ron Davies ar y mater, trwy gyhoeddi mewn cynhadledd i'r wasg y byddwn yn cyflwyno dwsin o boteli siampên iddo pe bai'n llwyddo i ennill Amcan Un i Gymru. Erbyn inni gael ein cydnabod ar gyfer Amcan Un roedd Ron wedi ymddiswyddo. Ond cyflwynais y poteli iddo'r un fath. Teimlwn mai fo oedd wedi gwneud y gwaith ar yr amser tyngedfennol, ac roedd mwy o angen siampên ar Ron nag ar Alun Michael yr adeg honno!

Bu peth dadlau ynglŷn â ffiniau'r map 'Gorllewin Cymru a'r Cymoedd' i'w gyflwyno i Frwsel. Y gamp oedd cynnwys cymaint ag oedd bosib o diriogaeth Cymru o fewn yr ardal yn y cais ar gyfer Amcan Un, tra'n cadw o fewn y rheol bod rhaid i incwm-y-pen yr ardal fod yn llai na 75% o'r cyfartaledd Ewropeaidd. Y benbleth fwyaf oedd a ddylid cynnwys Sir Ddinbych a Phowys. Yn y diwedd cynhwyswyd Dinbych ond nid Powys. Felly roedd 15 allan o 22 sir Cymru o fewn y rhanbarth 'Gorllewin Cymru a'r Cymoedd'.

Ymhen hir a hwyr, ar drothwy etholiadau'r Cynulliad, fe gyhoeddwyd y byddai Gorllewin Cymru a'r Cymoedd, yn ogystal â Glannau Mersi, De Efrog a Chernyw, yn ardaloedd Amcan Un ar gyfer y cyfnod 2000–6, dim ond iddyn nhw gyflwyno rhaglen fuddsoddi dderbyniol i'r Comisiwn. Un o'r amodau oedd bod yn rhaid i'r rhaglen ddangos faint o arian cyfatebol fyddai ei angen i wneud i'r cynllun weithio.

Roedd y cyfrifroldebau hyn yn disgyn, ar ôl 1 Gorffennaf 1999, ar y Cynulliad ac nid ar y Swyddfa Gymreig. Roedd yn glamp o gyfrifoldeb ar Alun Michael ac ar Rhodri Morgan fel Ysgrifennydd Datblygu'r Economi.

* * *

Fe dderbyniwyd cais manwl Cymru am Amcan Un gan Gomisiwn Ewrop ar ôl cryn oedi. Roeddem yn bell i mewn i flwyddyn gyntaf y cynllun, sef blwyddyn galendr 2000 cyn i'r SPD, sef y ddogfen gynllunio ar gyfer Amcan Un, gael sêl bendith Brwsel. Dim ond ar ôl hynny yr oedd yn bosib i geisiadau penodol am arian Amcan Un gael eu derbyn. Roedd yn fis Medi 2000 cyn i'r set gyntaf o geisiadau gael eu cymeradwyo.

Yn y cyfamser, roedd gennym broblem arall. O dan reolau'r Trysorlys, doedd Cymru ddim am dderbyn yr un ddimai allan o raglen Amcan Un yn y flwyddyn ariannol 2000–1. Hyd yn oed pe bai arian yn dod o Frwsel, byddai'n cael ei bocedu gan y Trysorlys yn Llundain. Mae hyn yn anodd ei ddirnad, ond mae'n ffaith.

Mae'n ymwneud â'r ffordd y bu gwario cyhoeddus yng Nghymru'n cael ei ariannu dros yr ugain mlynedd diwethaf, a'r ffordd y mae'r Cynulliad Cenedlaethol yn cael ei gyllid. Dyma'r prif elfennau sy'n achosi problem:

- Seilir y swm o arian a neilltuir i Gymru bob blwyddyn gan Fformiwla Barnett a sefydlwyd yn 1979;
- Mae'r Fformiwla'n diffinio bloc Cymreig o arian ar gyfer y meysydd oedd yn cael eu gweinyddu gan y Swyddfa Gymreig, a bellach y Cynulliad, fel addysg, iechyd etc;
- Cymrir yr arian a wariwyd ar y gwasanaethau hyn yn 1978 fel y ffigwr sylfaenol ar gyfer anghenion Cymru;
- Cynyddir y ffigwr hwn ar sail y canran o gynnydd, o fewn y meysydd cyfatebol yn Lloegr, o flwyddyn i flwyddyn;

- Newidir y ffigwr ar sail unrhyw newid ym maint poblogaeth Cymru mewn cymhariaeth â phoblogaeth Lloegr.

Dyw'r fformiwla ddim yn cymryd unrhyw ystyriaeth o'r newidiadau yn yr economi Gymreig, fel cau'r pyllau glo neu'r chwalfa cefn gwlad, nac o anghenion arbennig Cymru. Dyma'r fformiwla a ddefnyddir hefyd ar gyfer yr Alban. Mae lle i gredu fod yr Alban wedi gwneud yn bur dda allan o'r fformiwla a Chymru ar ei cholled. O gofio mai Albanwyr sydd â'r dylanwad mwyaf o fewn Llywodraeth Tony Blair bydd y frwydr i gael ail-asesiad, ar sail anghenion Cymru, yn un anodd ei hennill.

Mae gan Fformiwla Barnett oblygiadau pwysig ar gyfer arian Amcan Un i Gymru. Roedd cynllun Amcan Un yn cynnwys ymrwymo i brosiectau gwerth £348 miliwn yn y flwyddyn 2000 ar gyfer gwella economi y gorllewin a'r cymoedd. Gallai'r gwario ychwanegol fod dros gyfnod o fwy na blwyddyn o gofio fod peth oedi rhwng cymeradwyo prosiect a gwario arian arno. Ond os oedd Cymru am fanteisio'n llawn ar raglen Amcan Un, dylai fod yna wario ychwanegol sylweddol na fyddai wedi digwydd oni bai am y rhaglen.

Mewn gwirionedd, doedd yr un ddimai goch wedi ei hychwanegu at y bloc Cymreig ar gyfer y gwariant yma.[6] Gan fod yr arian o Frwsel yn dod i'r Trysorlys yn Llundain, roeddem yn wynebu'r ffârs llwyr mai'r Trysorlys oedd yr unig le i elwa yn ystod blwyddyn gyntaf rhaglen Amcan Un i Gymru. Roedd yn rhaid i'r Cynulliad ganfod y cyfan o'r arian a wariwyd allan o gyllideb sylfaenol a bennwyd dros ddwy flynedd ynghynt ar gyfer Cymru – cyn i ni wybod a oeddem am gael statws Amcan Un ai peidio.

Roedd hyn yn sgandal llwyr. Fe geisiwyd cuddio'r twyll. Roedd llywodraethau Toriaidd a Llafur San Steffan wedi llwyddo i wneud hynny pan gododd yr un sefyllfa yn yr Alban, gydag arian Amcan Un yr *Highlands and Islands.* Ond yng Nghymru fe orfodwyd y gweision sifil a'r Gweinidog perthnasol, Rhodri Morgan ar y pryd, i gydnabod mai dyma oedd realiti'r sefyllfa, a bod diffyg o £120 miliwn y flwyddyn yn y cyllid ar gyfer Amcan Un. Gallai'r diffyg fod yn gymaint â £210 miliwn, ond roedd Alun Michael yn gyndyn iawn i gyfaddef hyn o gwbl.

Yr hyn a ddaeth â'r sefyllfa yma i'r wyneb oedd trafodaethau o fewn Pwyllgor Datblygu'r Economi yn y Cynulliad Cenedlaethol, pan dreiddiodd Ron Davies a Phil Williams i wraidd y mater. Dyma enghraifft gynnar o werth y Cynulliad, er mor gyfyng ei bwerau. Am flynyddoedd roedd y gwirionedd wedi ei gelu yn Llundain. Heb y Cynulliad, a gwaith y Pwyllgor Datblygu Economaidd, go brin y byddai'r gwir erioed wedi ei gydnabod. Fel y dywedodd y *Western Mail* ar y pryd o dan bennawd '*Assembly displays its worth*':

Yesterday's debate in the National Assembly has proved the worth of that Institution... The major funding gap in providing match-funding for Objective One economic spending has been properly highlighted... If anyone disbelieves what any of the Welsh political parties are alleging about the state of Welsh finances, all they will have to do is to call for the minutes of yesterday's Economic Development Committee... The Assembly was established just for this sort of occasion.[7]

Un rheswm nad oedd llywodraethau San Steffan wedi pwyso i gael arian Amcan Un i Gymru oedd y modd y mae Fformiwla Barnett, ynghyd â'r ad-daliad a sicrhaodd Mrs. Thatcher o'r Undeb Ewropeaidd trwy gytundeb Fontainebleau yn effeithio ar sefyllfa ariannol y Trysorlys. Os yw Prydain yn cael arian ychwanegol o Ewrop (megis Amcan Un) yna rydym yn colli rhan o'r ad-daliad gan Frwsel a gafwyd drwy gytundeb Fontainebleau. Am bob canpunt ychwanegol a dderbynia'r Trysorlys collant tua £70 o ad-daliad. Felly dim ond £30 net yw'r fantais iddynt. Pe bai'r Trysorlys yn rhoi i Gymru y cyfan o'r arian ychwanegol sy'n dod o Frwsel trwy Amcan Un, ynghyd â'r arian cyfatebol ychwanegol i'n galluogi i fanteisio ar Amcan Un, byddai'r Trysorlys ar ei golled a Chymru ar ei hennill. Dyna pam nad oedd y Trysorlys eisiau i Gymru gael arian Amcan Un yn llawn.

Methiant Alun Michael i berswadio'r Trysorlys i drosglwyddo'r cyfan o arian Amcan Un i Gymru, a darparu arian cyfatebol, a arweiniodd at y cynnig diffyg hyder yn Chwefror 2000. Cefais gyfarfod yn 10 Downing Street yn Nhachwedd 1999 i bwyso am arian ychwanegol i gyllido Amcan Un – a fyddai wedi achub croen Alun Michael. Ond roedd y swyddog a welais yn hollol ddi-gydymdeimlad. Soniaf fwy am hyn yn y bennod nesaf.

Gan fy mod yn teimlo mor gryf ynglŷn â'r ffordd yr oeddem yn cael ein twyllo o'r arian Ewropeaidd, teithiais i Frwsel ar 16 Mawrth 2000 i ddadlau'r achos yn uniongyrchol. Cefais gyfarfod yn gyntaf gyda Graham Meadows, hen gyfaill i Gymru a weithiai yn yr adran o'r Comisiwn sy'n delio ag Amcan Un. Rhoddodd arweiniad ynglŷn â'r ffordd orau i gyflwyno'n hachos i uchel swyddogion y Comisiwn.

Drannoeth cefais gyfarfod gyda Michel Barnier, Comisiynydd Polisi Rhanbarthol Ewrop a'r dyn allweddol yn y rhaglen strwythurol. Daeth Jill Evans ac Eurig Wyn, ein dau Aelod o Senedd Ewrop efo mi, a hefyd dau gyfaill o'r SNP, gan i'r Alban fod ar ei cholled gyda'u harian Amcan Un hwythau rhwng 1994 a 2000.

Ar ôl peth mân sgwrsio, es at galon fy nadl, gan dynnu sylw M. Barnier at y modd yr oedd Llundain yn trin yr arian Ewropeaidd, a'r ffaith nad oedd Cymru'n cael yr un ddimai goch o ganlyniad i dderbyn statws Amcan Un ar gyfer 2000–1. Ategodd ein cyfeillion yn yr SNP mai dyma sut yr oedd yr Alban hefyd wedi cael ei thrin dros y blynyddoedd diwethaf.

Gwrandawodd Barnier yn astud arnaf, gyda golwg anghrediniol ar ei wyneb. Yna trodd i siarad yn Ffrangeg efo'i gyd-swyddogion. Deallwn ddigon o Ffrangeg i wybod eu bod wedi cadarnhau'r hyn a ddywedais. Trodd Barnier yn ôl ataf, gan ddweud yn Saesneg ei fod wedi nodi fy neges. Pe bawn i'n peidio â rhuthro'n syth i'r wasg am hyn, meddai, byddai'n codi'r mater gyda Llywodraeth Prydain. Dywedodd y byddai'n gwneud ei orau drosom. Roeddwn wedi cael gwell gwrandawiad gan y Ffrancwr hwn ym Mrwsel nag a gefais gan was bach Tony Blair yn Llundain.

Ar ôl ymddiswyddiad Alun Michael a dyfodiad Rhodri Morgan, roeddwn yn fwy gobeithiol y gellid newid y drefn. Roedd Rhodri o leiaf yn fodlon cydnabod y broblem, ac roedd ganddo well perthynas na'i ragflaenydd gyda Gordon Brown. Mewn llythyr ataf ar 21 Mawrth 2000 dywedodd Rhodri Morgan:

O safbwynt Amcan Un, yr wyf wedi datgan yr hoffwn weld y Trysorlys yn darparu cyllid digonol ar gyfer yr arian cyfatebol... Ac y dylai'r cyllid o Ewrop fod yn ychwanegol at y bloc a ddaw i'r Cynulliad drwy Fformiwla Barnett.

Fe ddaeth datganiad ar y mater yng Ngorffennaf 2000, pan gyhoeddwyd y *Comprehensive Spending Review* ar gyfer 2001–2004. Roedd swm ychwanegol yn cael ei neilltuo i Gymru, uwchben Fformiwla Barnett, o £442 miliwn rhwng 2001 a 2004 i gwrdd ag oblygiadau rhaglenni strwythurol Ewrop.[8] Yn ei sylwadau i'r Senedd dywedodd y Canghellor, Gordon Brown:[9]

The settlement... includes a special allocation to ensure funding of the European share of Wales's Objective One needs – an allocation to Wales of £80m, £90m and £102m over the next three years.

Noder mai at yr elfen Ewropeaidd o gyllid prosiectau Amcan Un y mae'r Canghellor yn cyfeirio. Nid oes gair – na'r un geiniog – ar gyfer yr arian cyfatebol.

Gwelwyd hyn gan rai fel buddugoliaeth i'r Cynulliad. Mewn cyhoeddiad gan y Sefydliad Materion Cymreig dywed dau academydd economaidd blaenllaw:

The Comprehensive Spending Review has undoubtedly provided some very positive news for Wales... This must be seen as a victory for the Assembly.[10]

Roeddem felly wedi llwyddo i gael arian ychwanegol, er nad y swm llawn. Dros y cyfnod o 2000 i 2004 byddai cyfanswm gwariant ar yr elfen Ewropeaidd o arian Amcan Un yn £783 miliwn. Daw £442 miliwn o'r cynnydd a gyhoeddwyd gan Gordon Brown, a gellid derbyn fod Cymru wedi cael yn y gorffennol o dan raglenni Amcan 2, 3 a 5b, tua £20 miliwn y flwyddyn a oedd eisoes wedi ei gynnwys fel rhan o'r Bloc Barnett. Mae hyn yn gadael bwlch o £65 miliwn y flwyddyn – arian y mae'n rhaid i Gymru ei ganfod o fewn ein cyllideb sylfaenol. Ar ben hyn rhaid hefyd canfod tua £60 miliwn y flwyddyn o arian cyfatebol nad yw o fewn y Bloc Barnett. Golyga hyn ddiffyg o tua £125 miliwn y flwyddyn rhwng popeth.

O ganlyniad bu'n rhaid i'r Llywodraeth yng Nghaerdydd grafu i geisio dod o hyd i'r arian. Dyna pam, er enghraifft, mai 5.7% y flwyddyn yw'r codiad yn y gwario ar addysg yng Nghymru rhwng 2001 a 2004, o'i gymharu â 8.1% yn Lloegr. Erbyn diwedd y cyfnod bydd gwario ar addysg y pen 9% yn is yng Nghymru nac yn Lloegr. Y sector sydd wedi dioddef waethaf oll yw addysg uwch, lle mae'r cynnydd ar gyfer 2002–3 (sef o £313 miliwn i £320 miliwn) yn llai na lefel chwyddiant. Ac mae'n warth fod ysgolion yn ardaloedd tlotaf Cymru yn dioddef er mwyn i Gymru fedru manteisio'n llawn ar yr arian o Ewrop i wella'r economi.

Y perygl arall yw i ni fethu gwario arian Amcan Un yn llawn oherwydd y diffyg cyllid cyfatebol yn ystod cyfnod cynnar y rhaglen ac y bydd hyn yn achosi i'r Undeb Ewropeaidd ail-hawlio'r arian yr ydym wedi methu â'i ddefnyddio.

Dyma'r frwydr bwysicaf a ymladdwyd o fewn y Cynulliad Cenedlaethol yn ystod y ddwy flynedd gyntaf.

Llwyddodd y Cynulliad i gael gwell bargen i Gymru – ond ni chafwyd y dorth i gyd. Talodd Alun Michael y pris am fethu dadlau'n hachos yn effeithiol. Heb ddolen gyswllt dda â Brwsel, a llais effeithiol i Gymru yn Ewrop, bydd perygl i ni fod ar ein colled eto oherwydd agwedd y Trysorlys yn Llundain.

[1] Nodiadau dyddiadur manwl iawn o'r cyfarfod a gweddill yr ymweliad, a ysgrifennwyd ar y pryd.
[2] Llythyr oddi wrthyf at Ron Davies dyddiedig 20 Mawrth 1998.
[3] Dyddiadur – Gwener, 20 Mawrth 1998.
[4] *Hansard* 25 Mawrth 1998, colofn 495/6.
[5] Dyddiadur ar gyfer 5 Mai 1998.
[6] *Unravelling the Knot: The Interaction of Treasury and European Union funding for Wales,* Dr Gillian Bristow a Dr Nigel Blewitt, Sefydliad Materion Cymreig, 1999.
[7] *Western Mail,* 15 Gorffennaf 1999: erthygl olygyddol.
[8] Mae'r ffigwr o £442 miliwn yn cynnwys £272 miliwn yn benodol ar gyfer Amcan Un, £149 miliwn o drosglwyddo Cronfa Cymdeithasol Ewrop i'r Cynulliad ei weinyddu, a £21 miliwn arall wedi ei drosglwyddo o gyllideb DEE i'r Cynulliad. Mewn gwirionedd roedd y symiau hyn yn gorfod cyllido pedair blynedd o wariant Amcan Un gan nad oedd arian ychwanegol o gwbl ar gyfer y flwyddyn gyntaf, 2000–1.
[9] *Hansard* 19 Gorffennaf 2000, colofn 225.
[10] *Agenda Extra – Unravelling the knot – An update*, Dr Gillian Bristow a Dr Nigel Blewitt, Sefydliad Materion Cymreig, 2000.

Cyfnod Alun Michael

Mae gan Alun Michael ei le yn llyfrau hanes Cymru. Fo oedd Prif Ysgrifennydd cyntaf Cymru ar ôl i ni gael ein Cynulliad Cenedlaethol etholedig. Bu'n dal y swydd am union naw mis. Roedd ei deyrnasiad yn wers i ni i gyd – i Gymru, i'r Cynulliad ac yn arbennig i'r Blaid Lafur.

Yn sgîl Etholiad Mai 1999 doedd gan Lafur ddim mwyafrif yn y Cynulliad. Roedd ganddyn nhw 28 sedd allan o 60. Penderfynodd Alun Michael, fel Prif Ysgrifennydd Cymru, ei fod am geisio rhedeg llywodraeth leiafrifol, trwy gytundeb efo'r pleidiau eraill, yn hytrach na chreu clymblaid.

Bu'n trafod hyn gyda mi, gan holi a fyddwn yn fodlon caniatáu i'r fath drefn weithio. Dywedais innau mai'n bwriad fel plaid fyddai gwneud i'r Cynulliad weithio, na fyddem yn ceisio disodli'r Llywodraeth o ran hwyl, ond y byddem yn gorfod pleidleisio yn ôl ein polisi a'n daliadau ar faterion a fyddai'n codi. Mater iddo fo, felly, fyddai darganfod ymlaen llaw a oedd ganddo gefnogaeth ar gyfer y polisïau y byddai'n dymuno'u gweithredu.

Deallaf fod rhyw gymaint o drafod wedi bod rhwng Alun Michael a'r Democratiaid Rhyddfrydol. Ar y pryd roedd y Democratiaid Rhyddfrydol yn yr Alban wedi ffurfio clymblaid ar unwaith gyda Llafur o fewn Senedd yr Alban. Deallaf nad oedd Alun Michael yn fodlon cynnig unrhyw becyn o sylwedd i'r Democratiaid Rhyddfrydol yng Nghymru. Dywedir mai'r swydd oedd ganddo i'w chynnig i'w harweinydd, Mike German, pe bai eisiau cydweithio, oedd Dirprwy i Dafydd Elis Thomas, Llywydd y Cynulliad, yn hytrach na Dirprwy Brif Weinidog! Mae sôn nad oedd y gemeg rhwng Alun Michael a Mike German yn arbennig o adeiladol. Chawsom ni fel plaid ddim cynnig i ymuno mewn clymblaid. Fydden ni ddim wedi disgwyl hynny, a phe bai cynnig wedi dod mae'n amheus iawn a allem fod wedi derbyn.

Ar y dechrau roedd fy mherthynas i ag Alun Michael yn ddigon cynnes, er iddi ddirywio'n sylweddol o fewn ychydig fisoedd. Pan ddaeth i swydd Ysgrifennydd Cymru ar ôl trafferthion Ron Davies, doeddwn i ddim yn un o'r rhai a ddymunai ei fychanu. Roeddwn yn anghyfforddus fod rhai o fewn fy mhlaid yn mynnu cyfeirio ato byth a beunydd fel 'pwdl'. Wedi'r cyfan dyma'r dyn a allai ddod yn Brif Ysgrifennydd (sef Prif Weinidog) cyntaf Cymru. Roedd ganddo hawl i gael ei fesur yn ôl ei lwyddiant yn y swydd yn hytrach na'i ddirmygu. Wedi dweud hyn ymddengys mai'r poster ohonof innau gyda'r slogan 'Ci bach neb – HE's nobody's poodle' oedd un o'r rhai mwyaf effeithiol yn yr ymgyrch. Busnes cïaidd yw gwleidyddiaeth!

O ran ei ddaliadau, credaf iddo fod yn ddigon diffuant yn ei ymrwymiad i sefydlu'r Cynulliad, ac roedd ganddo bob rheswm wedyn i ddymuno llwyddiant i'r corff newydd. Ni chofiaf iddo ymgyrchu'n arbennig o galed adeg y Refferendwm; yn ôl un stori fe ymddangosodd poster 'Ie' yn ffenest ei dŷ ym Mhenarth y bore wedi'r pleidleisio! Ai gwir hynny, wn i ddim. Adeg ei benodiad, dywedais yn gyhoeddus fy mod yn ei ystyried yn un oedd yn cydymdeimlo â datganoli. Yn sicr doedd o ddim yn elyn.

Roedd hefyd yn gefnogol i'r iaith Gymraeg. Tra nad oedd yn gwbl rugl, fe ddefnyddiai'r Gymraeg yn Siambr y Cynulliad i ateb unrhyw gwestiwn a ofynnid iddo yn Gymraeg. Fe wnaed sbort am ben ei dreigladau, a rhai'n ei alw'n 'Alun Fichael' gan y gellid disgwyl iddo gamdreiglo unrhyw air lle'r oedd cyfle i wneud hynny. Ond mae'n well gen i weld rhywun yn ceisio siarad yr iaith, a chydnabod ei phwysigrwydd, na rhywun sy'n ei hanwybyddu. O leiaf fe sicrhaodd Alun fod ei blant yn siarad Cymraeg, er mai di-Gymraeg yw ei wraig. Gellir meddwl am ambell wleidydd, Cymraeg ei iaith, nad ymdrafferthodd i ofalu fod y gynhedlaeth nesaf yn cael mantais o'r etifeddiaeth.

Daeth Alun Michael yn Brif Ysgrifennydd gyda sawl anfantais. Y bwysicaf, yn fy marn i, oedd iddo ddod yn arweinydd Llafur yng Nghymru yn hwyr iawn yn y dydd, ar ôl ymddiswyddiad Ron Davies, heb fod wedi gweithio ar agenda datganoli mewn dyfnder. Daeth yn Ysgrifennydd Gwladol ar 27 Hydref 1998, cwta bum mis cyn yr etholiadau i'r Cynulliad. Cyn hynny ni fu erioed yn gweithio yn y Swyddfa Gymreig. Ni fu erioed yn Weinidog Cabinet yn Llundain. Doedd yr adran y gwyddai fwyaf amdani, y Swyddfa Gartref, ddim wedi ei datganoli i'r Cynulliad. Nid oedd, chwaith, wedi chwarae unrhyw ran fel Gweinidog i lunio Deddf Llywodraeth Cymru, nac i'w chael i'r llyfr statud. Mae'n amheus faint o fanylion y ddeddf yr oedd yn gwybod amdanynt pan ddaeth i'r swydd. Roedd disgwyl i Alun Michael ddysgu llwyth anferth o bethau yn anhygoel o sydyn i wneud ei waith fel Ysgrifennydd Gwladol, heb sôn am baratoi rhaglen i lywodraethu Cymru.

Ar ben hyn oll, bu'n rhaid iddo ymladd etholiad yn erbyn Rhodri Morgan i gael y fraint o arwain Llafur yn yr etholiad i'r Cynulliad. Bu'n frwydr glòs, a theimlai llawer fod Tony Blair wedi ceisio dylanwadu ar y canlyniad trwy bwyso ar yr undebau i gefnogi Alun Michael. Cynhaliwyd yr etholiad ar 20 Chwefror 2000, a'r canlyniad oedd: Alun Michael 52.6% Rhodri Morgan 47.4%. Pe bai pleidleisiau aelodau cyffredin y Blaid Lafur yn unig yn cael eu hystyried, byddai Rhodri Morgan wedi ennill o 64.3% i 35.7%. Felly daeth Alun Michael i'r arweinyddiaeth heb gefnogaeth frwd gweithwyr ei blaid ei hun.

I wneud pethau'n waeth, doedd ganddo ddim sedd etholaethol ar gyfer y Cynulliad. Roedd Llafur yn ei etholaeth ei hun, De Caerdydd a Phenarth, wedi dewis Lorraine Barrett yn ymgeisydd. Allai Alun Michael ddim lluchio'i enw i mewn ar y funud olaf heb darfu ar y cydbwysedd rhwng y rhywiau, a thrwy hynny godi nyth cacwn o fewn Plaid Lafur Cymru. Felly bu'n rhaid iddo ymladd am sedd ar restr ranbarthol Gorllewin a Chanolbarth Cymru. Doedd dim sicrwydd y byddai'n ennill sedd. Pe bai Llafur wedi ennill sedd Llanelli a Dwyrain Caerfyrddin, fyddai Alun Michael ddim yn y Cynulliad. O ystyried hyn oll, dim rhyfedd i ni gael Prif Ysgrifennydd nad oedd yn llawn barod am y cyfrifoldebau aruthrol a ddisgynnai ar ei ysgwyddau.

Doedd Alun Michael chwaith ddim yn aelod naturiol o 'Maffia' Llafur y De, er iddo fod yn gynghorydd yng Nghaerdydd am flynyddoedd cyn dod yn Aelod

Seneddol. Roedd ei wreiddiau yn y Gogledd, fel y byddai'n atgoffa'r byd bob tro y deuai yno! Eto doedd o chwaith ddim yn rhan o sefydliad Llafur Clwyd, lle'r oedd ei wreiddiau. Mewn sawl ystyr roedd yn ddyn o'r tu allan – wedi ei barasiwtio i mewn i wneud joban o waith ar ran ei feistr, Tony Blair. Bu Blair a Michael yn cydweithio fel Gweinidogion yr Wrthblaid yn y Swyddfa Gartref yn 1992–4, cyfnod John Smith fel arweinydd.

Does dim dwywaith fod Alun Michael yn gydwybodol yn ei waith. Efallai iddo fod yn orgydwybodol, nes talu gormod o sylw i fanylion, gan fethu codi ei hun uwchben y gweddill a rhoi arweiniad strategol clir i'w blaid, i'r Cynulliad ac i Gymru. Cofiaf weld ei swyddfa gyda mynydd o ffeiliau ar ei ddesg, a deallaf iddo'n aml weithio tan oriau mân y bore yn ceisio ymdopi â'r gwaith papur.

Roedd yn cael trafferth i ymddiried yn ei gyd-Weinidogion gyda manylion o'r fath. Daw dwy enghraifft i gof. Tua Medi 1999 roeddwn wedi gofyn am gyfarfod brys efo Rhodri Morgan, oedd bryd hynny'n Ysgrifennydd dros Ddatblygu'r Economi. Roeddwn eisiau trafod materion yn ymwneud â denu gwaith i Wynedd. Pe bawn wedi gofyn, fel Aelod Seneddol San Steffan, am gyfarfod cyffelyb gyda'r Gweinidog yn y Swyddfa Gymreig, byddwn yn ôl bob tebyg wedi cael un o fewn wythnos i ddeg diwrnod. Y tro hwn aeth tair wythnos heibio heb i mi glywed gair. Er i fy swyddfa i atgoffa swyddfa Rhodri am y cais, chlywais i ddim siw na miw. Yn y diwedd bu'n rhaid i mi eu holi fy hun. Cefais ateb anhygoel gan was sifil oedd yn gwirioneddol ymddiheuro am y sefyllfa; esboniodd bod yn rhaid i

Rhodri gael caniatâd Alun Michael cyn fy nghyfarfod, ac nad oedd y caniatâd byth wedi dod!

Dro arall ysgrifennais at Peter Law, oedd bryd hynny'n Ysgrifennydd dros Gynllunio, Trafnidiaeth a Llywodraeth Leol. Daeth yr ateb, nid gan Peter Law ond gan Alun Michael. Teimlai mai fo'i hun, ac nid ei gyd-Weinidogion, a ddylai fod yn ateb llythyrau gan Arweinydd yr Wrthblaid. Efallai y dylwn werthfawrogi'r gydnabyddiaeth, ond roedd yn cynyddu'r gwaith ar ei ysgwyddau a hynny heb angen.

Mae cwestiynau i'w gofyn ynglŷn â'r Cabinet a benododd pan ddaeth i rym yn 1999. Doedd dim lle i Ron Davies, y mwyaf profiadol o ddigon o Aelodau Llafur y Cynulliad. O gofio'r amgylchiadau, hwyrach fod hynny'n anorfod, ond gallai fod wedi dangos dychymyg a gweithredu'n eangfrydig trwy ei gynnwys. Fe allai, er enghraifft, fod wedi ei benodi'n Weinidog Amaeth, swydd y bu Ron yn ei gwneud yn yr Wrthblaid yn San Steffan am flynyddoedd yng nghyfnod Neil Kinnock. Yn lle hynny, penododd Christine Gwyther druan, yn llysieuwraig heb fawr o gefndir amaethyddol, i ddelio ag un o'r lobïau mwyaf effeithiol mewn gwleidyddiaeth, a hynny ar gyfnod echrydus o anodd i gefn gwlad Cymru yn sgîl BSE.

Gadawyd Sue Essex, Aelod Llafur profiadol arall, hefyd allan o'r Cabinet. Daeth Tom Middlehurst, cyn-gynghorydd rhadlon ond cwbl ddi-Gymraeg o Sir y Fflint, yn Weinidog â chyfrifoldeb dros yr iaith Gymraeg, arwydd o ddiffyg sensitifrwydd ar y pwnc hwnnw. Penodwyd Rosemary Butler o Gasnewydd, hithau'n ddi-Gymraeg, yn Weinidog Addysg (o dan 16 oed).

Pobl alluog eraill a adawyd allan o'r Cabinet ar y pryd oedd Carwyn Jones, Alun Pugh, John Marek, Val Feld a Jane Davidson – er iddi hi gael 'gwobr gysur' trwy ddod yn Ddirprwy Lefarydd y Cynulliad. Cefais yr argraff ar y pryd fod Alun Michael wedi penodi tîm y gallai ei reoli, nid tîm o dalentau gorau ei blaid. Dywedir iddo greu'r tîm yn yr ymdrech i gael nifer dda o fenywod i'r Cabinet; ond gallai fod wedi sicrhau hynny gyda thîm sylweddol gryfach.

Tra oeddwn yn Arweinydd yr Wrthblaid bûm yn cyfarfod Alun Michael yn gyson – fel arfer am awr bob bore Mercher. Roedd yn gwbl fodlon – yn wir yn awyddus – i drafod manylion trefniadol y Cynulliad, ond yn gyndyn i drafod materion polisi gwleidyddol. Byddai Arweinydd y Democratiaid Rhyddfrydol, Mike German, yn y cyfarfodydd hefyd fel arfer. Weithiau byddai Rod Richards yno, fel Arweinydd y Torïaid, er nad oedd Alun Michael yn fodlon rhannu cymaint o'i syniadau gyda Rod Richards ag oedd o gyda Mike German a minnau. Wedi i Nick Bourne ddod yn Arweinydd y Torïaid, yn lle Rod Richards, daeth yn rhan fwy arferol o'r trafodaethau. Weithiau cawn alwad i fynd i swyddfa Alun Michael ar y pumed llawr i drafod materion rhyngom ni ein dau. Yn un o'r cyfarfodydd hynny fe'i rhybuddiais ein bod ni fel Plaid yn gwbl o ddifri wrth fygwth pleidlais o ddiffyg hyder ynddo os na fyddai'n llwyddo i gael arian ychwanegol i Gymru ar gyfer rhaglen Amcan Un Ewrop. Gwrthodai dderbyn fod problem, gan honni nad oeddem yn deall y ffigurau na'r gyfundrefn. Awgrymais mai da o beth fyddai cael Phil Williams i egluro iddo beth oedd ein dehongliad ni o'r sefyllfa. Cefais yr argraff nad oedd eisiau deall.

Roedd yn well ganddo drafod pethau llawer mwy dibwys. Cofiaf er enghraifft gael galwad ffôn toc wedi pump o'r gloch un nos Fercher gan ei ysgrifenyddes. 'Mae Mr Michael eisiau gair bach sydyn â chi ar fater o frys. Fedrwch chi bicio i fyny?'. Es yno, gan ddisgwyl rhyw faterion o bwys mawr i'n gwlad neu i'r Cynulliad. Bu'n sgwrsio am sbel, a'r prif fater oedd ganddo dan sylw, hyd y gallwn ddehongli, oedd nad oedd y camerâu teledu yn un o'r ystafelloedd pwyllgor yn gweithio! Aeth pump o'r gloch yn chwech ac yna'n saith, a dim ond ar ôl i mi ffonio'm merch, Eluned, oedd yn digwydd bod yng Nghaerdydd ac yn fy nisgwyl adref i'r fflat i gael swper, y tynnwyd y cyfarfod i'w derfyn.

Yn ystod y cyfnod hwn, tybiaf fod peth anniddigrwydd o fewn Grŵp Plaid Cymru yn y Cynulliad. Roedd fy nghyd-Aelodau yn ymwybodol o'r cyfarfodydd a fynychwn gydag Alun Michael, ond yn cael cyn lleied o sylwedd yn ôl nes bod rhai'n amau fy mod yn cadw pethau oddi wrthyn nhw. Y gwir oedd nad oedd fawr ddim byd o sylwedd i'w adrodd. Dyna ddagrau pethau.

Mewn cyfarfod estynedig o Grŵp Plaid Cymru ar 30 Mehefin 1999 yn yr Eglwys Norwyaidd ger y Cynulliad Cenedlaethol, rhoddais fy marn y byddai'n rhaid tynnu Alun Michael i lawr, pe bai modd. Y prif reswm oedd ei fod yn wan drybeilig fel Prif Weinidog, ac yn annhebyg o wneud safiad effeithiol dros hawliau Cymru wyneb yn wyneb â Tony Blair a Gordon Brown ar faterion hollbwysig megis ariannu rhaglen Amcan Un.

Gwyddwn hefyd mai Rhodri oedd gwir ddewis y Blaid Lafur yng Nghymru fel eu harweinydd, a'i fod yn boblogaidd fel person. Pe bai Llafur yn dymchwel Alun Michael ychydig fisoedd cyn yr etholiad nesaf yn 2003 ac yn gosod Rhodri yn ei le bryd hynny, fe allai ddod â ffresni i Lafur ar gyfer yr etholiad, fel y gwnaeth John Major i'r Toriaid yn 1992, a'u harwain i fuddugoliaeth. Roedd lles Cymru a lles y Blaid yn galw am ddiorseddu Alun Michael os deuai cyfle. Nid pawb oedd yn cytuno, ond roedd mwyafrif da yn fy nghefnogi.

Allen ni wrth gwrs ddim tynnu Alun Michael i lawr ar fympwy. Byddai angen rheswm digonol dros wneud hynny – rheswm a fyddai'n ddigon i orfodi'r Toriaid a'r Rhyddfrydwyr i'n cefnogi ac a fyddai'n ddealladwy, os nad yn dderbyniol, i gefnogwyr Llafur. Yr unig bwnc a welwn a allai wneud hyn oedd methiant Alun Michael i sicrhau arian digonol gan y Trysorlys i'n galluogi i weithredu rhaglen Amcan Un Ewrop.

Trafodais y mater yn fanwl efo Phil Williams, ein llefarydd ar Faterion Economaidd, oedd hefyd yn ein harwain ar Amcan Un. Cytunodd y ddau ohonom y gallasai cynnig o ddiffyg hyder yn Alun Michael, ar sail ei fethiant i gael arian ychwanegol o'r Trysorlys, fod yn ddigon i uno'r gwrthbleidiau. Ond byddai'n allweddol bwysig fod y cynnig yn dod ar yr amser iawn, ar ôl i Alun Michael fod wedi cael cyfle teg i berswadio'r Trysorlys. Gan fod y trafodaethau ar y patrwm gwario ar gyfer 2000–1 yn prysur symud ymlaen, roedd angen tanio'n fuan. Felly yn fy araith fel Llywydd i'r Gynhadledd yn Llandudno ar 24 Medi 1999, dywedais:

Os bydd Llafur yn gadael Cymru i lawr ar fater o bwys, fyddwn ni ddim yn petruso dod â phleidlais o ddiffyg hyder yn eu herbyn. Un mater o'r fath yw arian cyfatebol Ewropeaidd. Os na fydd Llafur yn cyflwyno mecanwaith sy'n darparu cronfeydd ychwanegol i Gymru, fel ein bod yn cael y fantais lawn o gronfeydd strwythurol Ewrop yn y flwyddyn sydd i ddod – os na fydd Llywodraeth Alun Michael yn perswadio Gordon Brown a'i Drysorlys i ddarparu'r arian hwn, yna bydd ei Lywodraeth yn wynebu cynnig o ddiffyg hyder gan Blaid Cymru yn y Cynulliad. Cynnig ar bwnc o bwysigrwydd canolog i Gymru. Ac os bydd yn colli, byddwn yn disgwyl iddo ymddiswyddo. Mae'r neges yn ddigon syml. "Cough up or get out".

Roedd hyn yn gadael pum mis i Alun Michael gael yr arian. Pe bai'n llwyddo golygai hyn yn ddelfrydol £348 miliwn y flwyddyn i Gymru fel y soniais yn y bennod ddiwethaf. Byddai hynny'n ddigon i gael rhaglen sylweddol, i greu gwaith a gwella'r economi yng Ngorllewin Cymru ac yn y Cymoedd. Pe bai'n llwyddo, byddai hyn yn dangos fod gan Alun Michael ddylanwad ar Tony Blair, a'i fod felly'n gallu cael adnoddau angenrheidiol i Gymru. O dan yr amgylchiadau hynny, byddai'n haeddu goroesi, a fyddai dim cynnig o ddiffyg hyder.

Ond pe bai'n methu, ar fater mor ganolog bwysig i Gymru, byddai'n haeddu talu'r pris. Roedd hyn yn arbennig o wir wrth gofio sut yr oedd Alun Michael wedi dod i'r swydd. Roedd yno ar gais Tony Blair, i wneud joban o waith i Tony Blair. Fel *Blairite* cydnabyddiedig, roedd wedi helpu Blair yn ei etholiad i arweinyddiaeth Llafur yn erbyn Gordon Brown, ac efallai wedi pechu yn erbyn Brown yn y broses. Roedd wedi helpu Tony Blair i ddod allan o dwll ar ôl misdimanars Ron Davies. Roedd yn ddigon teg dweud fod gan Tony Blair ddyled i Alun Michael. Ond a fyddai Blair yn talu'r ddyled?

Doedd yr arian ddim yn swm enfawr – mân newid yn yr arian wrth gefn oedd gan y Trysorlys ar y pryd. Os oedd Blair yn methu rhoi'r ychydig arian ychwanegol angenrheidiol i Alun Michael i weithredu'r rhaglen i gael mwy o waith a lleihau tlodi yng Nghymru, roedd y wers yn amlwg: fyddai arweinyddiaeth Llafur Newydd yn Llundain yn gwrando dim ar lais Alun Michael. Os felly byddai'r unig fantais o gadw Alun Michael yn ei swydd yn diflannu.

Serch hynny roeddem yn gobeithio tan yr eiliad olaf y byddai'n llwyddo i gael yr arian. Roedd ffyniant yr economi'n bwysicach na sgalp Alun Michael nac ennill pwyntiau gwleidyddol. Bûm innau draw yn Downing Street i ddadlau'r achos. Roedd Tony Blair yn rhy brysur i'm cyfarfod. Felly bu raid i mi ddelio ag un o'i brif swyddogion. Esboniais y sefyllfa wrtho ac eglurais y gallai fod problem gyda'r Trysorlys oherwydd hanes y berthynas anffodus rhwng Alun Michael a Gordon Brown dros y blynyddoedd. Dywedais mai dim ond ymyrraeth uniongyrchol a buan gan Tony Blair a allai arbed croen Alun Michael.

Fyddai waeth i mi beidio â bod wedi trafferthu. Prin fod y swyddog yn deall arian Amcan Un. Doedd o ddim am ildio i'n pwysau. Dywedais wrtho nad ceisio blacmel yr oeddwn, ond tynnu ei sylw at realiti gwleidyddol y Cynulliad. Os oedden nhw eisiau cadw Alun Michael, roedd yn rhaid canfod yr arian. Ond gwrthod yr arian wnaeth Llundain, a thrwy hynny danseilio Alun Michael.

Daeth y bleidlais o ddiffyg hyder ar 9 Chwefror 2000. Erbyn hynny roeddwn wedi dioddef afiechyd y galon ac wedi bod i ffwrdd o'r Cynulliad am gyfnod. Er fy mod yn ôl erbyn y ddadl, gan mai Ieuan Wyn Jones oedd wedi gorfod cynnal yr achos ers dechrau Rhagfyr roedd yn briodol mai Ieuan a ddylai arwain y ddadl diffyg hyder. Fe wnaeth hynny, ac fe gefnogwyd y cynnig gan y Democratiaid Rhyddfrydol a'r Toriaid.

Ymddengys fod Alun Michael wedi credu tan y funud olaf y byddai'n cael ei ailenwebu gan grŵp yr ACau Llafur pe bai'n colli'r bleidlais o hyder. Oherwydd hynny penderfynodd y byddai'n osgoi pleidlais yn ei erbyn trwy ymddiswyddo cyn i'r Llywydd gael cyfle i gyflwyno'r cynnig o ddiffyg hyder i bleidlais ar ddiwedd y ddadl. Credai y byddai'n cael ei ailenwebu gan y Grŵp Llafur ar ôl osgoi'r bleidlais.

Roeddem ni, fodd bynnag, yn ymwybodol fod llawer o ACau Llafur eisiau gweld Alun Michael yn cael ei ddisodli. Byddai'r rheini'n dod atom yng nghoridorau'r Cynulliad i bwyso arnom i roi cynnig o ddiffyg hyder gerbron. Roedd Plaid Cymru'n cyflawni rhywbeth yr oedd llawer o ACau Llafur eisiau ei weld, ond heb ddigon o blwc i'w wneud eu hunain. Yn ôl y sôn, dim ond chwech o'r 28 Aelod Llafur oedd yn gadarn eu cefnogaeth i Alun Michael. Roedd yntau wedi camddarllen a chamddehongli'r sefyllfa'n llwyr. Dyma oedd ei gamgymeriad olaf fel Prif Ysgrifennydd. Doedd ganddo ddim ffordd allan o'r twll.

Doedd Tony Blair chwaith ddim wedi amgyffred mor ddifrifol oedd sefyllfa Alun Michael, fel y dangosodd y digwyddiadau yn siambr Tŷ'r Cyffredin y pnawn hwnnw. Am 3.15 pm, union adeg y ddadl diffyg hyder, fe atebodd Tony Blair gwestiwn ar lawr y Senedd ynglŷn â'r digwyddiadau yng Nghaerdydd. Dywedodd:

I believe that the Welsh First Secretary (Mr. Michael) is doing an excellent job and so does the Labour Party.[1]

O fewn pum munud cododd William Hague, Arweinydd y Torïaid, ar ei draed gyda'r geiriau trawiadol:

Within moments of his (Blair) expressing full confidence in the First Secretary in Wales, news came through to the House that the First Secretary had resigned. He doesn't even know whether the First Secretary is in office at this moment.

Cafodd Tony Blair un o'i sesiynau cwestiynau mwyaf anghyfforddus. Roedd yn amlwg nad oedd Alun Michael wedi rhoi ar ddeall i Blair ei fod am ymddiswyddo. Doedd hi ddim yn ymddangos fod Blair yn gwrando rhyw lawer arno ynglŷn ag unrhyw beth.

Roedd Alun Michael wedi methu cyflawni'r hyn yr oedd gan Gymru'r hawl i'w ddisgwyl ganddo. Etholwyd Rhodri Morgan yn arweinydd yn ei le.

Rai wythnosau wedi iddo ymddiswyddo, bu gwrthdaro rhwng Alun Michael a minnau o fewn yr Uwch Bwyllgor Cymreig yn y Senedd. Roedd yn hynod chwerw tuag ataf. Roedd yn fwy chwerw fyth y tu allan i'r Tŷ pan waeddodd – ar draws y lawnt gyferbyn â'r Senedd – ei fod yn falch i mi orfod ymddiswyddo o arweinyddiaeth y Blaid.

Roedd gan Alun, wrth gwrs, bob hawl i fod yn chwerw wedi iddo orfod gadael ei swydd fel Prif Ysgrifennydd Cymru. Ond os oedd o'r farn mai fy meirniadaeth i, a hynny'n unig, oedd yn gyfrifol am ei gwymp mae hynny, rwy'n ofni, yn dweud y cyfan.

Yn fuan ar ôl iddo roi'r gorau i arwain Llafur yn y Cynulliad, penderfynodd Alun Michael gefnu ar y Cynulliad a throi'n ôl i Dŷ'r Cyffredin. Awgrymai rhai fod hynny'n adlewyrchu ei ymroddiad i Gymru. Roedd ganddo yrfa o fewn Llywodraeth Tony Blair yn Llundain, mae'n debyg. Roedd ei yrfa yn y Cynulliad ar ben.

Go brin y gwelwn, fyth eto, arweinydd Llafur yng Nghymru yn cael ei ddewis gan Brif Weinidog Prydain. Cydnabu Tony Blair wedyn iddo wneud camgymeriad yn ei agwedd flaenorol tuag at Rhodri Morgan. Roedd ymddiswyddiad Alun Michael o swydd y Prif Ysgrifennydd ac o'r Cynulliad yn ddiwedd cyfnod. Gyda dyfodiad Rhodri Morgan, roedd cyfnod newydd ar fin agor.

[1] *Hansard* 9 Chwefror 2000, colofn 243.

Pennod 14

Saga'r Siambr newydd

Pan oeddem yn ymgyrchu i gael Cynulliad, fe gymrais yn ganiataol mai yn Neuadd y Ddinas, Caerdydd, y byddai'n cael cartref parhaol. Mae Parc Cathays fel pe bai wedi ei gynllunio, ganrif yn ôl yn nyddiau mudiad Cymru Fydd, fel lleoliad ar gyfer Senedd-dŷ Cymreig.

Drannoeth y Refferendwm, pan oedd cyfle i gyflwyno neges i'r genedl fod y Cynulliad ar ei ffordd, dewisodd Ron Davies Neuadd y Ddinas fel cefndir ar gyfer y lluniau oedd i gael eu tynnu, a bu'n ddigon hael i awgrymu y dylwn innau fod yno ar yr amser penodedig.

Hyd at ad-drefnu llywodraeth leol Cymru yn y nawdegau, Neuadd y Ddinas oedd cartref llywodraeth leol dinas Caerdydd. Yn yr un ardal roedd pencadlys Cyngor Sir Morgannwg Ganol, swyddfeydd yr hen Sir Forgannwg cyn hynny. Roedd gan Gyngor De Morgannwg adeilad newydd crand iawn i lawr yn y Bae. Ar ôl ailwampio'r Cynghorau dim ond un adeilad fyddai ei angen fel prif gartref y cyngor unedig newydd dros ddinas Caerdydd. Yn y Bae yr oedd Cyngor Caerdydd wedi ymgartrefu.

Roedd angen canfod rhyw ddefnydd i adeilad ysblennydd Neuadd y Ddinas, un a fyddai'n gwneud cyfiawndar â'i hanes a'i leoliad blaenllaw yn y ganolfan ddinesig, y drws nesaf i'r Amgueddfa Genedlaethol. Roedd o fewn pum munud o gerdded o'r Swyddfa Gymreig, lle byddai gweision sifil y Cynulliad yn gweithio. Roedd yn berffaith amlwg mai dyma lle y dylai cartref y Cynulliad fod.

Roeddwn mor argyhoeddedig mai dyma fyddai'r lleoliad addas, fel y dangosais lun o Neuadd y Ddinas ar glawr fy llyfryn 'Cymru Rydd mewn Ewrop Unedig'. Dewisais yr un llun i'w argraffu ar gerdyn Nadolig, gan ddisgrifio'r adeilad oddi mewn fel 'Cartref y Senedd Gymreig'. Yn bwysicach, roeddwn wedi dylanwadu'n gryf ar Blaid Cymru i symud ein swyddfa ganolog, gan werthu'r un a fu gennym am ugain mlynedd yn Cathedral Road a phrynu un newydd hynod gyfleus yn Park Grove, dafliad carreg o Neuadd y Ddinas. Tybiwn y byddai'n lleoliad delfrydol i staff y Blaid pan ddeuai'r Cynulliad.

Roedd yn goblyn o sioc i mi ddeall fod Ron Davies wedi methu dod i ddealltwriaeth gyda'r Cynghorydd Russell Goodway, Arweinydd Cyngor Dinas Caerdydd, ynglŷn â chael meddiant o Neuadd y Ddinas ar gyfer y Cynulliad. Does gen i ddim amheuaeth mai Neuadd y Ddinas oedd dewis cyntaf Ron, ac mai dyma hefyd oedd dymuniad Rhodri Morgan.

Yn Rhagfyr 1997, cyhoeddwyd papur ymgynghorol[1] yn gwahodd sylwadau gan bobl Cymru ar wahanol opsiynau, yn dilyn y diddordeb a fynegwyd gan nifer o drefi a dinasoedd ledled Cymru i roi cartref i'r Cynulliad. Credaf fod elfen ym mhenderfyniad Ron o 'alw blyff' Caerdydd. Beth bynnag am hynny roedd ei benderfyniad yn gydnaws â'i ddymuniad i fod yn agored ac yn gynhwysol gyda gwleidyddiaeth newydd Cymru. Y gost cyfalaf (yn cynnwys yr adeilad a'r cyfarpar angenrheidiol) a ddyfynnwyd oedd £17 miliwn. Roedd hyn yn unol â'r asesiad a gynhwyswyd yn y Papur Gwyn 'Llais dros Gymru' a gyhoeddwyd adeg y Refferendwm.

Trwy ddau gyd-ddigwyddiad, cefais fy hun yng nghanol y dadlau ynglŷn â'r mater. Yn gyntaf, pan esboniodd Ron yr anawsterau a gâi i ddod i ddealltwriaeth gyda Russell Goodway, fe gynigiais gyfarfod Russell i weld a allwn helpu i gael cyfaddawd. Roeddwn yn ei adnabod yn weddol dda, ar ôl ei gyfarfod sawl gwaith yn swyddogol ac yn gymdeithasol. Roedden ni ar delerau personol pur dda, er gwaetha'n gwahaniaethau gwleidyddol. Dyn pragmataidd yw Russell Goodway, un sy'n chwilio am y fargen orau i Gaerdydd ar bob cyfle. Doedd o ddim yn ymddangos ar dân dros ddatganoli, yn rhannol, fe dybiaf, am ei fod yn ei weld yn fygythiad i lywodraeth leol. Ond o dderbyn y bleidlais 'Ie', fe welai gyfle mawr i Gaerdydd ac yn hyn o beth roedd yn llygad ei le. Hwn oedd y cyfle i Gaerdydd a'r Cynulliad ddechrau eu cyd-berthynas ar y droed iawn, trwy ddod i gytundeb anrhydeddus i gartrefu'r Cynulliad yn Neuadd y Ddinas.

Cefais sawl cyfarfod gyda Russell Goodway, a hefyd gyda Byron Davies, Prif Weithredwr y Ddinas. Tybiwn ar un adeg fy mod wedi canfod sail i gytundeb, ond roedd y ddwy ochr mor gyndyn â'i gilydd i gyfaddawdu. Cefais gyfarfod dros ginio gyda'r ddau ar 22 Ionawr 1998 a chyfarfod pellach ar y 4 Chwefror. Rhoddwyd yr argraff eu bod yn parhau'n awyddus i'r Cynulliad ddod i Neuadd y Ddinas, ond yn anfodlon ei werthu am y £3.5 miliwn yr oedd Ron Davies yn cynnig ei dalu. Bu i ni drafod sawl opsiwn gyda hwy, gan gynnwys symud eu staff o Neuadd y Ddinas i Dŷ Crughywel ar rent isel. Fe sonion nhw hefyd am gael arian preifat i gyllido'r adeilad ar brydles hir. Teimlwn eu bod yn awyddus i mi gael y neges yn ôl i Ron y gellid cytuno ar Neuadd y Ddinas. Ond erbyn hyn roedd Ron yn colli amynedd gyda'r llusgo traed. Ar 19 Chwefror cefais ar ddeall ganddo ei fod yn symud tuag at gael adeilad newydd – efallai yn y Bae – gan nad oedd yn gweld unrhyw bosibilrwydd o ddod i gytundeb efo Russell Goodway.

Roedd disgwyl y byddai penderfyniad terfynol yn cael ei gyhoeddi ar 13 Mawrth. Cariwyd stori i'r perwyl hwn ar fwletinau bore y BBC. Er syndod imi, cefais alwad ffôn gan Ron i'm swyddfa yng Nghaernarfon am ddeg y bore. Dywedai fod dau leoliad yng Nghaerdydd yn dal o dan ystyriaeth – un yn y Bae ac un arall yn Sgwâr Bute. Byddai'n cymryd amser i godi adeilad newydd a byddai'n rhaid cael cartref dros-dro i'r Cynulliad. Mewn rhaglen radio y diwrnod hwnnw awgrymodd Russell Goodway y byddai'n darparu Neuadd y Ddinas yn rhad ac am ddim fel cartref dros-dro – ond erbyn hyn roedd Ron yn trafod adeilad o eiddo Prifysgol Cymru ym Mharc Cathays fel cartref dros-dro. Yn amlwg roedd Neuadd y Ddinas allan o'r ras. Roedd hyn yn fater o dristwch i mi. Roeddwn hefyd yn flin nad oedd cynlluniau pendant a chostau manwl ar gael wrth wneud y fath benderfyniad.

Golygai hyn oll fod Abertawe bellach allan o'r ras. Yn bersonol, er bod gen i gydymdeimlad â chais Abertawe, oedd wedi pleidleisio 'Ie' yn y Refferendwm, allwn i ddim dychmygu'r Cynulliad yn cael ei leoli oddi allan i brifddinas Cymru. Pe tae'r Cynulliad wedi mynd i Abertawe, byddai'n rhaid, yn hwyr neu'n hwyrach, symud y gweision sifil yno hefyd. Abertawe, i bob pwrpas, fyddai prifddinas newydd Cymru. Byddai oblygiadau sylweddol i hyn, o ran ymateb Caerdydd. Byddai hefyd yn ychwanegu at y polareiddio rhwng gorllewin a dwyrain ar adeg pan oedd angen cyfannu. Beth bynnag a ddywedai'r galon, allwn i ddim, yn rhesymegol, weld y Cynulliad yn cartrefu yn unman ond Caerdydd.

O benderfynu ar Gaerdydd, a derbyn, yn groes i'r graen, nad oedd Neuadd y Ddinas ar gael, roedd dewis yr union safle yn dal yn broblem. Hyd at y funud olaf roeddwn o'r farn bod Ron Davies wedi penderfynu ar safle yn Sgwâr Bute, y tu ôl i'r Orsaf Ganolog. Mae'n dal yn aneglur pam iddo newid ei feddwl a dewis Tŷ Crughywel yn y Bae yn gartref cyntaf i'r Cynulliad, ond dyna oedd sylwedd ei benderfyniad a gyhoeddwyd ar 28 Ebrill 1998.

Agorwyd Tŷ Crughywel ym 1993, i gofio mae'n debyg y cyfnod pan oedd Nicholas Edwards, Arglwydd Crughywel erbyn hynny, yn Ysgrifennydd Cymru. Bu cryn drafod ynglŷn â chefndir y penderfyniad i godi'r adeilad. Erbyn diwedd y nawdegau roedd yn gartref i lu o weision sifil, yn y sector iechyd ymhlith eraill. Byddai'n rhaid ailgartrefu'r rhan fwyaf o'r rheini i wneud lle i'r Cynulliad. Byddai hefyd angen codi ychwanegiad i'r adeilad i ddarparu siambr addas ac i gael nifer o ystafelloedd pwyllgor penodol.

Gwahoddwyd ceisiadau i gyflwyno cynlluniau ar gyfer yr estyniad, a fyddai'n cael ei leoli rhwng Tŷ Crughywel a'r Bae, gyda'r adeilad newydd yn edrych allan tua'r môr. Dewiswyd panel, dan gadeiryddiaeth yr Arglwydd

Callaghan, i ddyfarnu ar y ceisiadau. Dyma gyd-ddigwyddiad arall i mi'n bersonol. Fe benodwyd Elinor ar y panel. Bu raid i ni godi wal Tsieiniaidd o fewn ein cartref rhag i mi gael fy nhemtio i ofyn cwestiynau gwleidyddol ynglŷn â'r datblygiadau. Roedd Ron Davies wedi gosod telerau ar gyfer yr estyniad newydd, gan gynnwys uchafswm y gost. Y ffigwr a nodwyd ar gyfer yr adeilad yn unig yn y ddogfen yn gwahodd ceisiadau gan benseiri oedd £11.5 miliwn heb gynnwys offer technoleg gwybodaeth ond yn cynnwys costau'r gwifrau ar gyfer hyn.[2]

Ar y pryd, rhybuddiais Elinor, a phawb arall y bûm yn trafod y mater efo nhw, nad oedd gobaith mul i neb allu codi adeilad o urddas, a fyddai'n sefyll prawf amser (fel y gwnaeth yr adeiladau cyhoeddus ym Mharc Cathays) am y pris hwnnw. Dywedais fod perygl inni gael adeilad eilradd a fyddai, o fewn cenhedlaeth, mor ddeniadol â'r adeiladau ysgolion cyfun hyll a godwyd yn chwedegau'r ugeinfed ganrif. Ysgrifennais at Ron Davies ar 11 Mai 1998. Dyfynnaf o'r llythyr:

I believe that this (decision) will have serious cost implications... At this stage we MUST include a proper costing of the facilities which will be specified in the architect's brief. Unless this is undertaken, the costings to which the architect will be working, will be open-ended and unreliable... I think that it is living in cloud cuckoo land to believe that we can have a properly equipped and designed building, which will stand the test of time, for £11 million. The danger is of cutting corners in order to get within the figures laid down by the Government and ending up with a building which, in 20 years time, will look like a 1960s comprehensive school.

Yn ei ateb ar 12 Mehefin, 1998 ysgrifennodd Ron Davies:

I appreciate your concerns about the potential costs of the construction of the Assembly building... The costings that I announced are the result of professional advice from cost consultants. We have allowed up to £12.5 million for the basic provisions: there will be additional expenditure on fixtures and fittings including IT... The Royal Institute of British Architects believe that the cost which has been identified for the construction is a reasonable estimate for a building of the necessary quality and prestige on the scale envisaged.

Roedd yn anodd credu hefyd na ellid bod wedi addasu Neuadd y Ddinas am lai o gost na'r hyn fyddai angen ei wario i godi estyniad teilwng i Dŷ Crughywel. Roeddwn yn bell o fod yn hapus fod y cymariaethau costau wedi eu gwneud ar sail ddilys. Y brif gost wrth addasu Neuadd y Ddinas fyddai creu swyddfeydd i 60 Aelod a staff y Cynulliad; creu oriel ymwelwyr digon mawr; ac ail-wneud system wres canolog yr adeilad. Roedd yr amcangyfrif ar gyfer atgyweiriadau i'r adeilad a moderneiddio'r gwres canolog yn £10 miliwn, ffigwr anhygoel o uchel. Ond p'run bynnag, yn fy marn i byddai'n rhaid i ryw boced gyhoeddus dalu, yn hwyr neu'n hwyrach, am system wresogi newydd o'r math yma – os nad yw'n fwriad gan y Llywodraeth i werthu'r adeilad hyfryd ac urddasol hwn i'r sector breifat, fel y gwnaed gyda chartref y GLC yn Llundain. Ymddengys i mi fod y gweision sifil a'r gweinidogion wedi anwybyddu ffactorau felly ac wedi cymryd agwedd gul wrth gymharu costau.

Daeth panel Jim Callaghan i benderfyniad ar y ceisiadau ym mis Hydref 1998, a dyfarnu mai cynllun cwmni pensaernïol Richard Rogers oedd yn fuddugol. Cadarnhawyd y dyfarniad gan Ron Davies ar 20 Hydref a nododd y byddai'r adeilad newydd yn cael ei gwblhau am gost o £10 miliwn, h.y. yn llai na'r uchafswm a osodwyd ar gyfer y prosiect. Dyma un o benderfyniadau olaf Ron cyn iddo ymddiswyddo'n ddiweddarach y mis hwnnw.

Ar ôl i'r Cynulliad gymryd drosodd gan y Swyddfa Gymreig yn 1999, roedd angen cadarnhau a fyddem yn parhau gyda'n bwriad i adeiladu siambr newydd. Manteisiodd y Toriaid ar y cyfle i droi'r mater yn gynnen wleidyddol. Dadleuodd y Toriaid y gellid darparu ysbyty plant i Gymru am bris yr adeilad. Digon teg. Ond ar y sail honno, sawl ysbyty plant y gellid eu codi am bris rhaglen awyrennau rhyfel Trident?

Pan ddaeth Rhodri Morgan yn Brif Weinidog Cymru yn Chwefror 2000, un o'r pethau cyntaf a wnaeth oedd gofyn y cwestiwn a ddylid parhau â'r adeilad. Roedd yn amlwg bod ganddo amheuon ynglŷn â'r bwriad, a holodd farn Mike German a minnau ar y mater. Credaf y byddai Rhodri wedi hoffi osgoi gwneud penderfyniad tan ar ôl etholiadau 2003.

Dywedais fy mod yn bersonol wedi cefnogi Neuadd y Ddinas, ond bod mwyafrif helaeth Grŵp Plaid Cymru yn y Cynulliad yn gefnogol i'r adeilad newydd. Fe'i gwnes yn glir bod y *status quo* – peidio creu unrhyw adeilad nac estyniad newydd – allan o'r cwestiwn. Roedd Mike German hefyd o blaid darpariaeth newydd. Trefnodd Rhodri Morgan i gael asesiad newydd a chadarnhad o'r costau gan rewi popeth am dri mis i gyflawni hyn. Roedd yn amlwg ei fod yntau'n amheus iawn a ellid cwblhau'r gwaith o fewn y ffigurau ariannol gwreiddiol. Cwblhawyd yr adolygiad a chynhaliwyd dadl bellach ar 21 Mehefin. Erbyn hyn roedd cost cynllun Rogers wedi codi i £27 miliwn. Cafwyd pleidlais rydd ar y mater yn y Cynulliad. Cynigiodd y Llywodraeth gyfaddawd na fyddai'n fawr mwy na chwt atodol i Dŷ Crughywel. Roedd yn gyfaddawd cwbl annerbyniol a siaradais yn gryf yn erbyn. Dywedais ei fod yn 'rhoddi i'r byd neges sydd yn adlewyrchu Cynulliad heb weledigaeth a chenedl sy'n ddifygiol mewn hunanhyder'.[3]

Gelwais ar y Cynulliad i bleidleisio'n unfrydol dros raglen Rogers. Cynigiodd y Toriaid i beidio â mynd ymlaen ag unrhyw adeilad newydd. Pan ddaeth y bleidlais trechwyd y Toriaid o 49 i 8 pleidlais. Ar y gwelliant allweddol trechwyd cynnig Rhodri Morgan am gyfaddawd gwan o 35 pleidlais i 22. Fe ymunodd nifer o ACau Llafur (gan gynnwys Ron Davies) gyda Phlaid Cymru a'r Democratiaid Rhyddfrydol i drechu'r Llywodraeth. Dyma o'r diwedd, benderfyniad cadarn o ran egwyddor i fynd ymlaen â chynllun Rogers.

Dechreuwyd ar y gwaith adeiladu ar 1 Mawrth 2001 wedi seremoni bathetig o annigonol, o ystyried arwyddocâd yr adeilad.

Yna, ar 17 Gorffennaf 2001 syfrdanwyd pawb yn y Cynulliad pan ddaeth yn hysbys y gallai'r gost, oedd yn wreiddiol yn ddim ond £12 miliwn, fod gymaint â £47 miliwn erbyn y byddai'r gwaith wedi ei gwblhau. Roedd hwn yn ffigwr cwbl anhygoel, yn arbennig o gofio fod y costau wedi eu cadarnhau fel £26.6 miliwn mor ddiweddar â Thachwedd 2000. Roedd yr amcangyfrifon o'r costau wedi codi ar raddfa anghredadwy o fewn saith mis, a hynny'n wir am bob agwedd o'r gwaith. Er enghraifft, yn Nhachwedd 2000 yr amcangyfrif oedd y byddai to'r adeilad yn costio £565,000. Erbyn Mehefin 2001 roedd y ffigwr wedi treblu, i £1.69 miliwn. Yn yr un cyfnod fe gododd cost fframwaith ddur yr adeilad o £720,000 i £1.09 miliwn, a'r cladio pren o £207,000 i £1.19 miliwn. Yr unig eglurhad a gafwyd oedd y rheidrwydd i gynnwys defnyddiau cynhenid Gymreig megis llechi a choed o Gymru. Ond oni ddylai'r pensaer fod wedi darparu hyn yn y cynllun gwreiddiol? Rhan fechan yn unig o'r cynnydd yn y costau a esboniwyd gan hyn. Naill ai roedd yr amcangyfrifon gwreiddiol yn warthus o anghywir, neu roedd rhywun yn ceisio blingo'r Cynulliad. Efallai bod y gwir yn gyfuniad o'r ddau.

Mynegais fy ngofid ynglŷn â'r sefyllfa o fewn Grŵp Plaid Cymru, ac wedyn yn y Siambr ar 17 Gorffennaf 2001. Dywedais fy marn yr un mor gryf ar lawr y Cynulliad ac ar y cyfryngau. Os na allen ni fel Cynulliad gadw cost cynllun cyfalaf o'r fath o fewn y telerau a gytunwyd ar ddechrau'r gwaith, roedd yn dangos gwendid ar ran swyddogion y Cynulliad. Os na allem reoli costau un adeilad, sut gallai'r cyhoedd ymddiried ynom i reoli costau ysgolion, ffyrdd neu ysbytai?

Cytunwn yn llwyr ag agwedd y Gweinidog Cyllid, Edwina Hart, pan rybuddiodd y datblygwyr y byddai'n diddymu'r contract os oedd yn mynd allan o reolaeth i'r fath raddau. Cefnogodd y Cynulliad y safbwynt hwnnw, er bod y Toriaid yn dal i geisio chwarae gwleidyddiaeth gyda'r mater. O fewn dyddiau i ddatganiad Edwina Hart fe syfrdanwyd pawb unwaith eto pan gyhoeddodd cwmni Richard Rogers y gallen nhw, wedi'r cyfan, adeiladu'r Siambr newydd, ar y cynllun gwreiddiol, am yr amcangyfrif gwreiddiol o'r costau. Haleliwia!

Estynnodd Edwina Hart wahoddiad i gwmnïau geisio eto ar gyfer y gwaith. Yr oedd cyfle i Bartneriaeth Rogers ddod yn ôl i'r ffrâm. Gobeithiaf y tro hwn y penodir ymgymerwyr ar sail cytundeb manwl, eglur a chynhwysfawr, ac na fydd yn rhoi esgus i'r adeiladwyr wyro o'r pris a gytunir ar gyfer y gwaith. Amser a ddengys sut bydd y cyfan yn gweithio allan.

Un peth sy'n sicr: dydi'r Siambr bresennol ddim yn dderbyniol. Mae'r to yn isel a phileri'n rhwystro Aelodau rhag gallu gweld ei gilydd. Mae'r ystafell yn anaddas i ymwelwyr, sy'n cael golygfa gyfyngedig o'r Cynulliad. Yn waeth na dim, mae'r ystafell yn poethi a'r aer yn afiach i'w anadlu. Ar ôl eistedd yn y Siambr am deirawr yn ddi-fwlch byddaf yn teimlo bod fy mhen yn hollti. Dyw hi ddim yn dderbyniol i Gynulliad Cenedlaethol Cymru gyfarfod mewn ystafell sydd mor gyfan gwbl anaddas. Gwnaed sbort am ben y Siambr gan y wasg Brydeinig yn sgîl araith Tony Blair yno ar 30 Hydref 2001. Ymddengys mai sylwadau anffafriol papurau Llundain a berswadiodd Rhodri Morgan, yn hwyr yn y dydd, i gefnogi'r siambr newydd.

Mae angen hefyd gwella'r ystafelloedd pwyllgor o fewn yr adeilad. Mae'r pwyllgorau'n hanfodol i waith y Cynulliad, ac maent yn agored i'r cyhoedd. Ar hyn o bryd mae'r ystafelloedd yn gyfyng iawn, a does dim darpariaeth ddigonol ar gyfer y gweision sifil heb sôn am y cyhoedd. Ar rai adegau pan fydd materion pwysig yn cael eu trafod yn y pwyllgorau, bydd pob sedd ar gyfer y cyhoedd wedi ei llenwi, a phobl sy'n cynrychioli mudiadau â'r hawl i fod yno, yn methu cael sedd. Mae'r estyniad newydd, yn ôl y cynlluniau a ddarparwyd, yn cynnwys nifer o ystafelloedd pwyllgor newydd, pwrpasol, ac mae eu mawr angen.

Beth bynnag fydd cost derfynol yr estyniad bydd yn bitw o'i gymharu â'r adeilad newydd sy'n cael ei godi ar gyfer Senedd yr Alban. Yr amcangyfrif diweddaraf ar gyfer yr adeilad yng Nghaeredin yw £235 miliwn.

Mae'n werth cofio hefyd bod Portcullis House – adeilad newydd gyferbyn â Big Ben sy'n darparu swyddfeydd ar gyfer 200 o Aelodau Seneddol yn Llundain – wedi costio £260 miliwn. Mewn cymhariaeth, mae'r cynlluniau ar gyfer y Cynulliad Cenedlaethol yn rhesymol iawn. Os ydym am ddangos hunan-barch fel cenedl, a hyder yn ein sefydliad democrataidd newydd, mae'n rhaid i ni gredu mewn adeiladau o ansawdd ac urddas. Beth fyddai hanes Parc Cathays yng Nghaerdydd pe bai arweinyddion y ddinas, ganrif yn ôl, gan gynnwys Toriaid y cyfnod, wedi dangos agwedd mor bathetig o grintachlyd a diddychymyg â beirniaid y Cynulliad heddiw?

[1] 'Cymru Newydd: Dyfodol Newydd – Dewisiadau ynglŷn ac adeiladau', y Swyddfa Gymreig, Rhagfyr 1997.

[2] 'National Assembly for Wales: Design concept brief', Gorffennaf 1998.

[3] Cofnod y Cynulliad, 21 Mehefin 2000.

Elinor a minnau yng nghwmni Rhiannon a Gwynfor Evans, 1999.

Sgwrsio efo John Major wrth baratoi i adael y Senedd, 2001.

Efo ymgeiswyr y Blaid ar gyfer Senedd Ewrop yn 1994 – Owain Llywelyn, Colin Mann a Cath Adams.

Rali'r Glowyr wrth ymyl y Senedd, efo Bleddyn Hancock (NACODS).

Y pêl-droediwr John Hartson yn cefnogi'r ymgyrch 'Ie' yn 1997, efo'r Cynghorydd I. W. Jones.

Ar fin ennill coconut! Parc Singleton, Abertawe adeg etholiad y Cynulliad, 1999.

Efo Cymdeithas Gymraeg Wellington, Seland Newydd yn 1998.

Robert Roser, Washington.

Gŵr gwadd yng nghinio Sefydliad Cenedlaethol Cymru-America, Pennsylvania, 1995.

Ymweld â Siapan fel rhan o ddirprwyaeth Seneddol.

Cyfarfod Arlywydd Pujol, Catalonia yn 1996.

Y Tîm:
Chwith – Rhian Medi Roberts (Tŷ'r Cyffredin).
Uchod – Gwenda Williams, Richard Thomas, Judith Jones (Swyddfa Caernarfon).
Chwith – Alun Thomas, Catrin Huws (Tŷ'r Cyffredin).
Isod – Mererid Lewis, Nans Couch (y Cynulliad).

Efo'r Wasg yn y Senedd:
Uchod – Michael White (Guardian) a David Cornock (BBC). (*Llun: Steve Daszko*)

Chwith – Mike Steele (HTV) a Nick Speed (Western Mail), ynghyd ag Alun Shurmer a Nia Jeffreys o'n staff Seneddol.

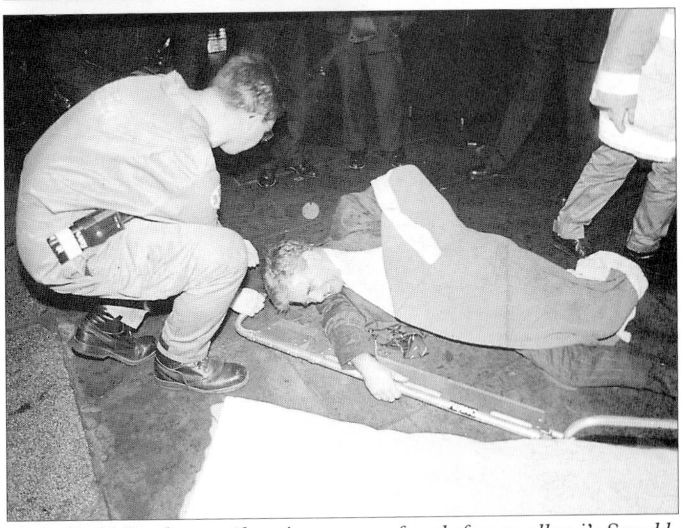

Ar fy ffordd i'r ysbyty ar ôl torri asgwrn yn fy nghefn y tu allan i'r Senedd.
(*Llun: Wheatcroft*)

Agoriad swyddogol y Cynulliad. Cael gwrandawiad astud!

Tîm y Blaid yn y Cynulliad efo Gwynfor Evans, 1999.

Trafod efo Ron Davies.

Efo Rhodri Morgan (Prif Weinidog Cymru) a model o adeilad newydd y Cynulliad.

Annerch Rali Pen-blwydd 75 oed Plaid Cymru ym Mhwllheli, 2000.

Cyfarfod cyntaf Grŵp y Blaid yn y Cynulliad, Mai 1999.

Cyflwyno AS newydd y Blaid, Adam Price i Marjan Setinc (llysgennad Slofenia). Hefyd yn y llun – Ian Titherington. (Llun: Steve Daszko)

Croesawu Elinor i'r Wisg Wen, Dinbych 2001.

Cael fy nerbyn fel Cymrawd Anrhydeddus ym Mhrifysgol Cymru, Bangor gan Eric Sunderland (Prifathro) a Merfyn Jones (Is Brifathro).

Agor ffordd osgoi Llanllyfni – y Cynghorydd O. P. Huws, y Cynghorydd Alun Ffred Jones a Sue Essex (Gweinidog Ffyrdd Cymru), 2001.

Efo gweithwyr Hufenfa De Arfon. Y Rheolwr, Gareth Evans, ar y chwith.

Cefnogi gweithwyr Friction Dynamics, 2001. Tom Jones (TGWU) ar y chwith.

Ymgyrchu: achos Morfa Bychan.

Dathlu llwyddiant Cwmni Sain, efo Dafydd Iwan ac O. P. Huws.
(Llun: Tegwyn Roberts)

Yn ôl i Ysgol Bontnewydd yng nghwmni Bryn Terfel a phlant yr ardal.
(Llun: Tegwyn Roberts)

Efo'r teulu a'r Cynghorydd Ioan Thomas, Maer Caernarfon, ar ôl derbyn rhyddfraint tref Caernarfon, 2001.

Elfyn Llwyd a Simon Thomas: cyflwyno englynion i mi wrth imi ffarwelio â'r Senedd, Mawrth 2001. (Llun: Steve Daszko)

Aelodau Seneddol, a minnau yn eu plith, yn ffarwelio â'r Llefarydd wrth ymddeol o'r Senedd, 2001.

(Llun: Jeremy Young/The Sunday Times)

Ar ôl ennill yr etholiad olaf i'r Senedd, 1997: Eluned, Elinor, Hywel a Merfyn Jones-Evans (Cynrychiolydd). (*Llun: Dewi Wyn*)

Trosglwyddo'r awenau i Hywel Williams AS; agor ymgyrch Etholiad 2001 ym Mhwllheli, efo'r tîm o ganfaswyr.

Y Cynulliad a'r cyfryngau

Dywedir bod y berthynas rhwng y wasg a gwleidyddion yn debyg i'r un rhwng ci a phostyn lamp, ond does neb yn siŵr p'run yw'r ci a ph'run yw'r postyn. Yr awgrym, am wn i, yw bod y ddwy alwedigaeth a ddylai fod yn taflu goleuni ar y byd yn fwy tueddol weithiau i daflu rhywbeth arall am ben y naill a'r llall. Cymhariaeth arall a glywir yw'r berthynas rhwng meddwyn a phostyn lamp, gydag ansicrwydd ai'r gwleidyddion ynteu'r wasg sy'n cynhyrchu'r goleuni. Mae honno hefyd yn addas gan fod gwleidyddion a gohebwyr, yn gam neu'n gymwys, yn enwog am eu hoffter o'r ddiod gadarn.

Un o beryglon mawr Tŷ'r Cyffredin yw treulio gormod o amser mewn trafodaethau yn y bar. Dyna pam y penderfynias i yn 1982, y gaeaf cyntaf imi fod yn Llywydd y Blaid, y byddwn yn troi'n ddirwestwr rhwng dydd Calan a dydd Gŵyl Ddewi bob blwyddyn. Cedwais at y ddeufis dialcohol bob blwyddyn am ugain mlynedd, i wneud yn siŵr bod popeth o dan reolaeth. Gwelais ormod o Aelodau Seneddol da yn mynd ar ddisberod oherwydd goryfed. A gwelais ambell aelod o lobi seneddol y wasg yn prysur ddirywio ar hyd yr un llwybr.

Does dim cymaint o berygl yn y Cynulliad Cenedlaethol, gan nad yw 'diwylliant diod' yn rhan o'r lle. Does dim bar yno fel y cyfryw, er bodd modd cael gwydraid o win yn yr ystafell de. Y perygl, wrth gwrs, yw mynd i'r pegwn arall a cholli'r fantais o gyfathrachu ar ddiwedd diwrnod gwaith gydag aelodau o bleidiau eraill, cyfeillion y wasg ac ati. Caiff hyn ei ddatrys maes o law, ond roedd awdurdodau'r Cynulliad yn iawn i ogwyddo tuag at ddirwest ar y dechrau.

Efallai fod y diffyg darpariaeth gymdeithasol yn un rheswm am y berthynas ansicr sy'n dal i fod rhwng Aelodau'r Cynulliad a'r newyddiadurwyr sy'n gweithio yno. Cymharol ychydig o ohebwyr ddaeth i'r Cynulliad efo profiad Seneddol y tu cefn iddyn nhw; mae llawer heb brofiad gwleidyddol o gwbl. Yr eithriadau yw rhai o staff y BBC a HTV, sy'n gweithredu, p'run bynnag, o fewn canllawiau cadarn eu cyflogwyr.

Mae gwahaniaeth rhwng adroddiad llafar, sy'n aml yn diflannu gyda'r anadl a'i hynganodd, ac adroddiadau papur newydd, a fydd ar gof a chadw mewn ffeiliau melyn, neu foliau cyfrifiaduron, am flynyddoedd i ddod. Mae'n hawdd tynnu coes Clive Betts am iddo, cyn Etholiad 1997, ddilorni'r syniad o Gymru heb yr un AS Ceidwadol – oherwydd mae'r toriad o'r *Western Mail* yn yr archifau. Mae'n anos edliw rhywbeth a ddywedodd Dewi Llwyd ar y teledu fisoedd ynghynt. Os nad ydych chi fel Tony Benn yn recordio popeth a'i gatalogio, mae'n amhosib cofio'n union pa eiriau a ddefnyddiwyd.

Bu rhaid i'r cyfryngau ddarparu gwasanaeth newydd sbon gyda dyfodiad y Cynulliad, ac addasu i amgylchiadau newydd Cymru. Yn yr un modd, bu'n rhaid i wleidyddion hefyd addasu. Byddai'n gwbl annheg edrych ar y cyfan o'r cyfryngau fel pe baen nhw'n un belen eira dorfol. Ond mae rhai agweddau a welir yn rhedeg trwy'r adroddiadau o'r Cynulliad yn achosi problemau.

Y gyntaf yw'r duedd i briodoli pob penderfyniad neu wendid i'r Cynulliad fel corff, yn hytrach nag i'r Llywodraeth neu'r Gweinidogion perthnasol. Nid yw'r ddau yr un peth. Pan adroddir ar ryw ddigwyddiad yn Llundain, dywedir fod 'y Llywodraeth wedi penderfynu' neu'r 'Llywodraeth wedi cyhoeddi' neu'r 'Llywodraeth wedi gwrthod'. Os daw mater gerbron y Senedd, fe adroddir fod Tŷ'r Cyffredin wedi cymeradwyo polisi'r Llywodraeth neu, ar adegau prin, wedi trechu'r Llywodraeth. Trwy hyn fe ddaw yn eglur i'r cyhoedd ble mae'r cyfrifoldeb yn gorwedd. Hyd yma mae'r wasg, a thrwy hynny y cyhoedd, yn cymysgu rhwng y Cynulliad fel corff a'r Llywodraeth sydd mewn grym yno.

Yr ail feirniadaeth yw'r 'tabloideiddio' neu'r 'dymio i lawr' a ddaeth mor nodweddiadol yn ystod y blynyddoedd diwethaf. Rhan o hynny yw'r duedd i chwilio am ffraeo ac ymgecru ym mhobman, a hyd yn oed i'w greu lle nad yw'n bod. Mae hyn yn digwydd ar draul yr hyn a ddylai fod yn brif swyddogaeth y cyfryngau, sef delio â sylwedd dadl. Gallaf gydymdeimlo â gohebwyr sy'n ceisio cadw llygad ar bopeth sy'n digwydd yn y Cynulliad, ac yn ei chael hi'n anodd ymdopi â'r cyfan. Does dim modd i un gohebydd ddilyn tri neu bedwar pwyllgor ar yr un diwrnod, mynychu cynadleddau'r wasg gan Weinidogion a'r gwrthbleidiau, yn ogystal â chadw llygad ar ambell wrthdystiad oddi allan i adeilad y Cynulliad. Mae angen greddf sy'n medru gwahaniaethu rhwng y pwysig a'r dibwys, a'r gallu i ragweld hynny ymlaen llawn. Profiad sy'n magu greddf o'r fath a siawns na chawn weld y math hwn o newyddiadura yn tyfu yn y Cynulliad dros y blynyddoedd.

Pryder arall yw amharodrwydd rhai yn y wasg i gymryd sylw o'r hyn sy'n digwydd yn Gymraeg yn y Siambr. Sylwais ar ohebwyr di-Gymraeg yn peidio trafferthu i godi'r setiau cyfieithu pan fydd Aelod yn siarad yn Gymraeg, ac yn anwybyddu'r cyfraniad. Bu problem ar y dechrau gyda'r teledu byw ar S4C, gyda llais cyfieithydd yn trosleisio'r Gymraeg wreiddiol ar y setiau gartref, gan beri anniddigrwydd mawr i wrandawyr Cymraeg eu hiaith. Gyda'r gwasanaeth digidol mae modd dewis yr iaith – i'r rhai ffodus sydd â setiau digidol. Brysied y dydd pan fydd y setiau hyn ym mhob cartref yng Nghymru.

Mae temtasiwn i wrthgyferbynnu criw'r wasg yn y Cynulliad efo'r rhai yn San Steffan. Mae'r *press pack* yn Nhŷ'r Cyffredin yn rhywbeth i'w ofni pan maent yn hela nerth eu traed. Unwaith y bydd un ci wedi arogli gwaed, mae'r gweddill ar ei sodlau. A phan ddalian nhw eu prae, boed hwnnw'n Aelod o'r meinciau cefn neu'n well fyth yn Weinidog y Goron, fyddan nhw ddim yn fodlon nes byddan nhw wedi rhwygo pob tamaid o gnawd oddi ar yr esgyrn, a chnoi'r esgyrn yn dipiau.

Fu dim rhaid i ni ym Mhlaid Cymru wynebu'r *press pack* llawn – doedden ni ddim yn ddigon pwysig iddyn nhw. Unwaith yn unig y cofiaf bresenoldeb sylweddol yn un o'n Cynadleddau i'r Wasg yn San Steffan. Roedd hynny adeg y bleidlais ddiffyg hyder yn Llywodraeth Jim Callaghan yn 1979, pan oedd yn ymddangos mai ni oedd yn dal y fantol.

Yr unig adeg arall i mi deimlo pwerau'r helgwn oedd

adeg Etholiad y Cynulliad yn 1999. Pan lansiwyd ein maniffesto daeth nifer ohonyn nhw draw o Lundain, gyda'r nod unswydd o fy nghroeshoelio ar sail dymuniad honedig y Blaid i gael 'annibyniaeth'. Soniais am y profiad hwnnw ym mhennod 10.

Yr achos mileiniaf a welais o unrhyw *press pack* oedd adeg is-etholiad Perth yn yr Alban yn 1995. Roeddwn yno'n ymgyrchu dros ymgeisydd yr SNP, Roseanna Cunningham. Welais i erioed unrhyw ymgeisydd yn cael triniaeth mor gignoeth. Y disgrifiad Saesneg fyddai '*red in tooth and claw*'. Prin fod Roseanna wedi agor ei cheg i ateb cwestiwn nad oedd aelod arall o'r wasg i lawr ei chorn gwddw. Mae Roseanna, fel cymaint o ferched yng ngwleidyddiaeth yr Alban, wedi gorfod magu croen caled iawn. Hi gafodd y gair olaf, wrth gwrs, gan iddi ennill yr is-etholiad.

* * *

Mae nifer o griw Oriel y Wasg yn Nhŷ'r Cyffredin yn hen lawiau ac yn deall yn iawn beth yw sylwedd stori a beth yw *spin* gwleidyddol. Un o'r rhai profiadol a fu'n delio â materion Cymreig yw David Rose, a fu am 30 mlynedd yn ohebydd y *Daily Post*. Gall David Rose edrych i fyw eich llygaid, ei dafod yn ei foch a'i lygaid yn pefrio, nodio'n garedig, ac yn amlwg ddim yn credu'r un gair y mae'n ei glywed. Yna'n sydyn daw ei lyfr bach allan, a'i law-fer yn hynod o gyflym; a phan mae'n dweud '*Can I check that*?' fe wyddoch ei fod am ddefnyddio'r stori.

Un arall o'r brîd profiadol yma yw Mike Steele, gohebydd Seneddol HTV. Un o Awstralia yw Mike, a bu efo HTV am chwarter canrif. Mae yntau'n gwybod beth yw *spin* a beth yw sylwedd. Cymro sydd wedi tyfu'n gyflym fel gohebydd Seneddol yw John Stevenson. Daeth John i'r swydd gyda phrofiad bywyd yn ogystal â diddordeb dwfn yn y byd gwleidyddol. Mae eisoes wedi gwneud cyfraniad fel sylwebydd sy'n gweld ymhellach na'r penawdau hawdd.

Mewn cymhariaeth â chyfeillion fel hyn, mae rhai o ohebwyr y Cynulliad yn dal yn weddol newydd a dibrofiad. Mae'r perygl fod *spin*, o ba bynnag gyfeiriad, yn cael ei lyncu'n rhy hawdd. Does dim digon o balu mewn dyfnder i'r cefndir i weld a yw'r stori'n dal dŵr. Un rheswm yw bod angen mwy o amser ar y gohebwyr druan, sy'n aml o dan bwysau gwaith aruthrol, i wneud cyfiawnder â'u cyfrifoldebau.

Mae rhai elfennau o'r wasg yn y Cynulliad Cenedlaethol yno gyda phwrpas gwleidyddol penodol amlwg. Does dim dwywaith bod y *Welsh Mirror* wedi ei sefydlu gyda'r bwriad o danseilio Plaid Cymru, os nad y Cynulliad hefyd. Popeth yn iawn – rhydd i bawb ei farn – ond mae'n anodd cymryd papur o'r fath o ddifri wrth iddynt hawlio bod eu tudalennau'n cynnwys '*for all that matters in Wales*'. Yr ateb i'r *Welsh Mirror* yw peidio'i brynu os ydym yn anfodlon â'i drywydd. Er mor flin y teimlais droeon am y ffordd unllygeidiog y mae'r *Mirror* yn trafod y Blaid, mae'n well gen i weld papur yn ymosod arnom na'r hyn sy'n digwydd yn y rhan fwyaf o'r wasg Lundeinig, sef anwybyddu Cymru'n llwyr. Yr hyn sy'n annerbyniol yw gweld cyfryngau eraill, fel y BBC, yn codi'r trywydd a gynigir gan y *Welsh Mirror* a rhedeg i'r un cyfeiriad, a thrwy hyn, yn caniatáu i'r *Mirror* osod yr agenda, a hynny ar sail mympwy nid sylwedd.

* * *

Oherwydd y pwysigrwydd o gael neges y Blaid drosodd i bobl Cymru, roeddwn wrth fy modd pan gefais wahoddiad i ysgrifennu tudalen gyfan i argraffiad Cymreig y *News of the World.* Bûm yn eiddigeddus am flynyddoedd o Alex Salmond, arweinydd yr SNP, oedd wedi ysgrifennu tudalen gyfan bob dydd Sul ar gyfer y *News of the World* yn yr Alban.

Pan ddaeth gwahoddiad tebyg i minnau gan Brif Olygydd Gweithredol y *News of the World,* Alex Marunchek, bûm yn trafod gyda'r Blaid a fyddai'n addas imi ysgrifennu i'r fath bapur. Cytunwyd y dylwn fanteisio ar y cyfle i gyrraedd hyd at hanner miliwn o drigolion Cymru bob dydd Sul. Dechreuais ysgrifennu i'r papur yng Ngorffennaf 1999.

Ceisiais osgoi pregethu'n wleidyddol ond yn hytrach ddefnyddio digwyddiadau'r cyfnod i gyflwyno neges, a hefyd i chwilio am hanesion ysgafn o ddiddordeb ehangach na gwleidyddiaeth. Cefais ymateb difyr o sawl cyfeiriad. Darllenwyr mwyaf annisgwyl y golofn oedd rhai o breswylwyr Carchar y Parc ym Mhen-y-bont ar Ogwr. Pan fûm yno ar ymweliad, soniodd nifer ohonyn nhw eu bod yn mwynhau fy nhudalen. Dyna roi ystyr newydd i'r term *captive audience*!

Byddwn yn ysgrifennu'r cyfan o'r dudalen fy hun, rhyw 1,500 o eiriau, er fy mod yn hel syniadau gan nifer o gyd-aelodau yn y Cynulliad ac yn arbennig gan fy nghynorthwy-ydd y wasg, Nia Jeffreys. Byddwn yn llunio'r cyfan, fel arfer, ar y trên adref ar brynhawn dydd Iau, a'i anfon i'r papur ar fore Gwener. Roedd yn ddisgyblaeth lem ond yn brofiad difyr iawn.

Un pryder oedd gen i pan gytunais i ysgrifennu oedd a fyddwn yn cael rhyddid golygyddol llwyr. Sicrhaodd y golygydd fi y byddai hynny'n digwydd. Yn fuan fe benderfynais roi'r mater ar brawf trwy lunio pwt o erthygl yn galw am i'r wasg adael llonydd i Ron Davies ar ôl yr holl erlid a fu arno wedi helynt Comin Clapham. Roedd y *News of the World*, fel y byddai rhywun yn disgwyl, ymhlith ei erlidwyr mwyaf didrugaredd. Roedd yn gysur i mi weld yr erthygl yn ymddangos heb air wedi ei newid.

Llwyddais i gynnal y dudalen hyd yn oed pan oeddwn yn yr ysbyty ym Manceinion yn cael triniaeth ar y galon, a hefyd yn ystod tair wythnos pan oeddwn dramor. Bu'n brofiad gwerth chweil, ac roeddwn braidd yn drist wrth roi'r gorau i'r golofn pan adewais y Llywyddiaeth. Gwnes yn siŵr y byddai fy olynydd, pwy bynnag a fyddai, yn cael dal ati, ac fe drosglwyddwyd y dudalen i Ieuan Wyn Jones yn Awst 2000. Trist oedd sylwi, ar ôl Etholiad Cyffredinol 2001, fod y dudalen wedi dod i ben. I roi halen ar y briw, rwy'n deall fod tudalen Alex Salmond yn yr Alban yn dal i fynd!

* * *

Perygl mawr i Aelodau'r Cynulliad, ac i aelodau'r cyfryngau sy'n byw a bod yn y lle, yw credu fod yr holl fyd yn troi o'u hamgylch nhw. Nid felly y gwêl y rhan fwyaf o bobl Cymru bethau; maent yn derbyn fod y Cynulliad yn bod, ac weithiau'n trafod pethau eithaf pwysig. Ond gwelant y Cynulliad fel un haen yn unig o'r llywodraeth sydd gennym, ochr yn ochr â Senedd Ewrop, Tŷ'r Cyffredin a'r Cynghorau Lleol. Mae perygl mawr i ni fod yn rhy fewnblyg yn y Cynulliad, gan gredu fod yr haul, y lleuad a'r holl fydysawd yn troi o'n hamgylch. Mae lle inni i gyd – Aelodau, pleidiau, a chyfryngau – arddel ychydig o wyleidd-dra. Mae'n bryd i'r cyfryngau hefyd edrych am newyddion positif i adrodd arno weithiau, yn lle gweld y pethau negyddol byth a beunydd. Ond derbyniaf yn llwyr na allan nhw wneud hynny os na fyddwn ni fel Aelodau yn darparu rhyw sylwedd ar eu cyfer.

Rhan o'r broblem, hyd yma, yw'r diffyg sylwedd ym mhwerau'r Cynulliad ei hun. Allwn ni ddim disgwyl adroddiadau byrlymus ar weithgareddau sydd mor gyffrous â phaent yn sychu. Ond mae'n ddyletswydd ar Aelodau a gohebwyr fel ei gilydd i wneud ein gorau glas i godi diddordeb y cyhoedd o fewn y galluoedd sydd gennym ni, a chael disgrifiadau mwy deallus o weithgareddau'r Cynulliad. Os na wnawn ni hynny bydd aelodau'r ddwy alwedigaeth yn chwilio am swyddi newydd. Cyd-ddibyniaeth yw hi, ac mae'n rhaid iddyn nhw a ninnau godi'n golygon i lefel uwch na'r berthynas rhwng ci a phostyn lamp.

Cloriannu'r Cynulliad

Nid Senedd mo'r Cynulliad, ac wrth geisio'i gloriannu mae'n bwysig peidio ag anghofio hynny. Mae gan Ogledd Iwerddon Gynulliad Deddfwriaethol, sy'n gyfystyr â Senedd. Mae gan yr Alban Senedd yng ngwir ystyr y gair, er yn ddarostyngedig i San Steffan. Corff cwbl wahanol sydd gan Gymru. Mae'n Cynulliad ni, o'i hanfod, yn wannach ac yn fwy cyfyngedig ei gyfrifoldebau a'i allu.

Ateb Tony Blair i anghenion Cymru oedd y Cynulliad. Nid dyna oedd ein dyhead ni ym Mhlaid Cymru, na dyhead Ron Davies o ran hynny. Derbyniwyd y Cynulliad gennym fel Plaid, a chan bobl Cymru o drwch blewyn, am ei fod yn gam i'r cyfeiriad iawn. Ond cam bychan ydi o, ac mae ffordd bell i fynd cyn y gellir dweud fod y Cynulliad yn ddigonol i lunio dyfodol i Gymru.

Ar un wedd mae gwaith Aelod o'r Cynulliad (AC) yn ddigon tebyg i waith Aelod Seneddol (AS). O safbwynt y gwaith yn yr etholaeth does yna fawr o wahaniaeth. Bydd AC yn cynnal cymorthfeydd i drafod problemau etholwyr yn union fel y gwna AS. Mewn rhai etholaethau fe wneir gwaith llawer mwy cydwybodol gan yr AC, am fod yr Aelod yn gorfod cyfiawnhau bodolaeth y Cynulliad Cenedlaethol yn ogystal â'i swydd ei hun. Yn rhy aml mae AS, ar ôl blynyddoedd mewn sedd ddiogel gyda mwyafrif anferth, yn dueddol o gymryd yr etholaeth yn ganiataol. Mae perygl i bawb ohonom yn hyn o beth, fel y syweddolon ni yn y Blaid yn ddiweddar.

Yn aml iawn dydi'r etholwyr ddim callach ynglŷn â gwahanol swyddogaethau AC neu AS. Mae'r ddau yno i'w cynrycholi. Fe ânt â'u problem at ba un bynnag o'r ddau maen nhw'n ymddiried ynddo fo neu hi, neu'r un sy'n cynnal y gymhorthfa gyfleus nesaf.

Ond o ran patrwm gwaith, mae'r Cynulliad yn dra gwahanol i'r Senedd. Yn un peth, mae'r oriau'n wahanol. Disgwylir i Aelodau'r Cynulliad fod yn bresennol ym mhob Sesiwn Lawn – sef ddwywaith yr wythnos, o ddau tan hanner awr wedi pump ar bnawn Mawrth a naw tan hanner awr wedi deuddeg ar fore Iau. Fydd pawb ddim yn eu seddi trwy gydol y cyfarfodydd hyn, ond gan amlaf bydd dros 50 allan o'r 60 Aelod yno am ran sylweddol o'r amser. Anaml iawn y bydd llai nag ugain Aelod, sef traean o'r Aelodau, yn eu seddi ar unrhyw adeg.

Mae hyn yn wahanol iawn i Dŷ'r Cyffredin. Ar yr wyneb mae'r oriau yno'n edrych yn hwy. Mae'r Senedd yn cyfarfod am hanner awr wedi dau ar bnawn Llun ac yn gorffen am dri o'r gloch ar bnawn Gwener. Ond prin fod yr un o'r 659 AS yno drwy'r cyfnod. Yn sicr fydd dim un ohonyn nhw'n eistedd yn ei sedd bob awr y mae'r Senedd ar agor.

Y patrwm yw fod y Siambr bron yn wag y rhan fwyaf o'r amser. Dim ond adeg Cwestiynau i'r Prif Weinidog am hanner awr ar ddydd Mercher y mae'n edrych yn weddol lawn. Hyd yn oed yr adeg honno anaml y bydd mwy na 300 allan o'r 659 o Aelodau'n bresennol. Pe bai pawb yno ar unwaith fyddai dim gobaith cael sedd iddyn nhw i gyd. Dyma draddodiad y Senedd: tyfodd i fod yn Siambr ran-amser yn y gorffennol, ac mae'n parhau felly i raddau.

Gwaethygodd y sefyllfa yn ystod y pum mlynedd diwethaf. Hyd at 1997 roedd Cwestiynau'r Prif Weinidog yn digwydd ddwywaith yr wythnos, am chwarter awr ar y tro ar brynhawniau Mawrth a Iau. Roedd hynny'n symbylu hyd yn oed yr Aelodau lleiaf brwdfrydig i gyrraedd y Tŷ ar fore dydd Mawrth ac aros tan ar ôl cwestiynau dydd Iau cyn dychwelyd i'w hetholaethau. O leiaf roedden nhw yn y Senedd, os nad yn y Siambr, am dridiau mewn wythnos. Wedi i Tony Blair newid y drefn, a chynnal dim ond un sesiwn i'r Prif Weinidog bob pnawn Mercher am hanner awr, gwn am rai Aelodau fyddai'n cyrraedd y Tŷ ar fore Mercher ac yn dychwelyd i'w hetholaethau y noson honno. Yn aml ar bnawn Llun neu Iau mae coridorau Tŷ'r Cyffredin yn ddistaw fel y bedd.

Fe all hyn fod yn gyfleus iawn i'r blaid sy'n llywodraethu, cyn belled â bod ganddyn nhw ddigon o Aelodau i bleidleisio pan fo angen. Mae'r Chwipiaid yn hoffi gallu dewis Aelodau i gymryd rhan mewn dadleuon, gan sicrhau cyfraniad gan yr Aelodau sy'n 'dweud y pethau iawn'. Bydd y duedd honno ar ei gwaethaf wrth i'r Aelodau Llafur ofyn cwestiynau cyfoglyd o wasaidd i Tony Blair – yn canmol ei weledigaeth ac yn gofyn iddo gytuno fod ei bolisïau'n ysbrydoledig! Mae'n chwa o awel iach pan fydd rhywun fel Dennis Skinner yn agor ei geg.

Cofiaf sylwi ar wrthgyferbyniad trawiadol rhwng y dadleuon yn y Cynulliad Cenedlaethol ac yn Nhŷ'r Cyffredin. Digwyddodd hyn ar ôl i Adroddiad Waterhouse ar gam-drin plant gael ei gyhoeddi. Pan gynhaliwyd dadl ar ddydd Mercher, 15 Mawrth 2000 yn y Cynulliad roedd 55 allan o'r 60 Aelod yn eu seddau, y mwyafrif helaeth yno drwy gydol y ddadl a barhaodd am ddwyawr.

Y dydd Gwener canlynol, roedd dadl ar yr un pwnc yn Nhŷ'r Cyffredin. Er bod oblygiadau cyffredinol i'r pwnc, digwyddiadau yng ngogledd Cymru oedd maes llafur yr Adroddiad, ac oherwydd hynny mi es i'r Senedd yn unswydd i gymryd rhan. Trwy gydol y drafodaeth yn Nhŷ'r Cyffredin, a barhaodd am ryw bedair awr, ddaeth dim mwy na 30 Aelod i'r Siambr; doedd dim mwy nag ugain yno ar unrhyw adeg ac 14 AS gymerodd ran yn y ddadl. Roedd hyn allan o 659 Aelod. O ran presenoldeb a diddordeb yn y pwnc, roedd gwrthgyferbyniad dramatig rhwng Aelodau'r Cynulliad ac Aelodau Seneddol.

Mae'n wir, wrth gwrs, nad yw gwaith Aelodau Seneddol nac Aelodau'r Cynulliad yn gyfyngedig i'r Siambr. Bydd ASau yn eistedd ar bwyllgorau yn trafod deddf newydd, efallai mewn dau ddwsin o eisteddiadau'r flwyddyn. Bydd tua thraean o'r Aelodau ar bwyllgorau dethol a fydd yn cyfarfod un bore yr wythnos am ddwyawr neu dair. Byddant hefyd yn aelodau o ambell bwyllgor arall, fel yr Uwch Bwyllgor Cymreig, sy'n cyfarfod bedair neu bum gwaith y flwyddyn.

Mae patrwm gwaith pwyllgorau'r Cynulliad yn dra gwahanol. Yno mae pob Aelod ar o leiaf un pwyllgor pwnc, fel Addysg neu Iechyd, sy'n debyg ar un wedd i bwyllgorau dethol Tŷ'r Cyffredin. Mae pwyllgorau'r Cynulliad yn cyfarfod yn swyddogol bob pythefnos gyda sesiwn yn parhau am deirawr a hanner, ac yn anffurfiol bob wythnos neu'n amlach. Rwy'n aelod ar hyn o bryd o

Bwyllgor Datblygu'r Economi, un o'r pwyllgorau prysuraf. Gwelais ni'n cyfarfod deirgwaith mewn wythnos, unwaith yn swyddogol a dwywaith yn anffurfiol. Rwy'n aelod hefyd o'r Pwyllgor Diwylliant, sy'n cyfarfod yn ffurfiol bob yn ail ddydd Mercher, Pwyllgor Archwilio'r Cynulliad, sy'n cyfarfod yn fisol, ac o'r Bartneriaeth Fusnes, sy'n cyfarfod bob deufis.

Mae pob Aelod hefyd yn eistedd ar Bwyllgor Rhanbarthol, sef Pwyllgor Gogledd Cymru yn fy achos i. Mae hwnnw'n cyfarfod bob deufis mewn gwahanol leoliadau yn y Gogledd. Cafwyd rhwng 100 a 200 o aelodau'r cyhoedd yn y gynulleidfa pan fuom yn cyfarfod eleni yn Wrecsam, Porthmadog a'r Rhyl. Mae Rhodri Morgan ei hun yn aelod o Bwyllgor y Gogledd, ac mae'n ateb cwestiynau gan y cyhoedd am hanner awr ar ddiwedd pob cyfarfod. Mae hyn yn codi diddordeb arbennig yng ngwaith y pwyllgor, ac mae'n dda o beth fod Rhodri'n cyflwyno'i hun yn y fath fodd. Ysywaeth, nid yw'r pwyllgorau Rhanbarthol eraill, ar wahân i'r Gogledd, yn llwyddo i ennyn diddordeb cyffelyb ymhlith y cyhoedd.

Rhwng yr eisteddiadau ffurfiol hyn o'r pwyllgorau, y cyfarfodydd anffurfiol efo gwahanol bobl sydd â diddordeb yng ngwaith y pwyllgor, y cyfarfodydd trafod preifat a gwaith darllen y papurau cefndir, mae gwaith pwyllgor yn llyncu o leiaf ddeuddydd llawn bob wythnos.

Mae natur gwaith pwyllgorau pwnc yn y Cynulliad yn wahanol i'r gwaith a wneir ar y Pwyllgorau Seneddol. Aelodau'r meinciau cefn sydd ar y Pwyllgorau Dethol Seneddol. Dyw'r Gweinidog perthnasol na phrif lefaryddion y pleidiau eraill ddim yn aelodau. Felly yn achos Pwyllgor Dethol Cymru, bydd yr Ysgrifennydd Gwladol, Paul Murphy AS, yn ymddangos gerbron y pwyllgor efallai ddwywaith neu dair y flwyddyn, i gael ei holi am bolisïau a gweinyddiaeth ei Adran.

Yn y Cynulliad, mae'r pwyllgorau'n rhan ganolog o'r broses ddatblygu polisi. Mae rhwng 9 ac 11 aelod ar bob pwyllgor, a'r rheini'n adlewyrchu nerth y pleidiau – e.e. pump Llafur, tri Plaid Cymru, dau Dori ac un Democrat Rhyddfrydol. Mae'r Gweinidog perthnasol a llefaryddion y pleidiau'n aelodau llawn o bob pwyllgor. Bydd prif weision sifil yr Adran hefyd yn ymwneud â gwaith y pwyllgor ac weithiau'n ateb cwestiynau'r aelodau. Mae hynny'n ychwanegu at ddyfnder gwybodaeth yr Aelodau am eu maes, ac yn eu gosod yng nghanol y dadleuon sy'n ymwneud â datblygu polisi yn y maes hwnnw. Ond mae agwedd arall i waith pwyllgor. Mae cyfrifoldeb ar yr Aelodau i oruchwilio gwaith y Gweinidog. Mae natur y cyfrifoldeb yn wahanol iawn i'r swyddogaeth o ddatblygu polisi. Fe all hyn, ar adegau, achosi dryswch.

Un agwedd lle mae'r Cynulliad yn rhagori llawer ar y Senedd yw bod yr Aelodau'n gallu trafod materion yn agored gyda gweision sifil. Yn Llundain prin fod gweision sifil yn cydnabod bodolaeth Aelodau Seneddol cyffredin. Mae'n rhaid i Weinidog fod yn bresennol cyn y gall gwas sifil agor ei geg. Yn y Cynulliad mae'r patrwm yn llawer iachach. Mae'n dda o beth ein bod ar delerau da gyda'r gweision sifil, ac yn gallu deall eu safbwynt ar wahanol faterion. Mae hyn yn arwain at ddadleuon mwy sylweddol, ar sail gwybodaeth yn hytrach na rhagfarn.

Dydi'r gweision sifil ddim bob amser yn ei chael hi'n hawdd addasu i'r drefn newydd, ond mae'r mwyafrif helaeth wedi ymdrechu'n galed i wneud i'r gyfundrefn weithio'n effeithiol.

Mae rhinweddau eraill hefyd i'r Cynulliad mewn cymhariaeth â'r Senedd. Mae'r drefn bleidleisio'n llawer callach. Yn Llundain mae pob pleidlais yn cymryd hyd at ddeunaw munud i'w chwblhau. Pan fydd cyfres o bleidleisiau, gall Aelodau dreulio dwyawr yn cerdded mewn cylchoedd rhwng gadael eu seddi, mynd drwy'r lobi 'Ie' neu 'Na', cael eu cyfri allan a dychwelyd i'w seddi. Yn y Cynulliad mae pob Aelod yn pwyso botwm, ac mae'r bleidlais drosodd mewn llai na munud.

Mae gan yr Aelodau ddull llawer mwy cartrefol o gyfarch ei gilydd yn y Cynulliad: pawb wrth ei enw cyntaf, heb ddim o'r stwnsh '*The Honourable Member*'. Rhaid cyfaddef bod hyn braidd yn chwithig i mi ar y dechrau. Fe'm hatgoffwyd o'r adeg pan oeddwn yn gweithio i gwmni Mars, ac yn cael cyfarwyddyd i alw Prif Reolwr y cwmni wrth ei enw cyntaf er ei fod ddwywaith fy oed ac yn ennill deg gwaith fy nghyflog. Deuthum i arfer â'r drefn yn Mars ac felly hefyd yn y Cynulliad.

Mae rhai o ddarpariaethau technegol y Cynulliad hefyd ganwaith gwell na rhai'r Senedd. Mae'r drefn gyfrifiadurol flynyddoedd ar y blaen i Dŷ'r Cyffredin. Rhoddir pedwar cyfrifriadur i bob AC – un yn ei swyddfa yn y Cynulliad, un yn ei swyddfa etholaeth, un ar ei ddesg yn Siambr y Cynulliad, a gliniadur i'w gario o gwmpas lle bynnag mae'n mynd. Y bwriad yw osgoi gwastraffu papur, sy'n hollol gydnaws ag amcanion 'cynaladwy' y Cynulliad. Mae'r drefn yn anos i Aelodau fel fi sydd heb ein magu ar gyfathrebu modern. Ond mae'n werth cael y drefn i weithio. Rydym ar y blaen i'r Alban yn hyn o beth. Pan fûm yn ymweld â'u Senedd nhw dywedodd eu llywydd, David Steel wrthyf eu bod wedi ceisio datblygu cyfundrefn gyfrifiadurol o'r fath, ond wedi gorfod rhoi'r ffidil yn y to, am y tro.

Rydym yn well allan o ran swyddfeydd i'r Aelodau hefyd na'r Senedd yng Nghaeredin, lle mae'r Aelodau heb eu hystafelloedd eu hunain ac fel gwartheg mewn ffald heb le i droi. Mae'r ystafelloedd yn y Cynulliad yn ddigon syml a di-gymeriad ond maen nhw'n well na rhai Tŷ'r Cyffredin. Dyna un rheswm na fydd rhaid i ni wynebu'r math o wario a fwriedir yn yr Alban gyda'u Senedd-dŷ nhw.

Mae oriau diwrnod gwaith y Cynulliad hefyd yn llawer callach na rhai San Steffan. Y bwriad yw ceisio cwblhau gwaith y dydd erbyn hanner awr wedi pump er mwyn i Aelodau roi amser i'w teuluoedd. Mae hynny'n fendith i'r Aelodau hynny sydd â'u teulu o fewn cyrraedd i'r Cynulliad. Ond mae'n achosi problem mewn cyfeiriad arall.

Pan fydd gwaith ffurfiol y Cynulliad drosodd am y dydd, mae gwaith anffurfiol eto i'w wneud. Mae'r byd a'r betws yn dymuno lobïo Aelodau ar res o faterion. Mae'n gyfrifoldeb arnom ni, fel Aelodau ac fel pleidiau, i fod ar gael i'r bobl hyn gael bwrw eu bol a mynegi eu pryderon a'u safbwyntiau.

Yn y Senedd, mae rhesi o grwpiau anffurfiol – efallai ryw 200 i gyd – yn ymwneud â phob math o bynciau a diddordebau. Bûm yn is-gadeirydd y Grŵp Anabledd, ac yn ymhel â nifer o rai eraill â'u meysydd yn amrywio o

Dwristiaeth i Ymchwil Geneteg a Gogledd America. Maen nhw'n gwneud gwaith gwerthfawr ac yn cyfarfod fel arfer rhwng pedwar a saith o'r gloch y nos, pan fydd dadl yn cael ei chynnal yn y Siambr. Yn y Cynulliad mae'n anodd ffurfio grwpiau fel hyn. Does dim digon o ACau i gyfrannu iddyn nhw, a does dim amser cyfleus iddyn nhw gyfarfod. Mae'r diwrnod gwaith arferol allan ohoni oherwydd y sesiynau llawn a'r pwyllgorau, a'r disgwyliad fod pob aelod yn ei sedd drwy gydol yr eisteddiadau. Gyda'r nos bydd llawer o Aelodau sy'n byw o fewn cyrraedd i Gaerdydd wedi mynd adref at eu teuluoedd neu i weithio yn eu hetholaethau.

Cefais un enghraifft o'r problemau a all godi oherwydd prinder yr ACau sydd ar gael i wneud y gwaith amrywiol yma o rwydweithio gyda'r nos. Gwahoddwyd fi un noson i fynd i dderbyniad a drefnwyd yng Nghastell Caerdydd gan bobl oedd yn weithgar efo'r sector iechyd yng ngogledd Cymru. Roedden nhw wedi gwahodd pob un o'r 60 AC, ond fi oedd yr unig un i fynd yno. Roedd yn sefyllfa eithriadol o anffodus, ac yn rhoi'r argraff i'r trefnwyr nad oedd gan ACau ddiddordeb yn eu gwaith. Doedden nhw ddim i wybod fod dau gyfarfod arall yn digwydd yn y Cynulliad ar union yr un amser. Yn y Senedd, llae mae cymaint mwy o Aelodau, mae bob amser yn bosib cael rhyw nifer o Aelodau Seneddol i droi allan i gyfarfodydd o'r fath.

Mae rhai o Aelodau'r Cynulliad yn teimlo fod y pwyllgorau ffurfiol yn mynnu gormod o'u hamser. Cynigiodd Llafur y dylid cwtogi maint y pwyllgorau, fel na fyddai raid i unrhyw aelod wasanaethu ar fwy nag un pwyllgor. Ond byddai hynny'n rhoi baich llawer trymach ar nifer llai o aelodau a fyddai ar bwyllgorau, ac yn cyfyngu ar yr arbenigedd sydd ei angen ar y pwyllgorau er mwyn gwneud eu gwaith mewn dyfnder. Mae angen nifer dda o Aelodau hefyd i sicrhau cydbwysedd daearyddol. Er enghraifft, bu beirniadaeth yn y gorffennol nad oedd yr un Aelod o ogledd Cymru ar y Pwyllgor Iechyd.

Un ateb fyddai ehangu maint y Cynulliad o 60 Aelod i 80 Aelod, fel y bwriadwyd yn wreiddiol. Mae gennym lai o aelodau na Senedd yr Alban (129 aelod) na Chynulliad Gogledd Iwerddon (108 aelod). Wedyn, efallai y byddai'n haws inni allu ymateb i ofynion y cyhoedd.

Ond nid amodau a chyfleusterau gwaith fydd yn penderfynu agwedd Aelodau'r Cynulliad at eu dyletswyddau. Mae hynny'n dibynnu yn anad dim ar allu'r Cynulliad a'i Lywodraeth i wneud gwahaniaeth o bwys i safon byw ac ansawdd bywyd pobl Cymru.

Mae llawer o rwystredigaethau yn codi yn hyn o beth. Mae'r rheini'n cael eu teimlo i wahanol raddau gan bob Aelod ac ar draws ffiniau plaid, gan rai fel fi oedd ar dân dros sefydlu'r Cynulliad a rhai oedd yn llugoer neu'n wrthwynebus i'r syniad ar y dechrau. Y brif rwystredigaeth, o bell ffordd, yw'r teimlad fod gan y Cynulliad ryddid i drafod unrhyw beth a fynn, ond nad yw'n gallu gwneud y nesaf peth i ddim.

Yr eironi yw hyn: ni fu erioed gymaint o sylw i anghenion Cymru. Ym mhob maes, mae cynlluniau'n cael eu datblygu, ymgynghori cyhoeddus yn digwydd, partneriaethau'n codi fel madarch a gweithgorau *task and finish* bondigrybwyll i'w gweld ym mhobman.

Efallai mai fi sy'n ddiamynedd. Wedi'r cyfan dim ond

ers Ebrill 2001 y buom yn gweithio i gyllideb a ddatblygwyd gan y Cynulliad. Rhan o'r broblem, o bosib, yw'r disgwyliadau afresymol o uchel a grewyd adeg y Refferendwm. Bryd hynny, roedd temtasiwn ar bawb ohonom oedd dros bleidlais 'Ie' i orbwysleisio'r cyfleon a ddeuai i Gymru yn sgîl y Cynulliad.

Yr anhawster cyntaf a deimlais yn y cyfnod cynnar oedd diffyg rhaglen lywodraethol gan Alun Michael. Bu hynny'n wir i ryw raddau am Lywodraeth Rhodri Morgan, er bod y glymblaid gyda'r Democratiaid Rhyddfrydol, a ffurfiwyd ym Medi 2000, wedi arwain at ryw fath o agenda. Amser a ddengys a fydd honno'n cael ei gwireddu, a faint o wahaniaeth a wna i gyflwr ein gwlad.

Ni allaf llai na theimlo pe bai Ron Davies wedi cael gweithredu fel Prif Weinidog cyntaf Cymru y gallem fod wedi gweld gwahaniaeth. Roedd Ron yn ymwybodol iawn, cyn i'r Cynulliad agor, fod gwagle yn y broses o ffurfio polisi yng Nghymru. Ar ôl dyfodiad y Cynulliad, gwelodd y byddai'n rhaid i un peth sylfaenol newid os oedd y gyfundrefn newydd am weithio'n effeithiol. Byddai'n rhaid i'r pleidiau gwleidyddol Prydeinig aildrefnu eu hunain fel y bydden nhw'n gallu *creu* polisi yng Nghymru, nid ei dderbyn ar blât o Lundain. Byddai'n rhaid codi statws cynadleddau Cymreig y pleidiau. Dylasai'r rheini benderfynu'n llawn ar bolisi eu plaid yn y meysydd hynny sydd wedi eu datganoli. Fe amlinellodd Ron Davies ei syniadau mewn papur trafod a gyflwynwyd i seminar yng Ngregynog. Os bydd y pleidiau Prydeinig yn parhau i edrych tua Llundain am bob arweiniad ar faterion polisi, fe danseilir yr holl bwynt o gael Cynulliad.

Pan ddaw etholiad, mae'n hanfodol i'r etholwyr wybod ar ba sail i fesur llwyddiant neu fethiant y Llywodraeth. Os priodolir popeth i'r Cynulliad, heb wahaniaethu rhwng y Cynulliad a'r Llywodraeth, sut mae disgwyl i bobl allu gwahaniaethu rhwng y pleidiau o fewn y Cynulliad cyn pleidleisio?

Cafwyd enghraifft amlwg o'r dryswch yma pan gyhoeddwyd, ar y pryd, nad oedd *British Aerospace* ym Mrychdyn am gael grant i helpu i greu 1,300 o swyddi newydd. Dywedodd newyddion y BBC fod 'y Cynulliad wedi gwrthod cyfrannu arian at y fenter'. Ar y pryd doedd y Cynulliad erioed wedi trafod y mater, heb sôn am ddod i benderfyniad, llai fyth ei wrthod. Y Llywodraeth oedd wedi penderfynu, nid y Cynulliad.

Rhan o'r drwg yw'r ffaith fod y Cynulliad, yn ôl y ddeddf, yn *body corporate*. Felly ystyrir unrhyw benderfyniad sy'n cael ei wneud gan y Llywodraeth yn un a wneir yn enw'r holl Gynulliad, gan fod y Cynulliad wedi trosglwyddo'i bwerau i'r Llywodraeth i weithredu ar ei ran. Mae hyn yn achosi rhwystredigaeth anferthol.

Problem arall yw natur annelwig pwerau'r Cynulliad. Fe welwyd hynny mewn ffordd drawiadol yn y cyfnod cynnar. Roedd Cymru ar y pryd yng nghanol argyfwng amaethyddol yn tarddu o BSE. Fe wnaed nifer o argymhellion i wella'r sefyllfa. Roedden ni'n credu y gallai'r Cynulliad weithredu, er enghraifft gyda'r cynllun lloi. Canfuwyd yn ddiweddarach nad oedd y pwerau wedi eu datganoli inni. Cafwyd yr un profiad wrth geisio newid system cyflogau athrawon, fel na fydden nhw'n seiliedig ar berfformiad plant. Yn groes i'n dealltwriaeth, roedd yr hawl i wneud hynny'n dal gan y Gweinidog Addysg yn Llundain. Eto, efo'r ymdrech i wahardd cnydau genetig yng Nghymru, cafwyd yr ateb nad oedd y pwerau gennym, er i rai o'r mudiadau ymgyrchu fod dan yr argraff, ar sail cyngor proffesiynol, fod gan y Cynulliad hawl i weithredu.

Roedd y profiad gydag anawsterau fel hyn yn ddieflig. Roedd yn lladd ein hysbryd, yn tanseilio'n hawydd i weithredu'n radical, ac yn ein hatgoffa mai corff eilaidd ym mhob ystyr o'r gair yw'r Cynulliad. Ar ôl codi gobeithion pobl Cymru – ffermwyr, athrawon, gwarchodwyr yr amgylchedd – roeddem yn gorfod eu siomi. Roedd hyn yn iselhau'r Cynulliad yn llygaid y cyhoedd ac yn ddealladwy felly.

Mae'r rheswm am y gwendid hwn hefyd yn mynd yn ôl i'r ddeddf a sefydlodd y Cynulliad. Yn lle trosglwyddo meysydd yn eu cyfanrwydd, dim ond cyfrifoldeb penodol o dan ddeddfau penodol a roddwyd i'r corff yng Nghaerdydd. Rhaid newid Deddf Llywodraeth Cymru yn sylfaenol, neu o bosibl ei diddymu, i oresgyn hyn, a chael senedd fel un yr Alban gyda chyfrifoldebau llawn am ddeddfu yn y meysydd sydd wedi eu datganoli. Wedyn fe allwn ninnau ymdopi â phroblemau fel ffioedd myfyrwyr a gofal i'r henoed, a gwella deddfwriaeth tai.

Agwedd arall o'n gwaith a achosodd anniddigrwydd oedd agweddau rhai o'r gweision sifil. Does dim dwywaith fod gan y mwyafrif ohonyn nhw, yn arbennig yn y rhengoedd canol, ymroddiad mawr i'r Cynulliad. Mae teimlad, fodd bynnag, fod rhai o'r penaethiaid wedi arfer gweithredu o fewn cyfundrefn y Swyddfa Gymreig, lle nad oedden nhw'n arwain mewn polisi, ond yn hytrach yn efelychu prif adrannau Llundain. Doedd dim angen llawer o fenter na dychymyg i wneud hynny. Bu cryn siarad ymhlith Aelodau y byddai'n rhaid cael gwaed newydd, a hyder newydd, i rengoedd y gweision sifil, cyn y gallen nhw helpu'r Cynulliad i gyflawni ei briod waith i Gymru, ac nid ymddwyn fel cysgod tila o adrannau Whitehall.

Testun dicter arall, efallai'n gysylltiedig â hyn, yw'r arafwch cyn gweithredu penderfyniadau. Er enghraifft, fe benderfynodd y Cynulliad geisio gwella'r gwasanaeth trenau rhwng De a Gogledd trwy gael cyfundrefn drwyddedu newydd a fyddai'n trin Cymru fel uned. Ddwy flynedd yn ddiweddarach rydyn ni'n dal i ddisgwyl gweld rhywbeth yn newid.

O sôn am hynny, mae'r anawsterau teithio o fewn Cymru yn un o'r problemau mwyaf difrifol. Yn bersonol mae'n llawer iawn gwell gen i deithio ar drên, fel y bûm yn gwneud dros y blynyddoedd o Fangor i Lundain pan oeddwn yn AS. Bu'r wyth awr yr wythnos ar y trên yn fendith i mi oherwydd fy mod yn gallu 'dictatio' llythyrau. Am bedair neu bum mlynedd yn ystod y nawdegau fûm i ddim yn teithio i Lundain mewn car unwaith.

Mae'r gwasanaeth trên rhwng Bangor a Chaerdydd yn echrydus. Rhaid mynd trwy Crewe a newid yno. Yn aml iawn daw'r trên o Gaerdydd i gyrion gorsaf Crewe mewn da bryd i gysylltu gyda thrên sydd ar fin gadael i Gaergybi. Yna bydd y trên o Gaerdydd yn aros y tu allan i'r orsaf am bum munud neu fwy. Yn y cyfamser mae'r trên i Gaergybi'n gadael, a theithwyr o Gaerdydd i'r gogledd yn gorfod disgwyl am hyd at awr arall i gael cysylltiad.

Ar ben hyn, mae bron yn amhosib gweithio ar y trenau bach sy'n rhedeg rhwng y de a'r gogledd. Yn aml maen nhw'n llawn iawn, ac yn anghyfforddus eithriadol i'r rhai sy'n teithio ymhell. Cefais gŵyn gan un deithwraig oedd yn dweud ei bod yn teimlo fel pe bai wedi bod ar awyren, yn dioddef ar ôl eistedd am gyfnod hir mewn seddi cyfyng. Canlyniad hyn yw bod amryw o Aelodau'r Cynulliad o'r Gogledd yn dewis gyrru car yn ôl a blaen i Gaerdydd bob wythnos. Mae hyn yn draul arnynt, yn wastraff amser, yn niweidiol i'r amgylchedd ac yn fwy costus i'r wlad. Does gen i ddim amheuaeth bod y problemau teithio wedi cyfrannu at afiechyd a ddioddefodd tri AC o'r Gogledd, Gareth Jones, Christine Humphreys (sydd bellach wedi ymddeol o'r Cynulliad) a minnau, os nad wedi eu hachosi. Hyd nes y ceir gwasanaeth trên llawn o'r gogledd i Gaerdydd – dyweder bedwar trên bob ffordd bob dydd – gydag adran dawel lle y gall rywun weithio – fydd hi ddim yn bosib i Aelodau'r Cynulliad o'r gogledd wneud eu gwaith yn iawn.

Byddai'n haws dioddef y mân rwystredigaethau pe baem yn teimlo fod y gwaith a wneir yn y Cynulliad yn gwneud gwahaniaeth o bwys ac o werth i Gymru. Os na ddaw llawer mwy o sylwedd i'n gwaith, bydd pobl yn gofyn ai dyma'r ffordd fwyaf effeithiol o wasanaethu'n gwlad. Allwn ni ddim disgwyl i'r Cynulliad, fel y mae, ennill ei le yng nghalonnau a meddyliau pobl Cymru.

Dywed rhai, gan gynnwys Llywydd y Cynulliad, Dafydd Elis Thomas,[1] y dylem aros i'r Cynulliad weithio'n fwy effeithiol gyda'r pwerau sydd ganddo, cyn gofyn am bwerau ehangach. Gyda phob parch, nid yw'r pwerau sydd gennym, hyd yn oed o'u defnyddio yn y modd mwyaf creadigol, yn ddigon i wneud gwahaniaeth i fywydau pobl. Os ydym am ddenu'r goreuon o blith ein pobl ifanc i edrych ar y Cynulliad fel cyfrwng i ailadeiladu'r genedl a sicrhau gwell dyfodol i'n pobl, yna mae'n rhaid i'r Cynulliad fel corff, ac i'r Llywodraeth sy'n atebol iddo, weithredu'n llawer mwy radical a phellgyrhaeddol. Rhaid troi'r Cynulliad gwantan yn Senedd bwerus. Fel yr eglurais mewn darlith ddiweddar all pethau ddim aros yn y rhigol bresennol.[2] Bydd rhaid i bob plaid wynebu hyn o fewn misoedd ac nid blynyddoedd.

[1] *South Wales Echo,* 5 Chwefror 2001: 'Speaker warns against taking premature step'.

[2] Darlith i Brifysgol Cymru, Bangor, 10 Hydref 2001. Cyhoeddwyd o dan y teitl 'Y Camau Nesaf i Gymru'.

Gadael y Llywyddiaeth

Cefais fy ethol yn Llywydd Plaid Cymru yn 1991. Credwn ar y pryd y byddai deng mlynedd yn y swydd yn hen ddigon. Cyn etholiadau'r Cynulliad yn 1999 roeddwn wedi disgwyl parhau'n llywydd am ryw ddwy flynedd arall. Byddai'r sefyllfa wedi hynny'n dibynnu i raddau ar batrwm y pleidiau yn y Cynulliad. Pe bai gan Lafur fwyafrif cadarn, a phethau'n debyg o barhau felly, byddwn yn rhoi'r gorau i'r swydd. Pe bai sefyllfa'n codi lle byddai gennym gyfle i fod yn rhan o lywodraeth, ar ein pennau'n hunain neu mewn clymblaid, byddai'n rhaid barnu pethau yn ôl yr amgylchiadau.

Doeddwn i ddim wedi rhagweld y sefyllfa a gododd wedi'r etholiad. Doedd gan Lafur ddim mwyafrif a doedden nhw chwaith ddim wedi ffurfio clymblaid â'r Rhyddfrydwyr. Roedd Plaid Cymru'n ail blaid, gydag 11 sedd yn llai na Llafur.

Roeddwn yn cadw meddwl agored ynglŷn â'r dyfodol. Rhagwelwn y byddai gofyn i mi arwain y Blaid i mewn i Etholiad 2003 os oeddem am gadw'r momentwm a grewyd yn 1999. Roeddwn yn ymwybodol fy mod wedi cael 'etholiad da' yr adeg honno, a bod lle i adeiladu ar hynny yn 2003. Byddai'n anodd i ni fod â mwyafrif dros bawb – mae'r gyfundrefn PR yn milwrio'n drwm yn erbyn hynny. Ond gellid dychmygu sefyllfa lle y gallem ennill chwech neu saith o seddi ychwanegol oddi wrth

Lafur. O dan amgylchiadau felly byddai cyfrifoldeb arnom i geisio ffurfio Llywodraeth.

Wrth i mi lunio strategaeth yn ystod y cyfnod hwn roeddwn yn ymwybodol o'r hollt sy'n rhan o natur y Blaid Lafur yng Nghymru. Dros y blynyddoedd, bu Llafur yng Nghymru'n gyfuniad anesmwyth. Ar un llaw ceir sosialwyr sy'n falch o'u Cymreictod ac yn gweld y Blaid Lafur yn gyfrwng i warchod a datblygu'r gorau yn nhraddodiad sosialaidd Cymru, gan gynnwys Senedd Gymreig. Ond mae carfan arall gyda meddylfryd cwbl Brydeinig. Mae llawer o'r cyfeillion hyn yn elyniaethus i genedligrwydd Cymru ac i'r iaith Gymraeg. Pe bai'r hollt hon yn tyfu'n agendor byddai'r tir yn aeddfed i greu partneriaeth wleidyddol newydd yng Nghymru. Byddai hyn yn cynnwys elfennau blaengar, radical a sosialaidd o fewn Plaid Cymru, a'r elfen wladgarol, pro-Ewropeaidd yn rhengoedd Llafur. Fyddai dim rhaid uno'r pleidiau. Gellid adeiladu ar sail rhaglen lywodraethol y gallem gytuno arni. Yn llawnder yr amser gellid cydweithredu'n fwy agos eto trwy gytundeb.

Allai'r Blaid ddim symud pethau i'r cyfeiriad hwnnw heb nerth gwleidyddol. Dydi 17 sedd ddim yn ddigon. Mae'n rhaid cael dros 20 sedd a bod â nerth cyffelyb i Lafur, fel sail i gydweithio fel partneriaid cydradd.

Gwyddwn bod Aelodau Llafur y Cynulliad yn anhapus gyda thrywydd Llafur Newydd yn San Steffan. Byddai ymosod ar Lafur Newydd yn Llundain yn hytrach nag yng Nghymru yn helpu i gynnal ysbryd cefnogwyr ac aelodau Plaid Cymru yn y wlad tra'n cadw'n agored y posibilrwydd o gydweithio â Llafur yn y Cynulliad yn y dyfodol. Roeddwn yn gwbl sicr mai dyma'r strategaeth gywir i ni ym Mhlaid Cymru, er nad oedd pawb o fewn ein Grŵp yn cytuno â hyn.[1]

Felly yn haf 1999, rhagwelwn fy hun yn arwain y Blaid fel Llywydd, os oedd yr aelodau'n dymuno hynny, heibio i Etholiad 2003. Pe deuem yn blaid fwyaf y Cynulliad bryd hynny byddem yn gorfod ffurfio Llywodraeth, ac yn ôl pob tebyg, byddwn innau'n arwain Llywodraeth glymblaid. Pe bai hynny'n digwydd, rhagwelwn aros yn Llywydd am ddwy flynedd neu dair ar y mwyaf. Wedyn byddwn yn trosglwyddo'r awenau i olynydd a fyddai'n cael cyfle i'w brofi ei hun am gyfnod fel Prif Weinidog cyn gorfod wynebu'r etholwyr yn 2007. Rhagwelwn y byddwn innau'n ymddeol o'r Cynulliad y flwyddyn honno, yn 64 oed.

Pe na baem yn llywodraethu nac yn rhan o Lywodraeth yn 2003, byddwn yn cefnu ar y Llywyddiaeth o fewn ychydig fisoedd i'r etholiad. Byddai hynny'n rhoi cyfle i'r Blaid newid gêr ac i'r Llywydd newydd gael ennill ei blwy gyda'r etholwyr mewn da bryd cyn yr etholiadau canlynol.

Roeddwn hefyd yn ymwybodol o'r angen i ailwampio arweinyddiaeth y Blaid, gan barchu'r ffaith fod pedair coes i'n cadair bellach. Mae gennym bresenoldeb yn y Cynulliad, yn Senedd Ewrop, yn San Steffan ac o fewn llywodraeth leol, lle'r ydym yn rheoli tri awdurdod. Mae hefyd angen arweiniad ar aelodau'r Blaid, y canghennau a'r rhanbarthau, a hwnnw'n arweiniad fyddai'n eu hysbrydoli i ymgyrchu. Does wiw i'r Blaid dyfu'n rhy barchus ac anghofio sut i brotestio pan fo anghyfiawnder sy'n galw am hynny. Mae perygl mawr i'r Grŵp yn y

Cynulliad ddod i gredu mai ni yw'r unig elfen sy'n cyfri, ac mai ymylol yw pawb arall.

Mae angen ailddiffinio cyfrifoldeb y Llywydd. Yn fy araith fel Llywydd yng nghynhadledd Llandudno yn 1999, fe gyffyrddais â'r posibilrwydd y gallwn fod yn rhoi'r gorau i'r llywyddiaeth. Doedd hynny ddim yn golygu na fyddwn yn dal i arwain y Blaid yn y Cynulliad os mai dyna fyddai dymuniad fy nghyd-aelodau. Fodd bynnag, byddai angen stwythur newydd i greu arweinyddiaeth ehangach a byddai angen hefyd newid rheolau sefydlog y Grŵp i ganiatáu hynny.

Roedd un peth yn gwbl eglur i mi erbyn haf 1999, ar ôl tri mis yn y Cynulliad. Roedd yn rhaid rhannu cyfrifoldebau gan barchu cyfraniad elfennau o'r Blaid oddi allan i'r Cynulliad Cenedlaethol. Ond cyn i mi gael cyfle i ddatblygu'r syniadau hyn, cefais ergyd gyda'm hiechyd. Yn ystod yr haf, dechreuais deimlo'n wantan. Roeddwn yn fyr fy anadl. Credais i ddechrau mai rhywbeth o natur *ulcer* stumog oedd yn fy mhoeni. Dyna hefyd oedd barn gyntaf y meddygon, a byddai'n rhaid disgwyl wythnosau i gael profion stumog. Awgrymwyd fy mod yn mynd am brofion ar y galon – jest rhag ofn! Es i Ysbyty Gwynedd, Bangor yn Nhachwedd, 1999. Rhoddwyd fi ar beiriant i efelychu cerdded i fyny rhiw yn gyflym am ryw chwarter awr. Roeddwn yn weddol ffit – wedi bod yn chwarae tennis a nofio tan yn ddiweddar – a chwblheais y dasg heb fawr o drafferth. Dywedodd y meddyg fod popeth yn ymddangos yn iawn, ond bod yn well cael golwg ar y dadansoddiad cyfrifiadurol – jest rhag ofn!

A dyna ble tarodd y fellten. Cymrodd y meddyg un

olwg, a dweud fod rhywbeth o'i le. Cododd y ffôn ar unwaith a threfnodd i mi ymweld â'r *Royal Infirmary* ym Manceinion i gael triniaeth y dydd Llun canlynol. Cyn i mi allu ffonio Elinor i ddweud wrthi, roedd wedi cael galwad ffôn o Fanceinion i gadarnhau'r trefniadau. Roedd yn dipyn o sioc iddi, gan fy mod wedi gadael cartref ddwyawr yn gynharach yn ymddangos yn holliach.

Bu'n rhaid i mi ar y bore Llun hwnnw ym Manceinion arwyddo i'r meddygon gael caniatâd i wneud unrhyw beth y bydden nhw'n ei weld yn angenrheidiol – hyd yn oed *triple bypass* pe bai angen. Fel y digwyddodd pethau, penderfynwyd nad oedd rhaid gweithredu mor eithafol â hyn. Roedd y meddygon o'r farn y byddai gosod *stent* (tiwb bychan) yn y wythïen yn fy nghalon oedd wedi dechrau cau, yn ddigon i ofalu amdanaf. Gwnaed hyn, yn rhyfeddol, trwy weithio'r *stent* i fyny o'r wythïen yn fy nghoes gydag anesthetig rhannol yn unig. Roeddwn yn hanner effro wrth i hyn ddigwydd.

Theimlais i ddim byd. Yr unig boen oedd pan fu i'r nyrs osod ei dwrn ar y wythïen yr ochr fewnol i'm coes a'i gadw yno gyda phwysau llawn ei chorff yn gwasgu ar ei dwrn, am ryw ddeng munud, er mwyn atal y gwaed. Roedd yn anhygoel, o feddwl am y dechnoleg ryfeddol oedd wedi mynd i wella'r galon, na ellid cau'r wythïen mewn modd llai cyntefig!

Y noson honno, trwy gyd-ddigwyddiad, cynhaliwyd cynhadledd Plaid Cymru yn Arfon i ddewis fy olynydd fel Ymgeisydd Seneddol. Roedd yn sioc i bawb pan ffoniais yn hwyr gyda'r nos, ar ffôn symudol un o'm cyfeillion yng Nghaernarfon, i holi pwy oedd wedi ei ddewis!

Doeddwn i ddim yn poeni i mi golli'r cyfarfod dewis terfynol. Doedd gen i ddim pleidlais ond bu rhai'n awgrymu, adeg y rownd flaenorol pan ddewiswyd rhestr fer o bedwar allan o wyth enw, fy mod yn ochri gydag un ymgeisydd yn hytrach nag un arall. Lol botes oedd hyn. Roeddwn wedi cymryd gofal mawr i roi'r un ateb i bawb a holai a ddylen nhw roi eu henwau gerbron, sef 'Ar bob cyfri'. Gorau po fwyaf o ddewis fyddai ar gael. Roeddwn yn gwbl fodlon gadael i'r drefn ddemocrataidd weithredu, a byddwn innau'n cefnogi'r buddugwr i'r carn, pwy bynnag a fyddai. Roedd dwy ddynes a dau ddyn ar y rhestr fer, sef Ann Owen, Fflur Roberts, Guto Bebb a Hywel Williams. Cefais glywed yn yr ysbyty, noson y driniaeth ar fy nghalon, mai Hywel oedd wedi ennill.

* * *

Roedd yn rhaid i mi gadw draw o'r Cynulliad am rai wythnosau, ac fe benderfynodd y Grŵp ethol Ieuan Wyn Jones fel Arweinydd dros dro yn fy absenoldeb. Roeddwn yn gwbl gefnogol i hynny. Bûm yn yr ysbyty am bum diwrnod cyn cael mynd adref i gael fy nerth yn ôl – ac i ddysgu newid gêr a phatrwm bywyd. Byddai'n rhaid i mi lyncu tabledi'n ddyddiol am weddill fy mywyd. Roedd rhaid torri rhai bwydydd allan, i ostwng lefel y colesterol. Anodd iawn oedd gorfod cefnu ar fwyta caws! Roedd sicrhau digon o lysiau a ffrwythau'n rhywbeth i'w groesawu. Yn well byth, doedd dim problem gyda gwin coch – 'o fewn rheswm'! Roeddwn hefyd o dan gyfarwyddyd i fynd allan i gerdded bob dydd. Yr unig ffordd o ymdopi â hynny oedd neilltuo amser i gerdded fel pe bai'n gyfarfod ffurfiol yn fy nyddiadur. Hawdd dweud! Bu'r Dechneg Alexander, y ffurf o gael y corff i ymlacio, hefyd o fendith mawr. Gan nad oeddwn yn ysmygu, y brif ddarlith a gefais gan y meddyg penigamp ym Manceinion, Dr Fitzpatrick, oedd i osgoi *stress*.

Gofynnodd i mi feddwl yn ofalus pa bryd ac ym mhle y byddwn yn teimlo tyndra, a pha amgylchiadau fyddai'n ei achosi – yn y gwaith, yn teithio, yn delio â phobl, neu yn y cartref. Cynghorodd fi i weithredu'n bwrpasol i osgoi tyndra o'r fath oherwydd yr effaith a gâi ar y pwysedd gwaed a'r galon. O wneud hynny, meddai, doedd dim rheswm yn y byd pam na ddylwn barhau â'm gwaith a'm cyfrifoldebau. Ond roedd eisiau i mi gymryd rhyw dri mis i godi stêm yn raddol, a byddai'n fy ngweld bob tri mis i adolygu sut yr oeddwn yn datblygu.

Meddyliais lawer am beth a achosai straen. Doedd teithio ddim yn broblem, er mor anwadal oedd y gwasanaeth trên. Roeddwn wedi hen ddysgu creu amserlen na fyddai'n golygu gorfod gweithio yn erbyn y cloc. Ni theimlwn unrhyw straen wrth ddelio â phobl, mewn cymorthfeydd na chyfarfodydd eraill. Pe bai hynny'n broblem, ddylwn i ddim bod yn wleidydd! Doedd dadlau yn erbyn gwrthwynebwyr gwleidyddol, yn y siambr neu ar y cyfryngau, ddim yn rhoi pwysau o sylwedd arnaf chwaith. Yr unig araith fyddai'n fy mhoeni drwy gydol y flwyddyn oedd yr araith i Gynhadledd Flynyddol y Blaid fel Llywydd. Byddwn yn pendroni am honno am wythnosau ymlaen llaw, a hynny'n rhannol oherwydd y parch oedd gen i tuag at aelodau'r Blaid. Roedd yr araith yn bwysig iddyn nhw, yn gosod cyfeiriad i'r Blaid am y flwyddyn i ddod, yn ateb beirniadaeth a, gyda lwc, yn ysbrydoli. Mewn cymhariaeth â'r araith flynyddol roedd siarad yn Siambr Tŷ'r Cyffredin y peth hawsaf dan haul!

Croesdynnu mewnol, o fewn swyddfa, o fewn clwb, o fewn pentref neu o fewn teulu – dyna, dybiwn i, yw prif achos y math o dyndra sy'n effeithio ar iechyd. Bûm yn hynod ffodus dros y blynyddoedd i fedru osgoi hynny. Bu staff fy swyddfeydd, yn Nhŷ'r Cyffredin, yn yr etholaeth ac yn ddiweddarach yn y Cynulliad, yn cydweithio'n hapus heb straen o'r fath. Felly hefyd fy Mhwyllgor Rhanbarth yn Arfon. Fe ganodd Cynan gerdd i Lloyd George, gyda'r llinell, 'mae calon Arfon i ti'n bur'. Teimlais innau'r nerth yn deillio o'r gefnogaeth a'r cadernid a ddeuai o'r etholaeth, yn ogystal â'r teulu.

Mae'r ystyriaethau hyn i gyd yn ymwneud â chydweithio. Mae dwy ffordd o redeg tîm. Gellir ei wneud trwy reolaeth gaeth, strwythurau awdurdodol, a pheirianwaith effeithiol – y patrwm yr oeddwn yn hen gyfarwydd ag o flynyddoedd ynghynt yn y byd masnachol. Golygai hynny ganllawiau tynn, diffiniadau swyddi caeth, monitro systematig, disgyblaeth lem – a sacio'r sawl nad yw'n ffitio.

Mae ffordd arall hefyd o redeg tîm, y dull creadigol yn hytrach na'r dull awdurdodol. Golyga hynny roi pwyslais mawr ar gael y dalent iawn yn y lle iawn, ei ysbrydoli, gadael i'r dalent weithio o fewn canllawiau gweddol lac, ac ymddiried mewn pobl i gyfrannu at bwrpas y tîm. Roedd amser pan gredwn mai gwyddoniaeth oedd gwleidyddiaeth, ac mai trwy gyfundrefnau clinigol y dylid gyrru'r drol ymlaen. Ers amser maith bellach, fe'm hargyhoeddwyd mai celfyddyd yw gwleidyddiaeth. Mae angen cyffwrdd â theimladau, deall pryderon, creu syniadau, ysgogi brwdfrydedd. Dyna yw rhan arweiniol y gwleidydd. Wrth gwrs mae angen rheolau a systemau, ond eilbeth yw hynny: rhywbeth i wasanaethu'r tîm, nid i'w gaethiwo.

Cyfeiriaf at hyn oherwydd fe deimlaf ei fod yn berthnasol i'r hyn a wynebwn yn sgîl yr afiechyd a gefais. Roedd yn rhaid edrych ar y modd y ceisiwn arwain y Blaid, i weld a oedd yn bosib rhannu cyfrifoldebau mewn ffyrdd gwahanol, ac yn arbennig i wneud hynny mewn ffordd a fyddai'n osgoi tensiynau rhwng y gwahanol ofynion sy'n disgyn ar ysgwyddau arweinydd unrhyw blaid.

Roeddwn yn ymwybodol iawn o'r pwysau a ddisgynnai ar Elfyn Llwyd trwy fod yn gweithio am ran sylweddol o 1999 ar ei ben ei hun yn y Senedd. Roedd Cynog, Ieuan a minnau wedi gorfod chwarae rhan sylweddol yn yr ymgyrch etholiadol yn y gwanwyn, ac ar ôl agor y Cynulliad yn gweld fod yn rhaid i ni dreulio llawer mwy o amser yno na'r hyn oeddem wedi ei ragweld cyn i'r Cynulliad ddod yn ffaith. Roedd gan Elfyn bob hawl i deimlo'i fod yn cario rhan afresymol o'r baich. Fel Llywydd y Blaid, teimlwn innau gyfrifoldeb i geisio rhannu fy amser rhwng y Cynulliad a'r Senedd yn ogystal â'r cyfrifoldebau ehangach. Mae hefyd yn bwysig adeiladu pontydd rhwng y Cynulliad a'r Senedd.

Roedd yn anos i Ieuan, fel ein Chwip a'n Trefnydd Busnes yn y Cynulliad, roi llawer mwy o amser i'r

Senedd. Roedd sefyllfa Cynog yn arbennig o anodd. Roedd disgwyl iddo roi gwasanaeth i etholaeth ranbarthol enfawr Canolbarth a Gorllewin Cymru yn y Cynulliad. Roedd Ieuan a minnau'n ffodus iawn ein bod yn gwasanaethu'r un etholaethau yn union yn y Cynulliad ag yn San Steffan. Am y rheswm hwnnw, fe benderfynwyd y byddai Cynog yn ymddiswyddo fel Aelod Seneddol, gan achosi is-etholiad yng Ngheredigion. Bu trafod a ddylai Ieuan a minnau wneud yr un peth. O edrych yn ôl, yn arbennig yn sgîl yr helynt iechyd a gefais, does gen i ddim amheuaeth mai peidio ymddiswyddo o'r Senedd yn syth ar ôl ennill sedd yn y Cynulliad ym Mai 1999 oedd y camgymeriad gwleidyddol mwyaf a wnes yn fy ngyrfa. Ond hawdd yw gweld pethau fel hyn wrth edrych yn ôl.

Fe gynhaliwyd is-Etholiad yng Ngheredigion yn Ionawr 2000 ac fe gadwyd y sedd i'r Blaid gan Simon Thomas a ddaeth yn Aelod Seneddol penigamp. Fe ymsefydlodd yn y Senedd yn gyflym iawn, gyda'i bersonoliaeth hynaws a'i ddull rhesymol o ddadlau yn ennill edmygedd ar draws ffiniau plaid.

Roeddwn wedi crybwyll wrth Ieuan a Karl Davies, pan ddaethant i'm gweld gartref yn gynnar yn Ionawr 2000, y byddai angen edrych eto ar sut y byddwn yn rhannu cyfrifoldebau wedi i mi ddychwelyd i'r Cynulliad yn sgîl fy ngwaeledd. Yr hyn oedd ar fy meddwl oedd creu swydd Dirprwy Arweinydd ffurfiol yn y Cynulliad, a phe bai Ieuan yn ei llenwi, yna dylid penodi Chwip neu Drefnydd Busnes arall ar ran y Blaid. Byddai hyn yn ysgafnu'r pwysau ar Ieuan, yn cydnabod ei statws o fewn y Grŵp, ac yn ei alluogi i fynychu'r

Senedd yn amlach, o gofio mai'r prawf etholiadol nesaf a'n hwynebai fel Plaid fyddai Etholiad Cyffredinol San Steffan.

Dychwelais i'r Cynulliad ar 17 Ionawr 2000. Yn ymarferol doeddwn i ond wedi colli tair wythnos o waith y Cynulliad, oherwydd egwyl y Nadolig. Roeddwn yn dychwelyd ar adeg pan wynebem y bleidlais o ddiffyg hyder yn Alun Michael. Awgrymais mai Ieuan ddylai barhau i arwain y Grŵp tan ar ôl y ddadl.

Ar ôl dychwelyd i'r Cynulliad, dechreuais deimlo fod rhywbeth wedi newid. Gofynnodd sawl aelod o'r wasg i mi a oeddwn am sefyll i lawr o'r Llywyddiaeth yn barhaol. Efallai fod hyn yn ddigon naturiol o ystyried natur y salwch. Ond yn ddiweddarach, ac yn fuan ar ôl i Rhodri Morgan gymryd drosodd oddi wrth Alun Michael fel Prif Weinidog Cymru, cefais sgwrs â Rhodri ynglŷn â'r ffordd y byddem yn cydweithio unwaith y byddwn yn ôl wrth y llyw. Er fy syndod, gofynnodd i mi a oedd gennyf unrhyw fwriad i ddychwelyd i arwain yn y Cynulliad. Roedd o wedi cael ar ddeall na fyddwn am wneud hynny, ac mai Ieuan fyddai'n ein harwain o hynny allan. Dywedais wrtho fod gennyf bob bwriad i ddychwelyd, os dywedai'r meddyg fy mod yn ddigon ffit i wneud hynny.

Deuthum yn ôl i'm cyfrifoldebau fel Llywydd y Blaid ac Arweinydd yn y Cynulliad ar ddydd Gŵyl Ddewi 2000. Erbyn hynny roedd Alun Michael wedi mynd a Rhodri Morgan wedi dod. Ceisiais rannu'r amser rhwng y Cynulliad, y Senedd a'r etholaeth, gan geisio hefyd osgoi cymryd y math o bwysau a fyddai'n bygwth fy iechyd.

Erbyn mis Mai roedd yn amlwg nad oeddwn yn gallu mynd trwy waith fel yr arferwn wneud cyn cael y driniaeth ar fy nghalon. Cefais fraw pan glywais am gyfaill oedd wedi cael yr un driniaeth ac a gymrodd ddwy flynedd i wella'n iawn. Cefais ar ddeall fod rhai Aelodau o'r Grŵp yn anhapus nad oeddwn yn gallu rhoi fy holl amser i waith y Cynulliad.

Gwelais fy meddyg tua diwedd Mai. Cymrodd un olwg arnaf a dywedodd wrthyf bod yn rhaid i mi ysgafnhau'r baich er mwyn osgoi *stress*. Os oeddwn am ufuddhau roedd gennyf ddau ddewis. Y cyntaf oedd ymddiswyddo o'r Senedd a chael is-etholiad yn Arfon. Roeddwn yn hyderus y byddai'r Blaid wedi cadw'r sedd. Ond o wneud hynny, byddai Ieuan wedi dod o dan gryn bwysau i ymddiswyddo hefyd, a doedd dim sicrwydd y gallem ddal Ynys Môn mewn is-etholiad (pryder digon dilys o gofio canlyniad yr Etholiad Cyffredinol yn ddiweddarach). Pe baem wedi colli Ynys Môn byddem wedi dryllio'r ddelwedd o lwyddiant a ddaeth yn Etholiadau 1999. Gydag Etholiad Cyffredinol ar y gorwel, byddai hynny'n anfaddeuol.

Doedd dim modd i mi roi'r gorau i arwain Grŵp y Blaid yn y Cynulliad ac aros yn Llywydd ar y Blaid. Mae rheolau sefydlog y Blaid yn datgan, os yw'r Llywydd yn Aelod o'r Cynulliad, mai fo neu hi fydd hefyd, *ex officio*, yn Arweinydd yn y Cynulliad. Yr unig ddewis arall felly oedd ildio'r Llywyddiaeth.

Derbyniais mai dyna fyddai'r cam rhesymegol, yn arbennig yn y cyfnod yn arwain at Etholiad. O ystyried pob agwedd o'm gwaith, arwain mewn Etholiad Cyffredinol oedd yn achosi'r straen mwyaf o bell ffordd.

Doedd gen i fawr o ddewis felly os oeddwn am osgoi ffawd John Smith druan. Cefais drafodaethau hir am hyn gyda Marc Phillips, Cadeirydd y Blaid ar y pryd, ac un a fu'n gefn mawr i mi trwy'r cyfnod.

Cyhoeddais fy mwriad i roi'r gorau i'r Llywyddiaeth ac Arweinyddiaeth y Grŵp i gyfarfod brys o Grŵp y Cynulliad yn Llandudno ar 31 Mai 2000. Cynheliais gynhadledd i'r wasg yn syth wedyn, a gwneud y datganiad hwn:

Fe hoffwn bwysleisio fod fy mhenderfyniad yn un personol, ac nad oes unrhyw oblygiadau gwleidyddol iddo. Gobeithiais y byddwn wedi gwella digon o'r driniaeth lawfeddygol a gefais, i'm galluogi i arwain Plaid Cymru i'r Etholiad Cyffredinol, a phe bai'r Blaid a phobl Cymru yn dymuno hynny, i arwain yn y Cynulliad ar ol 2003. Byddai'n annheg i'r Blaid ac i'm cyd-aelodau, pe bawn yn parhau yn y swyddi allweddol hyn ar adeg mor dyngedfennol, os nad wyf yn gwbl ffit i ymgymryd â'r cyfrifoldebau mewn modd y byddwn i, a'm cyfeillion, yn dymuno.

O'm safbwynt i roedd y geiriau hyn yn adlewyrchiad teg a llawn o'r sefyllfa. Pe na bai fy iechyd wedi fy llesteirio, fyddwn i ddim wedi sefyll i lawr – doedd gen i ddim dymuniad yn y byd i wneud hynny.

Roedd felly'n dipyn o syndod darllen yn y *Wales on Sunday*[2] ar y Sul canlynol am drafodaethau preifat rhwng Cynog Dafis, Ieuan Wyn a minnau am gynllwyn honedig oedd wedi llwyddo i'm disodli. Roedd yr erthygl yn dyfynnu 'aelod blaenllaw o'r Blaid' fel y ffynhonnell.

Wn i ddim hyd heddiw pa mor eang oedd unrhyw gynllwyn; beth oedd ei natur na phwy fu'n rhan ohono.

Fe awgrymodd rhai gohebwyr i mi, yn gyhoeddus ac yn breifat, fod cynllwynio wedi digwydd. Mae'n debyg y daw'r cyfan i'r golwg yn llawnder yr amser. O safbwynt fy olynydd ac o safbwynt y Blaid, roedd adroddiad y *Wales on Sunday* yn hynod anffodus ac yn taflu cysgod dros y cyfnod a ddilynodd. Gallwn innau fod wedi gwneud heb y fath ddiflastod ar adeg digon anodd.

Rhoddais y gorau i fod yn Llefarydd mainc flaen y Cynulliad er mwyn gallu rhannu fy amser yn ddilyffethair rhwng y Cynulliad a'r Senedd. Yn 1999–2000 fe lwyddais, er gwaethaf popeth, i fod yn ail o blith 40 Aelod Seneddol Cymru o ran nifer cyfraniadau i ddadleuon yn y Senedd; yn ail o ran gosod cynigion Seneddol (*Early Day Motions*), ac yn gydradd gyntaf, gyda Barry Jones, o ran nifer y cwestiynau llafar a ofynnais. Yn y flwyddyn ganlynol 2000–1 llwyddais i godi fy record bleidleisio o 22% i 46% a theimlais fy mod wedi gwneud hynny heb golli gormod o amser o'r Cynulliad na rhoi gormod o straen ar fy iechyd. Deallaf fod rhai ymhlith Aelodau Seneddol Llafur yn gandryll am hyn. Roedden nhw wedi gobeithio defnyddio absenoldeb y Blaid o'r Senedd fel sail i'w hymosodiadau ar gyfer yr Etholiad. Bu peth tanio ar hyd y llinellau hynny yn Etholaeth Arfon, ond roedd gan Hywel Williams y bwledi i'w hateb.

Arhosais yn y Llywyddiaeth tan ddechrau Awst i ganiatáu i'r Blaid gynnal etholiad i ddewis fy olynydd. Ceisiodd Jill Evans, Helen Mary Jones a Ieuan Wyn Jones am y Llywyddiaeth. Yn ôl y disgwyl, roedd profiad Ieuan yn elfen gref iawn ymhlith aelodau'r Blaid wrth bleidleisio, a chafodd ei ethol gyda mwyafrif sylweddol. Cymrodd yr awenau oddi wrthyf ddechrau Awst 2000.

Felly daeth cyfnod i ben. Roeddwn wedi bod yn Llywydd y Blaid am naw mlynedd, o 1991 tan 2000. Yn ystod y cyfnod hwnnw fe gododd y Blaid i ddod yn ail da i Lafur, o safbwynt cefnogaeth pobl Cymru, ar sodlau'r Blaid Lafur yn y Cynulliad ac yn Senedd Ewrop a chyda phresenoldeb sylweddol ar ein Cynghorau Unedol. Yn bwysicach fyth, fe lwyddwyd i gael Cynulliad Cenedlaethol democrataidd i Gymru am y tro cyntaf erioed. Dyma'r cam pwysicaf at ein nod fel Plaid o sicrhau Senedd gyflawn a Chymru rydd mewn Ewrop unedig. Nid gwaith un dyn nac un blaid mo hyn. Ond gobeithiaf, yn fy ffordd fy hun, fy mod wedi helpu i gael y maen i'r wal.

[1] *Plaid Cymru: The Emergence of a Political Party* gan Laura McAllister, Gwasg Seren, 2001.
[3] *Wales on Sunday,* 4 Mehefin 2000: 'Plaid told Wigley to quit'.

Gadael y Senedd

Teimlad digon rhyfedd oedd ffarwelio â Thŷ'r Cyffredin. Os ydych wedi treulio cymaint o amser mewn unrhyw sefydliad, mae rhan ohonoch yn dal yno ar ôl i chi adael. Deallaf fod carcharorion, hyd yn oed, yn teimlo felly, ac ambell un yn troseddu'n ddigon sydyn i gael dychwelyd i'w hen fangre! Does gen i ddim bwriad i wneud hynny.

P'run bynnag, ar ôl 27 mlynedd yn San Steffan, roedd hi'n hen bryd dod adref. Cofiaf yn dda, pan gefais fy ethol gyntaf yn 1974, i mi dybio y byddwn yn AS am ryw bum mlynedd. Wedi hynny, byddai gennym ryw lun o Senedd ar dir Cymru, a gallwn symud fy mhac i'r fan honno. Doeddwn i fawr o feddwl y byddai chwarter canrif yn mynd heibio cyn i hyn ddigwydd.

Roedd gen i hefyd frith atgof o rywbeth a ddywedais sawl gwaith yn ystod fy etholiad cyntaf yn 1974, pan enillais y sedd oddi ar yr AS Llafur, y diweddar Goronwy Roberts. Roedd yntau wedi bod yn y Senedd am dros 28 mlynedd. Fel tipyn o gocyn ifanc, awgrymais fod y fath gyfnod yn hen ddigon i unrhyw AS. Cystal felly i minnau gilio ar ôl 27 mlynedd yn yr harnes. Cofier bod gan etholaeth Arfon draddodiad o gadw'u Haelodau Seneddol am gyfnod hir. Bu Lloyd George yn Nhŷ'r Cyffredin am bron 55 o flynyddoedd, o 1890 hyd 1945, cyn iddo gael ei demtio i fynd i Dŷ'r Arglwyddi. Rhwng L. G., Goronwy Roberts a minnau, dyma i chi gyfnod o

110 o flynyddoedd. Oedd, roedd yn hen bryd i mi droi am adref cyn ffosileiddio yn y lle.

Wrth hel meddyliau am adael, ni allwn llai na theimlo cymaint o ergyd oedd hi i rai Aelodau o bleidiau eraill wrth iddyn nhw golli eu seddi mewn etholiad. Rhaid bod llawer Aelod, wedi byw a bod yn y Senedd am flynyddoedd maith, ar goll yn llwyr ar ôl cael eu troi allan. I lawer, mae'r ergyd yn un emosiynol, gan fod eu holl fywyd cymdeithasol, yn Llundain ac yn yr etholaeth, yn llwyr ddibynnol ar y llythrennau 'AS'. Mae colli bywoliaeth yn broblem arall, er nad yw honno cyn waethed i wleidydd ag ydi hi i filoedd sy'n cael eu diswyddo ym myd diwydiant heb becyn ariannol digonol i'w cynnal. Ond i lawer mae'n chwalfa lwyr wrth i'r ffon fara, y statws a'r cyfle i gyfarfod hen gyfeillion i gyd ddiflannu ar yr un pryd. Dim rhyfedd fod cymaint o'r hen stejars Seneddol yn ysu am le yn Nhŷ'r Arglwyddi i leddfu'r briw. Cofiaf yn ystod y cyfnod pan oedd John Major yn Brif Weinidog, a minnau'n 'bâr' iddo, y byddai nifer o gyn-Aelodau Seneddol o Loegr yn dod ataf a gofyn a allwn i ddylanwadu ar Major i'w cael i Dŷ'r Arglwyddi. Rhyfedd o fyd!

O'i gymharu â'r ing a deimlai llawer o gyd-Aelodau wrth adael y Senedd, o'u gwirfodd neu dan lach yr etholwyr, roedd fy ymadawiad i'n gyfforddus a phleserus. Roedd gen i swydd arall yn y Cynulliad. Cawn barhau i wasanaethu'r etholaeth a fu mor garedig wrthyf dros y blynyddoedd. Roeddwn yn cael y fraint anhygoel o wasanaethu Cynulliad Etholedig Cymreig – yr union nod oedd gennyf pan benderfynais ar yrfa mewn gwleidyddiaeth. Roedd canran fy mhleidlais yn fy etholiad diweddaraf i'r Cynulliad, ym Mai 1999, yn uwch nag a gefais yn yr un o'r wyth etholiad fel ymgeisydd seneddol yn Arfon. Byddai siawns dda y gallai fy olynydd, Hywel Williams, gadw'r sedd i'r Blaid. Hawdd felly i mi, mewn cymhariaeth â sawl AS arall, oedd ffarwelio â San Steffan.

Gyda'r gyfundrefn sydd ohoni, doedd dim sicrwydd pa bryd y deuai'r cyfnod i ben. Erbyn Ionawr 2001 roeddwn yn gwybod fod y cloc yn tician. Doedd dim rhaid i Tony Blair alw Etholiad tan fis Mai 2002, ond roedd disgwyl y byddai'n gwneud hynny ar ddiwedd ei bedwaredd flwyddyn. Dyma un o'r elfennau lleiaf democrataidd yn yr ynysoedd hyn – y penrhyddid sydd gan Brif Weinidog y dydd i allu galw etholiad ar adeg sy'n gyfleus iddo'i hun ac i'w blaid. Felly, gyda Llafur ymhell ar y blaen yn y polau barn, roedd etholiad buan ar y gweill. Ac wrth i'r wythnosau fynd heibio, ni allwn lai na dyfalu ai gweithgareddau'r wythnos honno fyddai'r olaf o'u math yn fy hanes seneddol. A oeddwn yn mynychu Araith y Frenhines am y tro olaf? Ai dyma'r Gyllideb olaf a wyliwn yn y Senedd? Yr Uwch Bwyllgor Cymreig olaf? Y cwestiwn olaf i Ysgrifennydd Gwladol Cymru? Ac ai hwn fyddai'r cyfarfod olaf o Grŵp Anabledd y Senedd y byddwn yn ei fynychu? Roeddwn wedi hen fyw drwy'r broses o ymadael ac ymhellhau o San Steffan, yn fy meddwl fy hun, amser maith cyn i Senedd 1997–2001 ddod i ben. Ac roeddwn wedi paratoi fy hun ar gyfer teimlo pob math o emosiwn pan ddeuai'r chwiban olaf.

Fel y digwyddodd pethau, roedd y paratoi meddyliol yn llawer mwy o fwgan na'r achlysur ei hun. Ar ôl oedi, a pheidio galw etholiad ar 3 Mai oherwydd clwy'r traed a'r genau, fe gyhoeddodd Tony Blair y byddai'r Etholiad Cyffredinol yn cael ei gynnal ar 7 Mehefin. Felly byddai'r Senedd olaf yr oeddwn i yn aelod ohoni yn dod i ben ar 11 Mai.

Mae'n werth dweud gair ynglŷn â phenderfyniad doeth Tony Blair i ohirio'r etholiad am fis. Doedd o ddim yn benderfyniad hawdd iddo. Roedd Llafur yn dal yn bell ar y blaen yn y polau barn, ond gallai unrhyw beth ddigwydd yn ystod cyfnod o oedi. Hefyd roedd y Blaid Lafur wedi ymrwymo i wario arian sylweddol ar gyfer etholiad ym mis Mai – llogi hysbysfyrddau, paratoi cyhoeddiadau ac ati. Ar ben hyn, doedd gan y dinasoedd ddim amgyffred o faint yr argyfwng yn yr ardaloedd gwledig – ac roedd holl bwysau'r Blaid Lafur, fel plaid ddinesig, ar Tony Blair i alw etholiad ar 3 Mai er gwaetha'r argyfwng.

Ysgrifennais ato ar 16 Mawrth i erfyn arno i oedi. Pwysais arno i gyflwyno pecyn brys i helpu'r diwydiant twristiaeth yn ogystal ag amaethyddiaeth. Dywedais y byddai'n anfaddeuol pe bai'r Llywodraeth yn rhuthro i alw etholiad pan ddylai Gweinidogion y Goron fod yn canolbwyntio'u holl egni ar orchfygu'r clwy.

Doedd gen i ddim gronyn o amheuaeth mai'r peth cywir i'w wneud, a'r peth doethaf o safbwynt ei blaid ei hun, fyddai gohirio am o leiaf fis – a phe bai'r argyfwng yn gwaethygu, gohirio tan yr hydref. Sut, yn enw pob rheswm, y gallai'r Prif Weinidog hawlio ei fod yn rhoi blaenoriaeth i'r frwydr yn erbyn clwy'r traed a'r genau, os oedd o a'i Weinidogion yn trampio'r wlad yn chwarae gwleidyddiaeth? Roeddwn yn hynod falch, am bob rheswm, pan benderfynodd Tony Blair oedi tan 7 Mehefin.

Pan ddaeth yr wythnos olaf, roeddwn i mor brysur fel nad oedd fawr amser i deimlo sentiment. Golyga rheolau'r Tŷ fod pob Aelod yn clirio'i ddesg a gwagio'i ystafell ddiwrnod neu ddau ar ôl diwedd y sesiwn. Soniodd Ted Rowlands (Llafur, Merthyr) cyn y Pasg, ei fod eisoes yn mynd â llwyth bach adref bob wythnos, fel na fyddai'n ras arno pan ddiddymid y Senedd.

Roeddwn innau, hefyd, wedi trefnu rhai digwyddiadau cyn y Pasg, gan ddisgwyl etholiad ym mis Mai. Cefais barti i rai cyfeillion o'r Senedd a hen ffrindiau personol, gan ddefnyddio – am y tro cyntaf a'r olaf – ystafell yn adeilad newydd y Senedd, Portcullis House. Dyma'r honglad hyll a godwyd yng nghysgod Big Ben am gost o £260 miliwn.

Roedd peth eironi fod cymaint o'm cyfoedion Seneddol, a ddaeth i'r parti ffarwel, bellach eu hunain yn Nhŷ'r Arglwyddi – Emlyn Hooson, Geraint Howells, Brian Rix, Alf Morris, Wyn Roberts ac ati; ac ambell un arall oedd yno, fel Richard Livsey, ar fin symud o'r naill siambr i'r llall.

Cafwyd nifer o achlysuron eraill i ddathlu diwedd y Senedd. Daeth tua 80 o Aelodau Seneddol ynghyd yn Nhŷ'r Llefarydd am ddiod ffarwel, cwmni oedd yn cynnwys Edward Heath a Tony Benn, dau oedd wedi eu hethol gyntaf yn 1950. Yno hefyd roedd John Morris, a etholwyd yn 1959. Digon pitw oedd fy saith mlynedd ar hugain i mewn cymhariaeth â'r rhain. Pe na bai Edward Heath wedi sefyll yn 1997 yna John Morris, Aelod Aberafan, fyddai wedi bod yn 'Dad y Tŷ'. Byddai wedi creu hanes yn sicr ddigon trwy fod yn Dad y Tŷ ac yn aelod o'r Llywodraeth ar yr un pryd. Fo oedd y Twrnai Cyffredinol yn Llywodraeth Tony Blair tan 1999, a'r unig Aelod i wasanaethu yng Nghabinet Wilson a Callaghan a swydd flaenllaw o fewn Llywodraeth Blair. Y rheswm, gyda llaw, nad Tony Benn oedd Tad y Tŷ oedd iddo gael dau 'seibiant' oddi yno, un ohonyn nhw pan etifeddodd Arglwyddiaeth ar farwolaeth ei dad, yr Arglwydd Stansgate.

Bu digwyddiadau eraill i nodi diwedd y daith Seneddol. Cefais anrhegion hael iawn gan Grŵp Seneddol y Blaid, oedd yn cynnwys pâr o englynion a luniwyd yn bwrpasol gan Myrddin ap Dafydd wedi ei fframio. Anrheg i'w thrysori yn sicr ddigon. Cefais hefyd gyflwyniad gan aelodau Grŵp Anabledd y Tŷ a geiriau hael iawn gan ein Cadeirydd, Jack Ashley.

Y digwyddiad a fydd yn aros hiraf yn fy nghof, fodd bynnag, oedd dathliad yn yr etholaeth pan gyflwynwyd i mi ryddfraint tref Caernarfon. Unwaith eto, roeddwn mewn olyniaeth nodedig, aml-bleidiol, gan fod Lloyd George a Goronwy Roberts ymhlith y fintai fechan iawn a dderbyniodd yr anrhydedd honno o'r blaen.

Cafwyd seremoni gartrefol, Gymreig yn Siambr Cyngor Tref Caernarfon, ac roedd rhywbeth braf iawn mewn derbyn y rhyddfraint o law Maer y dref, y Cynghorydd Ioan Thomas, gyda'r dirprwy Faer, y Cynghorydd Huw Edwards wrth ei law – y ddau'n aelodau Plaid Cymru ar y Cyngor. Cafwyd araith hynod gan y Cynghorydd Helen Gwyn, i gynnig yr anrhydedd – hithau yn ei thro yn un o hoelion wyth ein swyddfa yng Nghaernarfon am flynyddoedd; daeth geiriau caredig hefyd gan Brian Williams, Cynghorydd Annibynnol, prawf bod cyfeillgarwch a chydweithrediad yn croesi ffiniau plaid. Cafwyd swper cofiadwy i ddilyn yng Ngwesty Meifod yn fy mhentref fy hun, y Bontnewydd lle'r oedd Winston Roddick, Prif Gwnsel y Cynulliad, yn siaradwr gwadd. Fel Cofi,[1] cyfoeswr a chyfaill o'r hen ddyddiau yn y dref, roedd ei bresenoldeb yn addas dros ben. Er fy syndod, cyflwynwyd cyfarchion ysgrifenedig ac ar fideo gan gynnwys rhai oddi wrth Tony Blair, John Major a Rhodri Morgan. Pwy fyddai'n credu! Efallai mai balch oedden nhw fy mod yn rhoi'r ffidil yn y to yn San Steffan, ac y byddai un ddraenen yn llai yn eu hystlys! Roedd hwn yn un o'r achlysuron hapusaf a mwyaf cofiadwy o'm cyfnod fel AS, ac roeddwn yn eithriadol o falch fod fy rhieni, y ddau ohonynt, yn ddigon da i fod gyda ni drwy'r noson; a bod Eluned a Hywel wedi gallu dod adref at Elinor ar gyfer y digwyddiad. Roedd y teulu yn deulu mawr iawn y noson honno, ac roedd gennyf le i ddiolch i lu o ffrindiau a wnaeth yr achlysur yn bosibl.

* * *

Roedd yr wythnos olaf, 7–11 Mai, yn un ras wyllt i gyflawni popeth. Roedd rhaid gwagio'r ddesg, clirio'r swyddfa, a galw heibio gwahanol swyddogion y Tŷ – i ddiolch a ffarwelio yn ogystal â dychwelyd allweddi ac ailgyfeirio'r post. Wrth daro ar Aelod ar ôl Aelod yn y coridorau, rhai ohonyn nhw'n debygol o aros yn eu swyddi, rhai'n gadael o ddewis, a rhai yn ansicr eu ffawd, bu'n wythnos o eiriau caredig, cyfarchion a chanu'n iach i'r cyfan. Profiad rhyfedd oedd gorfod ffarwelio â hen gyfeillion fel Maggie Ewing ac Andrew Welsh o'r SNP, hwythau hefyd wedi cychwyn ar eu gyrfa Seneddol yn 1974. Roedden nhw, a chenedlaetholwyr eraill o'r Alban megis John Swinney (eu harweinydd newydd), Alasdair Morgan a Roseanna Cunningham, i gyd am ganolbwyntio'u hegnïon o hynny allan yn Senedd yr Alban. Roedd yn chwithig iawn gadael Grŵp Seneddol y Blaid. Roedd Ieuan Wyn Jones, wrth gwrs, yn gadael hefyd i ganolbwyntio ar ei waith yn y Cynulliad. Yn ystod yr wythnos olaf honno roeddwn yn ymwybodol iawn mai dyna'r tro olaf y byddai i Elfyn Llwyd, Simon Thomas, Ieuan a minnau gyfarfod fel Grŵp Seneddol o bedwar Aelod. Ond peth braf iawn oedd gallu teimlo fod Elfyn a Simon wedi tyfu cymaint fel gwleidyddion fel na fyddai colled ar ein hôl yn San Steffan. Roedd yn gysur hefyd meddwl y byddai olynwyr teilwng yn cymryd ein lle, a gobaith – na chafodd ei wireddu – y byddai'r Grŵp yn cynyddu yn ei faint ar ôl yr Etholiad. Bu raid ffarwelio â'r staff gweithgar – Rhian Medi Roberts, Alun Shurmer a Karen Williams. Roedd gennyf le arbennig i ddiolch i'r cyfeillion hyn am fy helpu a'm cynnal yn ystod y ddwy flynedd olaf pan oeddwn yn ceisio rhannu fy amser rhwng Llundain a Chaerdydd.

Roeddwn yn gadael grŵp o aelodau a staff oedd yn brofiadol ac effeithiol. Allwn i ddim llai na chofio'r modd y cyrhaeddodd Dafydd Elis Thomas a minnau i mewn i wagle ym Mawrth 1974 i ffurfio Plaid Seneddol gyntaf Plaid Cymru, yntau'n 27 oed a finnau'n 30, y ddau ohonom yn hynod ddibrofiad a heb Gwynfor Evans am y chwe mis cyntaf i'n harwain. Os oes llawer o ddŵr wedi mynd i lawr Afon Tafwys, gobeithio'n bod wedi gadael rhywbeth ar ôl yn sylfaen ar gyfer y frwydr sy'n parhau yn Nhŷ'r Cyffredin. Bydd angen am rai blynyddoedd eto i Gymru fod â llais i'w glywed o feinciau Plaid Cymru, llais sy'n rhydd o grafangau chwipiaid pleidiau Llundain. Bydd angen hyn am faint bynnag o flynyddoedd a gymer hi cyn y sefydlir gwladwriaeth Gymreig.

* * *

Roedd llu o Aelodau Cymreig yn gadael y Senedd yr un pryd â mi. Roedd pump ohonom yn gadael oherwydd ein bod yn Aelodau yn y Cynulliad, sef Ron Davies (Caerffili), John Marek (Wrecsam) a Rhodri Morgan (Gorllewin Caerdydd), yn ogystal â Ieuan a minnau. Hefyd yn ymadael roedd Richard Livsey (Democrat Rhyddfrydol, Brycheiniog a Maesyfed), arweinydd ei blaid yng Nghymru, ac un a chwaraeodd ran flaenllaw iawn yn y frwydr dros ddatganoli. Roedd pedwar AS Llafur arall wedi dewis ymddeol – Barry Jones (Alun Dyfrdwy), John Morris (Aberafan), Allan Rogers (Rhondda) a Ted Rowlands (Merthyr).

Doedd dim cymaint o Aelodau Cymreig wedi gadael efo'i gilydd, o'u gwirfodd, er 1945. Roedd Etholiad 2001 felly yn un o'r adegau hynny yn ein hanes pan oedd newid cyfnod, a hynny'n weladwy. Daeth i ben gyfnod yr ugeinfed ganrif, a minnau'n teimlo braidd yn chwithig wrth fynd i'r llyfrau hanes gyda throad y ganrif! Ond roedd yr Etholiad hefyd yn ddechrau cyfnod gwleidyddol newydd – cyfnod y Cynulliad.

Allwn i ddim llai na theimlo bod hyn hefyd yn drobwynt o safbwynt y Blaid Seneddol Gymreig, sef y corff o 40 Aelod sy'n cynrychioli etholaethau Cymru yn

Nhŷ'r Cyffredin. O'r 10 AS Cymreig oedd yn ymddeol, roedd pedwar ohonom yn Gymry Cymraeg, a dau arall wedi dysgu'r iaith yn weddol rugl. Roedd pob un o'r pedwar arall, di-Gymraeg o ran iaith, wedi cael rhan o'u haddysg neu o'u gyrfa mewn colegau yng Nghymru. Felly roedd talp o Gymreictod yn gadael y Senedd gyda'i gilydd. O wybod pwy oedd eisoes wedi eu mabwysiadu gan y Blaid Lafur mewn seddau fel Alun Dyfrdwy, Rhondda a Wrecsam, allwn i ddim peidio ag amau beth fyddai natur y Blaid Seneddol Gymreig wedi'r Etholiad. Ychwanegwyd at fy mhryder oherwydd yr ansicrwydd a fyddai Cymry pybyr megis Jon Owen Jones, Gareth Thomas a Huw Edwards yn cadw eu seddi (fel y gwnaeth y tri, efallai'n annisgwyl iddyn nhw'u hunain). Byddai cyfrifoldeb sylweddol yn disgyn ar ysgwyddau hen stejars fel Paul Flynn (Casnewydd) a wynebau newydd tebygol fel Hywel Francis (Aberafan) a Kevin Brennan (Gorllewin Caerdydd), i gadw'r dimensiwn cenedlaethol Gymreig yn fyw o fewn y Blaid Lafur Seneddol.

Gellid gweld Etholiad 2001 yn agor bwlch rhwng meddylfryd y Blaid Lafur Seneddol Gymreig a'r Blaid Lafur yn y Cynulliad. Yng Nghaerdydd, mae'r cyd-destun Cymreig yn troi'r rhai lleiaf cenedlaetholgar i feddwl yn nhermau Cymru. Gwelwyd hyn amlycaf ymhlith y Toriaid, er enghraifft yn y ffrae ddiweddar rhwng Peter Rogers AC a Nigel Evans AS ynglŷn â'r priodoldeb i'r Cynulliad drafod rhyfel Afghanistan. Ond mae'n wir hefyd gydag amryw o Aelodau Llafur.

Yn Llundain, fodd bynnag, mae llai o reidrwydd ar Aelodau newydd o Gymru i feddwl am y dimensiwn Cymreig, oherwydd bodolaeth y Cynulliad Cenedlaethol.

Y perygl yw na fydd rhai o blith y pleidiau Prydeinig yn teimlo unrhyw awydd i ystyried eu hunain yn gynrychiolwyr i Gymru, ar wahân i'r agweddau etholaethol. Aelodau Prydeinig yn digwydd cynrychioli seddi o Gymru fyddan nhw. Os felly, bydd cyfrifoldeb trymach fyth ar Aelodau Plaid Cymru i gynnal y fflam Gymreig.

Dyma'r ateb i'r cyfeillion hynny sy'n holi, yn sgîl datganoli, a oes angen i Blaid Cymru anfon cynrychiolyddion i Lundain. Y tebyg yw y bydd yr angen yn fwy fyth yn y dyfodol wrth i'r pleidiau eraill yn San Steffan wanio yn eu hymrwymiad i Gymru. Bydd hyn hefyd yn arwain at agendor gynyddol rhwng y pleidiau Prydeinig yn Llundain a'u pleidiau cyfatebol yn y Cynulliad. Gwelwyd hyn eisoes gyda'r Torïaid, ac i ryw raddau yn ddiweddar iawn gyda'r Democratiaid Rhyddfrydol. Gellir rhagweld, fel yr awgrymodd Ron Davies, y bydd gofyn i'r pleidiau hyn ddatblygu peirianwaith creu polisi mwy annibynnol yng Nghymru. A bod yn onest, mae'n rhaid cyfaddef bod her gyffelyb yn wynebu Plaid Cymru – i ofalu na fydd y Blaid yn y Cynullaid a'r Blaid yn y Senedd yn tyfu ar wahân.

* * *

O edrych yn ôl, beth sydd i'w ddangos o'm cyfnod yn y Senedd? Does gen i ddim hawl i honni am eiliad mai fi sy'n bennaf cyfrifol am y datblygiadau y byddwn eisiau uniaethu â nhw fel llwyddiannau a welwyd yn ystod y cyfnod hwn. Ymhlith y datblygiadau o bwys i Gymru, rhai y ceisiais ddylanwadu arnynt, roedd y canlynol:

Dyddiad	Eitem
1975	Deddf Awdurdod Datblygu Cymru
1976	Deddf Bwrdd Datblygu Cymru Wledig
1978	Deddf Cymru
1979	Deddf Iawndal Llwch Chwarelwyr
1981	Deddf Pobl Anabl *(fy Neddf breifat innau)*
1982	Sefydlu S4C
1986	Deddf Gwasanaethau Pobl Anabl
1990	Deddf Ymchwil Embryo
1993	Deddf yr Iaith Gymraeg
1995	Deddf Gwahaniaethu ar sail Anabledd
1997	Refferendwm Datganoli
1998	Deddf Llywodraeth Cymru
1999	Etholiadau'r Cynulliad

Nid yn nhermau deddfwriaeth yn unig y dylid pwyso a mesur y cyfnod. Bu nifer o ymgyrchoedd a datblygiadau eraill, rhai'n Seneddol a rhai o fewn yr etholaeth, a fu'n achos boddhad i mi. Roedd y rhain yn cynnwys:

- Brwydro i gael statws Amcan Un i Gymru;
- Datblygu'r diwydiant teledu yng Nghaernarfon;
- Sefydlu Pencadlys cwmni Euro DPC yn Llanberis;
- Sefydlu PROGRESS i warchod ymchwil embryo;
- Brwydro am gyfiawnder ynglŷn â threthi dŵr;
- Sefydlu canolfannau hamdden Caernarfon, Pwllheli a Phorthmadog a Chanolfan Awyr Agored Plas Menai;
- Ennill statws INTERREG i Gymru;
- Sefydlu'r Blaid fel prif wrthblaid y Cynulliad;
- Ennill rheolaeth ar Gynghorau Gwynedd, Caerffili a RCT;

• Ennill dwy sedd y Blaid o fewn Senedd Ewrop.

Mae rhai uchafbwyntiau o'r cyfnod yn sefyll allan. Y digwyddiadau sydd fwyaf yn fy nghof, ar wahân i ennill y sedd, yw noson y Refferendwm yn 1997, yr Etholiad i'r Cynulliad yn 1999 (ac yn arbennig y diwrnod wedyn pan ddaeth y canlyniadau'n hysbys) a diwrnod Agoriad Swyddogol y Cynulliad. Os oes rhaid dewis un, yn ddi-os noson y Refferendwm fyddai hwnnw, a'r hanner awr anhygoel pan weddnewidiwyd rhagolygon cenedl. Braint oedd bod yno: mae rhywbeth i'w ddangos am yr oriau hir, y siomedigaethau a'r diflastod.

Mae cymaint mwy i'w wneud. Rhaid troi'r Cynulliad yn Senedd go iawn a chryfhau llais Cymru o fewn y Gymuned Ewropeaidd. Rhaid sicrhau gwell safon byw ac ansawdd bywyd i holl drigolion Cymru, ym mhob rhan o'n gwlad. Golyga hyn greu strategaeth newydd i ddod â gwell dewis o waith o fewn cyrraedd pawb yng Nghymru. Mae'r chwalfa wledig yn her i bawb ym myd gwleidyddiaeth. Ac mae'r brwydrau amgylcheddol, fel yr un i rwystro cnydau GM yng Nghymru, yno i'w hennill, fel y mae'r angen i greu economi gynaladwy ar sail ynni adnewyddol. Ac mae statws yr iaith Gymraeg yn dal yn anfoddhaol. Hyn, a llawer mwy.

* * *

Fe wnes fy araith olaf yn y Senedd fore dydd Gwener, 11 Mai, sef ar y diwrnod olaf un, ac o fewn teirawr i'r Senedd ddod i ben.

Roedd yn gyfle addas iawn i wneud cyfraniad olaf yn y Siambr oherwydd y mater dan sylw oedd Mesur Comisiynydd Plant Cymru. Dyma'r Mesur Seneddol cyntaf i ddod yn ddeddf gwlad a ddeilliai yn uniongyrchol o gais am ddeddf gan Lywodraeth Cymru yn y Cynulliad. Cefais gyfle i gyfeirio at rai o'r newidiadau a ddigwyddodd dros y saith mlynedd ar hugain, yn ogystal â rhinweddau'r Mesur oedd ger ein bron.

Cerddais allan o'r Siambr ochr yn ochr â Margaret Ewing, a fu'n gymaint o ffrind dros gynifer o flynyddoedd, a hithau hefyd yn gadael y Siambr am y tro olaf. Gadewais heb deimlo unrhyw chwithdod o'r math yr oeddwn wedi bod yn ei ragweld rai misoedd ynghynt. Gwyddwn yn iawn fod yr amser wedi dod i mi roi'r Hansard yn y to, a'i fod yn gwbl briodol fy mod yn gadael. Mae amser i bopeth dan y nefoedd. Cefais flynyddoedd o fwynhad, a boddhad, yn ogystal â rhwystredigaeth a thorcalon o fewn muriau'r Siambr honno. Ond mae'r brwydrau bellach yn rhai i'w hymladd yn y Cynulliad. Fel y dywedais ar ddiwedd fy araith olaf:

Much work... remains to be done. As I depart from the Chamber it is my hope that I will have an opportunity to pursue those matters in another place in Cardiff.

Llwythais weddill fy mhapurau i'r car ac am un o'r gloch roeddwn yn gyrru allan trwy brif giatiau'r Senedd am y tro olaf. Doedd dim amser i edrych yn ôl. Roedd rhaid i mi yrru i'r etholaeth, a hynny ar fyrder. Oherwydd y noson honno, yng Nghlynnog Fawr am saith o'r gloch, roeddwn yn siarad mewn cyfarfod lansio ymgyrch etholiad arall: yr ymgyrch i ethol Hywel Williams fel Aelod Seneddol newydd Caernarfon.

Pan sefais y tu allan i Ysgol Maesincla, Caernarfon yn

oriau mân y bore ar 1 Mawrth 1974, i glywed canlyniad yr Etholiad, go brin y rhagwelwn yr hyn oedd o'm blaen. Ni allaf ond diolch i etholwyr Caernarfon ac i aelodau'r Blaid yn yr etholaeth, ac yn genedlaethol, am y cyfle i godi llais dros Gymru yn y Senedd ar adeg mor ddifyr yn hanes ein gwlad.

[1] 'Cofi' yw'r enw a roddir ar frodor o dref Caernarfon. Mae Winston Roddick yn Gofi o'r iawn ryw, gan iddo gael ei eni o fewn muriau'r hen dref. Yn ddiweddarach yn y flwyddyn fe'i penodwyd yn Gofiadur Anrhydeddus cyntaf Tref Caernarfon.

Cau pen y mwdwl

Rhaid cyfaddef bod Etholiad 2001 yn un od iawn i mi. Dyma'r tro cyntaf er 1966 – cyfnod o 35 mlynedd – nad oeddwn yn sefyll fel ymgeisydd ar gyfer Tŷ'r Cyffredin. Cefais y cyfnod cyn yr etholiad yn un rhwystredig iawn. Nid oeddwn yn aelod o'r gweithgor etholiad ac felly doedd dim cyfle i gyfrannu i strategaeth yr ymgyrch. Roedd yn od hefyd peidio ymddangos yn yr un Gynhadledd i'r Wasg yng Nghymru – yr unig un a gefais oedd yn Nhŷ'r Cyffredin i lansio'r ymgyrch yn Llundain.

Cadwodd y wasg a'r cyfryngau eu pellter oddi wrthyf hefyd. Doeddwn i ddim yn llawn deall y peth: roedd rhywbeth afreal ynglŷn â'r holl gyfnod. Dim ond drannoeth yr etholiad y cefais beth eglurhad pan ddywedodd un o ohebwyr y BBC wrthyf, ar ôl gwneud cyfweliad ar y canlyniadau, 'Diolch i'r drefn ein bod yn cael eich holi eto rŵan!'. Gofynnais iddi beth oedd yn ei olygu. 'O, roeddwn i wedi cael ar ddeall nad oeddych chi ar gael i'ch holi drwy gydol yr ymgyrch!' meddai. Roedd hynny'n newyddion i mi, ond roedd yn egluro'r sefyllfa.

Er nad oedd gwahoddiadau i chwarae rhan ar y llwyfan cenedlaethol, roedd digon i'w wneud yn lleol. Cefais lu o geisiadau i ymgyrchu gyda'r ymgeisyddion ar hyd a lled Cymru yn ogystal â chwarae rhan yn Arfon. Yn y cyfnod yn arwain at yr etholiad, bûm wrthi yn etholaethau Conwy, Llanelli a'r Rhondda ar nifer o adegau, a bûm hefyd ar ymweliadau ag ugain o etholaethau eraill. Fel ym mhob etholiad ers cyn cof, cefais gyfle i annerch 'cyfarfod mawr' yn etholaeth Dwyrain Caerfyrddin a Dinefwr, sef cyfarfod yn Llandybïe i gefnogi Adam Price. Ymgyrchoedd Adam a Dyfan Jones yn Llanelli oedd yn gwirioneddol daro deuddeg. Doedd hi'n ddim syndod i mi mai dyma'r ddwy etholaeth a gafodd y canlyniadau gorau.

Bu raid i mi droedio'n ofalus yn Arfon oherwydd y rheidrwydd i beidio tynnu sylw ataf fi fy hun wrth gefnogi ymgyrch Hywel Williams. Bûm felly o gwmpas rhannau helaeth o'r etholaeth efo criwiau yn gollwng taflenni neu'n canfasio, ac yn ymddangos efo Hywel mewn rhai canolfannau strategol yn unig.

Ar un ymweliad bu digwyddiad cofiadwy. Roedd hyn ar ddiwedd yr wythnos pan roddodd John Prescott ddwrn yn wyneb protestiwr yn y Rhyl. Roeddwn innau at Stad Penamser, Porthmadog, gyda chorn siarad ac yn dosbarthu taflenni ac ysgwyd dwylo. Roedd criw o blant o'n cwmpas. Daeth un hogyn tua naw oed ataf gan anelu dwrn am fy ngên. Trwy lwc nid oedd yn ddigon tal i'w chyrraedd! 'Be ddiawl ti'n feddwl ti'n neud?' gofynnais iddo. Cefais yr ateb anhygoel: 'Wel, chwara lecsiwn ydan ni'n 'te?'. Bu'r canlyniad yn Arfon yn foddhaol:

Hywel Williams *(Plaid Cymru)*	12,894	44.4%
Martin Eaglestone *(Llafur)*	9,383	32.3%
Bronwen Naish *(Tori)*	4,403	15.1%
Mel ab Owain *(Dem. Rhydd.)*	1,823	6.3%
Dilwyn Lloyd *(UK Independence)*	550	1.9%
Mwyafrif	3,511	

Roedd y canlyniad yn deyrnged i'r gwaith mawr a wnaed gan Walis George, Richard Thomas a'r tîm etholiad.

Roedd Hywel wedi cadw'r sedd gyda mwyafrif dwywaith yr un a gefais i y tro cyntaf i mi ennill y sedd yn 1974. Bydd cyfle iddo yn awr i adeiladu pleidlais bersonol i ddiogelu'r sedd. Mae gan Hywel ffordd arbennig gyda phobl, a bydd yn Aelod Seneddol cydwybodol ac effeithiol.

Trwy Gymru benbaladr bu'n etholiad o rwystredigaeth i'r Blaid. Cynyddodd ein pleidleisiau o'r etholiad seneddol blaenorol yn 1997 o 10% i bron iawn 15%, y gyfran uchaf mewn unrhyw etholiad erioed i San Steffan. Sicrhaodd Adam Price fuddugoliaeth sylweddol dros Alan Williams yn Nwyrain Caerfyrddin a Dinefwr, gyda mwyafrif o 2,590. Daeth Dyfan Jones o fewn 6,500 i guro Denzil Davies yn Llanelli gyda 31% o'r bleidlais.

Ond cawsom ergyd ddifrifol wrth golli Ynys Môn i Lafur o 800 o bleidleisiau. Roedd Eilian Williams wedi gweithio'n galed, ac roedd yn ymgeisydd cymeradwy. Yn anffodus bu hollt ar yr Ynys rhwng rhai carfanau a phenderfynodd nifer o aelodau'r Blaid i groesi'r bont i weithio dros yr achos yn etholaeth Conwy. Pe bai Ynys Môn yn gwbl ddiogel byddai tacteg o'r fath yn ganmoladwy, oherwydd roedd gennym un o'n hymgeisyddion cryfaf erioed yng Nghonwy, Ann Owen. Roedd wedi gwneud argraff arbennig o dda yno. Roedd Gareth Jones AC , wrth gwrs wedi ennill Conwy i'r Blaid yn etholiadau'r Cynulliad 1999. Ond gwyddem, mewn etholiad i Lundain, y byddai'n wyrthiol gallu cipio Conwy ac yn sicr ddigon ni ddylem fod wedi peryglu'n gafael ar Fôn er mwyn dod yn ail da yng Nghonwy. Canlyniad hyn oll oedd pwysau ychwanegol dianghenraid ar Ieuan Wyn Jones, sydd yn awr yn gorfod cystadlu am bob modfedd o dir gwleidyddol ym Môn yn erbyn Albert Owen AS, ac sydd hefyd wedi colli'r adnoddau ariannol o Dŷ'r Cyffredin a ddeuai o rannu swyddfa gyda AS.

Ni wireddwyd ein gobeithion o allu gwasgu'n sylweddol ar Lafur yn y Rhondda ac Islwyn, dwy sedd yr oeddem wedi eu hennill yn y Cynulliad. Serch hynny, llwyddodd Leanne Wood i gael 21% o'r bleidlais gydag ymgyrch liwgar a brwdfrydig. Cafwyd pleidlais addawol yng Nghaerffili gyda Lyndsay Whittle, Arweinydd Cyngor Caerffili, hefyd yn cael 21% o'r bleidlais.

Y canlyniad dros Gymru gyfan yn yr etholiadau, o ran pleidleisiau, oedd:

	1997	1999[1]	2001
Llafur	885,935	348,671	666,956
Plaid Cymru	161,030	290,572	195,893
Ceidwadwyr	317,127	162,133	288,623
Dem. Rhydd.	200,020	137,857	189,254

Felly roeddem wedi ennill pleidleisiau sylweddol, mewn cymhariaeth â 1997, ond yn dal pedair sedd yn unig yn Nhŷ'r Cyffredin. Pe baem wedi cadw Ynys Môn byddai'r canfyddiad o lwyddiant yn dal i fodoli. Rhaid yn awr ail-greu momentwm ar gyfer etholiadau'r Cynulliad yn 2003.

* * *

Ar ôl etholiad 2001, daeth newid byd i mi. Dim mwy o

deithio i Lundain, a gallu canolbwyntio'n llawn ar fy ngwaith yn y Cynulliad Cenedlaethol. Roeddwn hefyd yn y sefyllfa ffodus o rannu etholaeth Arfon gyda Aelod Seneddol o'r un blaid. Gellir dychmygu'r gwahaniaeth rhwng hynny a gorfod ymladd, fesul wythnos, ag AS neu AC o blaid wahanol. Bryd hynny gwelir cystadleuaeth am bob modfedd o dir. At bwy mae'r etholwyr yn dod i gymorthfa? Pwy sy'n cael gwahoddiad i agor ffair neu ddadorchuddio plac? Pwy sydd gyntaf yn y wasg gyda stori neu sylwadau?

Ond os yw'r Aelodau o'r un blaid, fel yn Arfon gyda Hywel Williams a minnau, mae'r sefyllfa yn un o gydweithio hapus. Rhannwn yr un swyddfa, yr un staff a hyd yn oed yr un set o ffeiliau ar gyfer etholwyr. Gweithiwn y cymorthfeydd – yng Nghaernarfon bob wythnos, Pwllheli a Phorthmadog bob bythefnos, a'r pentrefi yn achlysurol. Caiff y cyhoedd weld pa aelod bynnag a fynnant. Caiff yr etholaeth well gwasanaeth, ac fe rennir y baich, gan gynnwys y baich ariannol o gynnal swyddfa.

Ni theimlais fy mod yn colli Tŷ'r Cyffredin o gwbl. Roedd digon o waith i'w wneud yn y Cynulliad ac yn yr etholaeth. Yr unig beth a gollais oedd y siwrnai drên bur gyfforddus sydd ar y gwasanaeth *Intercity* o Fangor i Lundain.

* * *

Yn ystod haf 2001, wedi'r Etholiad Cyffredinol, bu cryn ddyfalu yn y wasg a oeddwn am geisio dychwelyd fel Llywydd y Blaid. Cefais ymholiadau lu am hyn – gan gyfeillion o'r wasg a'r cyfryngau a chan aelodau'r Blaid. Wn i ddim pwy oedd yn annog pwy i holi'r cwestiynau.

Mae'n wir i flwyddyn gyntaf Ieuan Wyn Jones yn y Llywyddiaeth fod yn un anodd. Cofiaf fy mlwyddyn gyntaf innau yn y Llywyddiaeth yn 1981: doedd honno ddim yn hawdd chwaith. Roedd y broblem yn waeth i Ieuan oherwydd canlyniad Ynys Môn. Ond go brin y byddai unrhyw un yn disgwyl iddo sefyll i lawr heb gael cyfle llawn i wneud ei farc.

Fe wnes innau'n glir nad oeddwn yn bwriadu sefyll yn erbyn Ieuan am y Llywyddiaeth. Roedd dau reswm am hyn. Yn y lle cyntaf, roeddwn wedi gwneud y gwaith ddwywaith: o 1981 i 1984 ac wedyn o 1991 i 2000. Dyna oedd wedi sigo fy iechyd. Ac wrth i'r swydd dyfu yn ei chyfrifoldebau fel yr oedd y Blaid yn tyfu, roedd yn faich nad oedd gennyf yr awydd lleiaf i ailymgymryd â hi. Tra'n Llywydd, byddwn yn gorfod treulio cymaint ag ugain Sadwrn y flwyddyn yn eistedd mewn Pwyllgor Gwaith Cenedlaethol neu Gyngor Cenedlaethol neu ar un o weithgorau'r Blaid. Roedd cael fy rhyddhau o'r rhain yn ollyngdod, ac nid oes gennyf unrhyw fwriad ail-ymgymryd â phatrwm bywyd o'r fath.

Yr ail reswm dros wneud fy natganiad oedd i ryddhau Ieuan o unrhyw gysgod yn loetran wrth ei ysgwydd. Byddai'n sefyllfa gwbl annioddefol iddo orfod edrych dros ei ysgwydd byth a beunydd, i weld a oeddwn innau'n ceisio'i ddisodli.

Ond er i mi wneud fy sefyllfa yn glir, parhaodd y trafod yn y wasg. Dywedwyd rhai pethau anffodus a oedd yn creu awyrgylch a'm hatgoffodd o'r cyfnod anodd a gefais innau yn y Llywyddiaeth rhwng 1981 ac 1984.

Dechreuais feddwl o ddifri ai drwy'r Cynulliad y gallwn gyfrannu orau i Gymru, ynteu a oedd yr amser wedi dod i gau pen y mwdwl. Yn y cyfamser tra'r wyf yn Aelod o'r Cynulliad mae dyletswydd arnaf i gyfrannu orau y gallaf i lwyddiant y Blaid, lles Cymru a buddiannau fy etholaeth. Diolch i'r drefn am etholaeth sydd fel y graig.

* * *

Pan adawais Lywyddiaeth y Blaid yn Awst 2000, gofynnais am gael y flwyddyn ganlynol yn rhydd o unrhyw gyfrifoldebau, fel llefarydd mainc flaen o fewn y Cynulliad. Gwnes hyn am ddau reswm. Y cyntaf a'r amlycaf, oedd i greu gofod i mi fy hun, i gael fy ngwynt ataf, ac i gael adferiad llwyr o'r driniaeth ar y galon. Roeddwn wedi gorfod derbyn y byddai'n cymryd dwy flynedd oddi ar y driniaeth yn Rhagfyr 1999 i ddod dros bethau'n iawn. Yr ail reswm oedd i beidio cystadlu â Ieuan Wyn Jones, Llywydd newydd y Blaid, am ofod ar y cyfryngau. O gymryd sedd gefn, byddai hyn yn rhoi cyfle teg iddo wneud ei farc fel arweinydd.

Bu cyfle i mi ymgymryd â rhai cyfrifoldebau penodol. Cadeiriais Weithgor Tai y Blaid[2] a sefydlwyd ar ôl y ffrwgwd a ddeilliodd o sylwadau'r Cynghorydd Seimon Glyn ynglŷn â phroblemau tai gwledig. Nid oes dwywaith fod problem yn bodoli yn y Gymru wledig, a bod bygythiad i barhad yr iaith Gymraeg fel iaith gymunedol yr ardaloedd hyn. Mae brys i weithredu. Dyna paham y bu i ni lunio a chyhoeddi, o fewn 3 mis, becyn o 12 argymhelliad[3] y gellid eu gweithredu ar fyrder, os oes ewyllys wleidyddol i gyflawni hynny. Bu i mi hefyd drefnu dadl frys yn y Cynulliad ar y mater.

Roeddwn yn chwarae fy rhan o fewn y Cynulliad, wrth gwrs, ac yn aelod o dri phwyllgor oedd yn agos iawn at fy nghalon. Roeddwn ar Bwyllgor Datblygu'r Economi, gyda Dr Phil Williams yn arwain ein tîm yno. Roedd yr hen bartneriaeth rhyngddo fo a minnau a gynhyrchodd Gynllun Economaidd i Gymru yn 1970, eto ar waith. Dyma'r pwyllgor sydd hefyd â chyfrifoldeb dros dwristiaeth, diwydiant hynod bwysig i'm hetholaeth. Rwyf hefyd, yn rhinwedd hyn, yn aelod o Bartneriaeth Busnes Cymru sy'n dod â chynrychiolaeth y Cynulliad wyneb yn wyneb ag arweinyddion busnes Cymru a'r undebau llafur. Mae llwyddiant y bartneriaeth hon yn allweddol i lwyddiant y Cynulliad.

Bûm, o ddechrau'r Cynulliad yn 1999, ar y Pwyllgor Archwilio sy'n cael ei gadeirio gan Janet Davies, un o hoelion wyth y Blaid. Elfen bwysig o waith y Cynulliad yw sicrhau y caiff pobl Cymru werth pob ceiniog o wariant cyhoeddus, ac nad oes lle i wastraff na llygredd. Ym Mehefin 2001, cefais ymuno â Phwyllgor Diwylliant a Chwaraeon, o dan gadeiryddiaeth Rhodri Glyn Thomas AC; roedd hyn mewn pryd i mi gymryd rhan efo Owen John Thomas AC yn y gwaith o adolygu safle'r iaith Gymraeg. Disgwylir i'r gwaith hwn gael ei gwblhau ym Mawrth 2002.

Yn Hydref 2001 derbyniais wahoddiad Ieuan i ddychwelyd i'r fainc flaen yn y Cynulliad, fel Llefarydd Cyllid. Roeddwn yn falch o dderbyn y gwahoddiad. Bûm yn ymwneud â'r portffolio cyn mynd yn wael. Bu Ieuan yn delio â hi am flwyddyn. Trwy ailymgymryd â'r gwaith roeddwn yn lleihau'r baich arno fo, a chaniatáu iddo dreulio mwy o amser yn Ynys Môn i ddiogelu ei sedd yno. Roeddwn hefyd yn falch o ailgysylltu ag Edwina Hart, Gweinidog Cyllid Cymru. Bûm â chydweithrediad da â hi o'r cychwyn. Mae'n un o halen y ddaear ac yn gwbl agored yn y ffordd y mae'n ymwneud â'i gwaith. Bydd adegau pryd y bydd raid ei gwrthwynebu o ran polisïau a blaenoriaethau, ond o leiaf gallwn barchu'n gilydd a chydweithio er lles Cymru a'r Cynulliad pan fo hynny'n briodol.

Un her enfawr i'r Cynulliad yw perswadio'r Trysorlys yn Llundain i adolygu Fformiwla Barnett sy'n allweddol os ydym am gael adnoddau ariannol digonol i gyllido addysg, iechyd, amaethyddiaeth a llywodraeth leol Cymru. Her arall yw cael arian llawn o Ewrop. Dyna pam, yn ystod fy wythnos gyntaf yn ôl fel Llefarydd Cyllid, yr es i Frwsel. Roedd yr arian hanfodol i sefydlu cronfa datblygu busnes o'r enw 'Cyllid Cymru' (rhywbeth cyffelyb i fanc datblygu) yn loetran ym Mrwsel. Roeddem wedi disgwyl cael sêl bendith ar y cynllun ym Mawrth 2001; gohiriwyd hyn tan fis Mai, wedyn hyd fis Gorffennaf ac wedyn i fis Medi.

Cefais gyfarfod rhyfeddol ar 15 Hydref efo Dr Manfred Beschel, Pennaeth yr uned berthnasol o fewn Adran Polisi Rhanbarthol Ewrop.

Am hanner awr bu'n egluro pam fod swyddogion yng Nghymru wedi methu cyflawni'r hyn oedd yn hanfodol i gael y pres. Yna daeth aelod o'i staff â ffolder i mewn. Agorodd Dr Beschel y ffeil a dywedodd '*And now for the good news*...'. Roedd y llythyr i gymeradwyo'r cynllun ar ddesg y Comisiynydd Barnier, yn barod i'w arwyddo! Cefais bennawd yn y *Western Mail*: '*Wigley returns – with*

£21m.'[4] Dyna ffordd eithaf da i ailafael yn fy ngwaith fel Gweinidog Cyllid yr Wrthblaid!

Lwc, wrth gwrs, oedd hi i mi fod ym Mrwsel ar yr amser allweddol. Ond pe bai Gweinidogion Llywodraeth Cymru wedi treulio mwy o amser yn curo ar ddrysau Brwsel, byddai'r cyhoeddiad (a'r arian) wedi dod yn gynt. O hynny nid oes gennyf ddim amheuaeth. Dyma'r pris yr oeddem yn ei dalu o fod â Rhodri Morgan yn ceisio gwneud gwaith Gweinidog yr Economi yn ogystal â'i briod waith fel Prif Weinidog Cymru, a hynny ar amser allweddol.

Mae'r gwaith fel Llefarydd Cyllid yn cydredeg â'm gwaith ar Bwyllgor yr Economi a'r Pwyllgor Archwilio, ac edrychaf ymlaen at ddatblygu hyn dros y cyfnod nesaf.

* * *

Felly dyma fi ar ran ola'r daith. Rwyf yn mwynhau cael mwy o amser gartref, ac roedd hyn yn amserol iawn oherwydd yr afiechyd a ddioddefodd fy nhad, sy'n 89 oed, dros y deunaw mis diwethaf. Mae fy rhieni yn byw y drws nesaf i ni yn y Bontnewydd. Buont o gymorth aruthrol i Elinor a minnau pan oedd ein bechgyn, Alun a Geraint, yn gwaelu. Dyma gyfle i ninnau allu eu helpu nhw.

Bellach mae'n merch Eluned yn newyddiadurwraig sy'n gweithio gyda Grŵp Gwyrdd/Cynghrair-Rydd-Ewrop yn Senedd Ewrop, ac yn helpu tîm y Blaid yno, Jill Evans ac Eurig Wyn. Mae'n ffodus o fod yn siarad pum iaith, ac mae'r un mor gefnogol i'r weledigaeth Ewropeaidd â'i thad!

Mae Hywel, ein mab, bellach yn gweithio yn y byd teledu yng Nghymru, fel technegydd sain. Mae ei galon yn dal yn y byd miwsig roc, a aeth â'i fryd er pan oedd yn fachgen ysgol. Mae'n parhau i ysgrifennu cerddoriaeth a chynhyrchu disgiau – talent a ddaeth fwy gan ei fam na'i dad, mi dybiaf!

Yn ystod y blynyddoedd diwethaf, cafodd Elinor gyfle i sefydlu Canolfan Gerdd William Mathias yn nhref Caernarfon. Fe wneir gwaith ardderchog yno i ddatblygu cerddoriaeth yn yr ardal. Mae'n parhau hefyd i ddysgu'r delyn ym Mhrifysgol Cymru, Bangor ac i deithio'r byd i roi cyngherddau.

O'm rhan innau, os wyf ar fin cau pen y mwdwl, mae digon i'm diddori: mae nifer o lyfrau – gwleidyddol a ffuglen – yn corddi rhywle o dan yr wyneb ac awydd gweld golau dydd. Gobeithiaf hefyd gael mwynhau yr amser hamdden sydd gennyf wrth ddilyn tîm pêl-droed Caernarfon, cerdded y mynyddoedd a cheisio cadw trefn ar yr ardd drws nesaf yn ogystal â'n gardd ni. Mae ysfa crwydro'r byd heb dawelu. Parhaf yn Llywydd Hufenfa De Arfon, gan fwynhau'n fawr y cysylltiad ag amaethwyr y cylch. Yn ddiweddar, hefyd, cefais gyfle i ailymuno ag Osborn Jones wrth iddo ffurfio cwmni newydd i ddatblygu technoleg newydd (dan yr enw Picosorb) sy'n dadansoddi bwydydd am gyflyrau megis e.coli.

Yn ystod y flwyddyn ddiwethaf bu raid i mi droi i lawr gyfleoedd eraill yn y byd masnachol. Efallai y daw cyfle i dderbyn ambell un yn y dyfodol. Pe bai modd helpu, rywfodd, i ddatblygu diwydiannau newydd megis yr hyn a wnaethom gyda Euro DPC yn Llanberis (sydd bellach yn cyflogi 300 o weithwyr) byddai hynny'n gyfraniad cyn bwysiced i etholaeth Arfon â'r hyn a allaf ei wneud yn y Cynulliad.

Bydd rhoi'r gorau i fyd gwleidyddiaeth y Blaid, pryd bynnag y daw'r diwrnod hwnnw, yn llawer anoddach na gadael San Steffan, oherwydd o fewn y Blaid, ar lawr gwlad ar hyd a lled Cymru, cefais gyfeillgarwch yn ogystal â chefnogaeth aruthrol. Mae unrhyw lwyddiant a ddaeth i'm rhan fel Llywydd y Blaid yn deillio o'r cyfeillion hyn – arweinwyr lleol, ymgeisyddion, cynghorwyr ac aelodau cyffredin a oedd yn fodlon cerdded trwy'r gwynt a'r glaw dros achos Cymru. Heb eu hymlyniad a'u haberth hwy, ni allwn fod wedi cyflawni dim. Iddynt hwy mae'r diolch.

Pan ddaw'r amser i roi'r ffidil (yn ogystal â'r Hansard) yn y to, o leiaf bydd rhywbeth i edrych yn ôl arno. Os na chafwyd Senedd, fe gafwyd Cynulliad Cenedlaethol a all ddatblygu i fod yn Senedd o fewn y degawd hwn. Gallaf ddweud â'm llaw ar fy nghalon imi fod o ddifri ac, o ddal ati, fe gafwyd y maen i'r wal.

[1] Yn seiliedig ar y pleidleisiau yn y 40 etholaeth unigol.

[2] Aelodau eraill y gweithgor oedd Janet Davies AC a Simon Thomas AS, gyda Carole Willis yn gyd-lynydd; sefydlwyd y Gweithgor gan Gyngor Cenedlaethol Plaid Cymru yn Chwefror 2001 a chyflwynwyd yr adroddiad i Bwyllgor Gwaith y Blaid ym Mehefin 2001.

[3] Cyhoeddwyd argymhellion y Gweithgor ym Mehefin 2001 o dan y teitl Tasglu Gwledig – Adroddiad Dechreuol.

[4] *Western Mail*, 17 Hydref 2001.